MONIKA SZWAJA

Zapiski
stanu poważnego

Polecamy:

MONIKA SZWAJA

Zapiski stanu poważnego

Powieść dla kobiet.

Oraz płci pozostałych.

literatura
na obcasach

Wydawca:
G + J Gruner + Jahr Polska Sp. z o.o. & Co. Spółka Komandytowa
02-677 Warszawa, ul. Wynalazek 4
Dział dystrybucji:
tel. (22) 607 02 49 (50)
dystrybucja@gjpoland.com.pl

Informacje o serii „Literatura na obcasach":
tel. (22) 640 07 19 (20)
strona internetowa: www.literatura.bizz.pl

Redakcja: Jan Koźbiel
Korekta: Mariola Będkowska
Projekt okładki: Anna Angerman
Redakcja techniczna: Elżbieta Urbańska
Łamanie: Ewa Wójcik

ISBN: 83-89221-50-0

Druk: Białostockie Zakłady Graficzne SA

*Rafałowi, który jest najbardziej utalentowanym facetem,
z jakim miałam zaszczyt i radość pracować (cały Maciek
z mojej powieści i jeszcze trochę więcej), a także Krysi, Osince,
Ewie, Agnieszce, Pawełkowi, Tomkowi, Antosiowi, Bobulowi,
Beretowi, Piotrusiowi P., Karolowi, Solarowi, Sławeczkowi,
Gdańszczakom i wszystkim Kolegom, z którymi wspólnie
stworzyliśmy te setki lepszych, gorszych i całkiem dobrych
programów, filmów, reportaży, transmisji...
Dziękuję, kochani.*

WRZESIEŃ

Wtorek, 12 września

Koniec świata, będę miała dziecko!

Chodziły po mnie pewne niepokoje, ale nie żeby naprawdę...

Zula ginekolożka ćwierkała teraz między moimi nogami, cała w zawodowych skowronkach:

– Po prostu świetnie, najwyższy czas był dla ciebie, trzydzieści dwa lata to prawie ostatni gwizdek, będziesz teraz musiała zrobić sobie wszystkie badania i regularnie przychodzić do mnie na wizyty, to jest dopiero drugi miesiąc, no dobrze, ubierz się, jak na razie wszystko jest w najlepszym porządku, ale nigdy nic nie wiadomo, trzeba będzie spauzować trochę z tą twoją pracą, no i najważniejsze – stała kontrola u mnie.

Niedoczekanie. Pamiętam dobrze, jak jedna z jej kuzynek powiedziała mi kiedyś: „Leczyć się u Zuli? Nigdy! Mogę się z nią wódki napić, mogę porozmawiać, ona jest fajna, zabawna, ale leczyć się? O, nie!".

Chodziłam do Zuli na w miarę regularne kontrole, odkąd poznałam ją przez tę właśnie kuzynkę, a moją koleżankę jeszcze z liceum. Głosiła bardzo rozsądne poglądy (Zula, nie koleżanka; to znaczy koleżanka też, ale to w tej chwili nieistotne), co mi się spodobało. I nie prawiła mi kazań. Ale co innego doroczna cytologia, a co innego dziecko!

Dziecko!

– Zula, słuchaj – powiedziałam, złażąc z fotela. – A to będzie chłopiec czy dziewczynka?

– A skąd ja to mogę wiedzieć na tym etapie, palcem ci nie sprawdzę. – Zula wzruszyła ramionami i zabrała się do wypisywania skierowań.

Trzeba będzie udać się do pani profesor, do której latają wszystkie moje koleżanki. Bierze wprawdzie znacznie więcej niż Zula, ale za to jest ordynatorem w klinice i jakby co, weźmie mnie na oddział.

Jakie jakby co? Na pewno nie!

Zapłaciłam ćwierkającej Zuli, zabrałam swoje skierowania i udałam się do pracy. Spauzować! Też coś. A kto mi zarobi na chlebek? I na pieluchy Pampers?

Ekipa czekała już na mnie, lekko znudzona.

– No, jest pani redaktor – powiedział operator Pawełek, podnosząc artystycznie lewą brew. – A my już trzecią kawę pijemy całkiem spokojnie.

– Jedziemy – zadysponowałam. – Po drodze wam wszystko opowiem.

– To może weź kasety – zaproponował życzliwie dźwiękowiec, dla ulubionego nakrycia głowy zwany Beretem – bo jeżeli chcesz coś nagrywać, to się przydadzą...

– Boże, zapomniałam! Skąd wiedziałeś?

– Nie masz przy sobie walizki.

Istotnie, z ramienia zwisała mi smętnie maciupka torebka, zawierająca głównie skierowania, a wielka torba z kasetami, notesem i innymi niezbędnymi rzeczami leżała zapewne dotąd w redakcji... Poprosiłam kolegów, żeby zeszli do samochodu i nadużywając brzydkich wyrazów, wjechałam na jedenaste piętro. Przy windzie spotkałam kierowniczkę produkcji.

– Potrzymaj mi te drzwi, ja tylko wezmę kasety z pokoju...

– Coś ty taka zziajana? – spytała koleżanka kierowniczka, czekająca w otwartej windzie, która tymczasem przemawiała do niej karcąco, informując, że nie może ruszyć. – Nie powinnaś przypadkiem jechać właśnie do Świnoujścia?

– Jadę, nie widzisz?

Krysia puściła drzwi, usłyszałyśmy „dziękuję", wygłoszone z lekką pretensją w głosie i cud techniki ruszył w dół.

– Słuchaj, Krysia – powiedziałam ponuro – będę miała dziecko.

– Nie gadaj!

8

– Jak Boga kocham. Właśnie wracam od lekarza.

– Od Zuli? I to ona ci powiedziała? Ale podobno ona jest głupia.

– Głupia, nie głupia, ciążę chyba odróżnia.

– Z kim?

– Z takim jednym. Nie znasz. Chyba usunę.

– Zwariowałaś? To kiedy zamierzasz mieć dzieci? Jak będziesz miała sześćdziesiąt i przejdziesz na zasłużoną emeryturę? Bardzo dobrze ci się trafiło.

– Jak ślepej kurze ziarno. I co, urodzę, a kto mi będzie wychowywał? Z pracy przecież nie zrezygnuję... A jeśli odejdę z zawodu na parę lat, to zapomnę, jak to się robi. Technika mnie prześcignie nieodwracalnie. Poza tym się nie utrzymam. Nie mam lewych dochodów.

– Dlaczego masz odejść? Poradzisz sobie.

– A jak ja je wychowam?

– Normalnie. Mało to dzieci się w telewizji wychowało?

Winda ogłosiła parter, wyjście z budynku, więc popędziłam do samochodu, gdzie ekipa obgryzała paznokcie. Rzuciłam torbę z kasetami Pawełkowi na kolana, a sama usiadłam koło kierowcy.

– Mareczku – powiedziałam błagalnie – ja wiem, że się spóźniłam i przepisy ci nie pozwalają, ale dojedź do Świnoujścia w godzinę piętnaście, bo jeśli się nie przeprawimy tym promem o piątej, to nie zdążymy na otwarcie parasola, a ja muszę mieć prezydenta, jak się całuje z artystami!

– Po co ci takie świństwa – zdziwił się Marek, ale dodał gazu.

– Nigdy tego nie robiliśmy.

– Ja wiem, ale artystom zależało, bo jak my pokażemy, że się prezydent z nimi brata i im obiecuje dać te bunkry na zawsze, to mu się potem głupio będzie wycofać. To znaczy, oni tak myślą. Moim zdaniem on i tak może im nic nie dać, choćby nie wiem jak obiecywał przed kamerami wszystkich telewizji świata. Wycofa się pod byle pretekstem, jeżeli mu nie będzie pasowało. Ale przyrzekłam tym razem oficjałkę pokazać. To i tak nie będzie bardzo ambitny materiał.

– Znaczy: wyciskamy szczura – wymamrotał Pawełek przez gumę do żucia.

– No, wyciskamy. Nie pierwszy raz i nie ostatni.

Pojęcie „wyciskania szczura" stworzył kiedyś pewien tyleż zgryźliwy, co utalentowany operator. W ataku wściekłości nazwał tak mało ambitne materiały informacyjne, produkowane masowo przez naszych młodych i obiecujących reporterów na użytek codziennego programu „Goniec" (choć nie tylko). Zasadniczą cechą szczura była jego absolutna przewidywalność. Po pierwszych kadrach i pierwszych słowach komentarza można było materiału dalej nie oglądać – i tak wiadomo było, jak się skończy. Operator ów, jako człowiek ze wszech miar twórczy, szczurów nienawidził, a ta jego żywiołowa niechęć przenosiła się poniekąd na nieszczęsnych młodych dziennikarzy (odmawiał im zresztą prawa do używania tego zaszczytnego miana), a że był jednocześnie temperamentny, młodzi – a zwłaszcza młode – bali się go jak ognia.

Tak zwani poważni publicyści strachu przed wybuchowym kolegą nie odczuwali, aczkolwiek wszystkim nam zdarzało się od czasu do czasu jakiegoś szczura wycisnąć. Powodem zazwyczaj były niskie honoraria, jakie otrzymywało się za programy ambitne i pracochłonne; zawodowstwo było zdecydowanie nieopłacalne, a każdy z hobbystów musiał jakoś zarabiać na luksus pracy w telewizji publicznej.

Tym razem szczur miał być połowiczny, zaplanowany częściowo jako sprawozdanie z oficjałki, a częściowo jako uczciwy reportaż. Zaprzyjaźnieni plastycy ze Świnoujścia – w szczególności jeden taki Emanuel, szalenie zdolny malarz o szerokiej słowiańskiej duszy, przez przyjaciół zwany krótko Nusiem – chcieli przerobić stare pruskie bunkry na galerię i centrum sztuki. Walczyli o te bunkry od kilku lat, obecny prezydent miasta obiecał im je dać, jeżeli udowodnią, że to ma jakiś sens. No więc zakrzątnęli się i zrobili tam coś w rodzaju prowizorycznej galerii – wydzwaniali do mnie od trzech miesięcy, prosząc, abym koniecznie zrobiła reportaż z otwarcia i żebym koniecznie dopieściła prezydenta. Bo on strrrasznie chce być postrzegany jako mecenas sztuki i w ogóle kulturalna osoba. Plastycy porządni ludzie, należy im pomóc w zbożnym dziele. A że ten ich dziwny prezydent jest kulturalną osobą – i tak nikt się na to nie nabierze.

Marek, który niejednego kielicha w Nusiowej pracowni wypił (oczywiście, jeżeli nie wracaliśmy tego samego dnia do Szczecina i nie musiał daleko jechać), przejął się moim apelem i docisnął porządnie. Żałowałam, że nie mieliśmy koguta, którego chętnie używali koledzy współpracujący z drogówką. Ale i tak stary volkswagen robił wrażenie, jakby miał za chwilę pofrunąć.

Paweł, rozwaliwszy się z tyłu, przypomniał sobie nagle o moim karygodnym spóźnieniu.

– Miałaś nam powiedzieć, dlaczego spóźniłaś się pół godziny – powiedział przez gumę. – Nie żebym się czepiał, ale powiedz sama: kto oprócz nas czekałby na ciebie tak długo...

– Tak, kochana, teraz musisz nam postawić piwo jako odszkodowanie za straty moralne – dorzucił z jeszcze bardziej tylnego fotela Beret. – Chyba że się jakoś wytłumaczysz, w co zresztą wątpię.

– Piwo nie – wtrącił Marek, trąbiąc jednocześnie na jakiegoś tira, którego zamierzał wyprzedzić, a który śmigał lewym pasem sto dwadzieścia na godzinę. – Ja nie mogę piwa. Mnie możesz postawić szaszłyk, jak będziemy wracać.

– Chłopaki – powiedziałam rzewnie – będę miała dziecko.

Zapadło milczenie. Paweł z hałasem wypluł gumę. Marek odpuścił tirowi.

– Ja się nie przyznaję – rzekł stanowczo Pawełek po chwili.

– Ja też nie. – Głos Bereta był trochę niepewny. – Chyba że mnie wykorzystałaś, kiedy byłem nietrzeźwy.

– Wicia – Marek znowu docisnął – mnie chyba nie podejrzewasz?

– Nie jesteście dżentelmenami. – Westchnęłam. – Powinniście obiecać, że mnie tak nie zostawicie.

– Jesteśmy dżentelmenami – powiedział stanowczo Beret. – Już nie domagamy się piwa. Ani szaszłyków. Prawda, Paweł?

– Prawda. A swoją drogą – jeżeli nie my, to kto?

– Taki jeden. Ale nic z tego nie będzie.

– Co to znaczy: nie będzie – życzył sobie wiedzieć Pawełek. – Nie chce się z tobą ożenić! Powiedz tylko słówko, a będzie miał z nami do czynienia.

– Serio mówisz, Pawełku? Dalibyście mu po gębie?

– Doprowadzimy ci go do ołtarza!

– Kochani jesteście, naprawdę, i dżentelmeni też, w każdym calu. Tylko że on jeszcze nic nie wie. Poza tym to ja nie chcę jego.

– Jak to, nie wie – zdenerwował się Marek, nie schodząc poniżej stu czterdziestu. – Nic mu nie powiedziałaś?

– Nie zdążyłam. Przyleciałam do was prosto z fotela, za przeproszeniem. Dopiero co dowiedziałam się sama.

– Który miesiąc? – zainteresował się fachowo Beret, ojciec trzech córek.
– Drugi.
– Początek czy koniec?
– Raczej koniec.
– To czekaj: wrzesień, listopad, grudzień, luty... Będzie kwietniowe?
– Albo sam początek maja.
– Byk – ucieszył się Marek. – To tak jak ja!
– Czekajcie – Pawełka wyraźnie coś dręczyło – a dlaczego ty go nie chcesz? I nawet mu nie powiesz, że został tatusiem?
– No a po co mam mówić? O żadnym małżeństwie mowy nie ma, a zarabiam prawdopodobnie lepiej od niego. Alimentów od niego nie chcę. Nie potrzebuję nijakich zależności. Poradzę sobie, rodzinka mi pomoże...
– Wicia, poczekaj, nie rozpędzaj się tak. – Pawełek przechylił się do przodu i usiłował mi zajrzeć w oczy, co miał utrudnione, ponieważ siedziałam tyłem do niego. – Nie pomyślałaś... Przecież... przecież on ma prawo wiedzieć!
Ach, prawo. No tak. Rzeczywiście: ma prawo wiedzieć. Tylko że kochany, dobry, uczciwy Pawełek nie przypuszcza zapewne, że ja sama nie jestem tak całkowicie pewna, z kim to dziecko będę miała!
Oczywiście, to nie jest tak, że lecę do łóżka z każdym, kto mi się nawinie. Ale, ponieważ stanowię jednostkę mniej więcej prawidłowo rozwiniętą biologicznie, ta biologia czasami daje znać o sobie. A że zajęta nienormalną pracą w dzień i w nocy nie zdołałam postarać się o stałego, kochającego amanta, żywiącego wobec mnie uczciwe zamiary, zdarzało mi się w sprzyjających okolicznościach ulegać naturze z amantami – nazwijmy to – sporadycznymi. Jakoś dotąd nie trafiło mi się, żeby amant sporadyczny wyrażał chęć przeistoczenia się w stałego. Nie spędzało mi to specjalnie snu z powiek, żadnego bowiem z nich nie miałam ochoty oglądać dzień i noc, w stanie galowym i rozmamłanym, namiętnym i obojętnym, zdrowym i chorym, pracowitym i leniwym. Żadnemu też nie miałam ochoty prać skarpetek. No, może teraz skarpetki pierze raczej pralka, ale tu chodzi o zasadę. Mówiąc romantycznym językiem naszych prababek, nie udało mi się w żadnym z nich sku-

12

tecznie zakochać. Prawdziwą, romantyczną miłość przeżyłam w życiu dwukrotnie: kiedy miałam dwanaście lat i straciłam głowę dla nauczyciela angielskiego w szkole, a potem kiedy pokochałam namiętnie Harrisona Forda jako Hana Solo w „Gwiezdnych wojnach", na skutek czego obejrzałam ten film osiemnaście razy.

Niestety, ani anglista, ani Han Solo nie odpowiedzieli na moje płomienne uczucia, które w końcu wygasły, pozostawiając miłe wspomnienia.

Potem był jeszcze ktoś, ale... lepiej nie wspominać, sama tak nakręciłam, że nic z tego nie wyszło.

Podczas ostatnich wakacji (cha, cha – to mogą być naprawdę ostatnie prawdziwe wakacje, bo co to za wakacje z dzieciaczkiem na garbie!) trafiło mi się dwóch. Pierwszego z nich znałam już od dość dawna i miałam zawsze niejasne wrażenie, że facet na mnie leci. Ja też na niego leciałam, owszem; był szalenie przystojny oraz interesujący, a w jego obecności przechodziły mnie dreszcze. Kolega dziennikarz z warszawskiej telewizji. Starszy ode mnie i żonaty już ze dwa albo i trzy razy. Jednakowoż nie miałam zamiaru się za niego wydać, zwłaszcza że coś mówiło mi cichutko, że facet jest łajdaczyną. Ale jakim seksownym.

Spotkaliśmy się na wakacyjnym szkoleniu reporterskim. Szkolenia tego typu są, jak wiadomo, poświęcone głównie piciu wódeczki i zacieśnianiu kontaktów koleżeńskich. Sprzyjają temu okoliczności – ogólny luz i wspólny hotel w miejscowości wypoczynkowej, której włodarze chcą mieć dobre kontakty z telewizją. No więc zacieśniliśmy te kontakty – ku obopólnemu zadowoleniu, zwłaszcza że nie miałam do niego żadnych interesów zawodowych i nie potrzebowałam wejścia do jego redakcji (od dawna je miałam). On też zatem nie czuł się zobowiązany do żadnych świadczeń w ramach firmy. Mogliśmy więc rozstać się jak przyjaciele. Przyszło mi to tym łatwiej, że zniknęły gdzieś owe dreszcze, które piękny Stanisław budził we mnie wcześniej. Może były to dreszcze dotyczące wyłącznie nieznanego?

Drugi wakacyjny amant poderwał mnie z zaskoczenia.

W dużym gronie znajomych żeglowaliśmy po zalewie. Właścicielem łódki był emerytowany kapitan żeglugi wielkiej, któremu znudziło się pływanie po dużej wodzie, ale trochę jednak tęsknił za dowodzeniem jednostką, kupił więc sobie luksusowy jacht (żona omal się z nim przez to nie rozwiodła, bo żywiła prawdziwą nienawiść do każdej wody z wyjątkiem kolońskiej) i urządzał sympatyczne rejsy dla krewnych i znajomych Królika. Nazywał się Królikiewicz, a wszyscy, łącznie z własnym wnukiem, nazywali go Tatą.

Znalazłam się na pokładzie tego jachtu jako przyjaciółka najmłodszej z jego córek. Załogę stanowili zaś między innymi dwaj koledzy jego najstarszego wnuka, studenci Wyższej Szkoły Morskiej. Może to trochę skomplikowanie wygląda, ale facet miał cztery córki mocno zróżnicowane wiekowo, tak że kiedy najmłodsza – Daria – była w moim wieku, najstarsza – Zosia – miała już dwudziestodwuletniego syna, Karolka. Z Karolkiem polubiliśmy się bardzo, bo był to człowiek śpiewający i robiłam kiedyś o nim i jego zespole program. Nawet nieźle nam ten program wyszedł, a ja odkryłam na własny użytek bogaty świat pieśni marynarskich. Coś w sam raz dla subtelnej kobiety.

Otóż Karolek kochał pętać się na Tatowym jachcie po rozmaitych akwenach i zazwyczaj zabierał na pokład swoich kumpli. Bywali oni mniej lub więcej udani – tym razem udani byli obaj więcej. Stanowili stały trzon załogi pływającej, której pozostali członkowie wymieniali się w czasie wakacji.

Marcin, podobnie jak Karolek, śpiewał. Dysponował przepięknym aksamitnym i dźwięcznym barytonem, którego chętnie używał. Siadali sobie z Karolkiem byle gdzie na pokładzie i godzinami śpiewali rzewne irlandzkie ballady, grając przy tym na gitarze lub na irlandzkim flecie, zwanym u nas flażoletem, a u nich *thin whistle*, cienkim gwizdkiem. Ma on przeraźliwie tęskne brzmienie i prawie do łez nas doprowadzał, zwłaszcza kiedy dodawaliśmy jeszcze do muzyki odrobinę irlandzkiej whisky, którą Tatunio Królik posiadał w ilościach przemysłowych (przywiózł sobie kiedyś taką pamiątkę z rejsów do Dublina).

Drugi kolega Karolka, Jarek, muzyką specjalnie się nie przejmował, w śpiewach udziału też nie brał, ponieważ słuchu nie miał za grosz. Mawiał, że opanował pierwszy stopień muzykalności: odróżnia kiedy grają, a kiedy nie. Miał za to niesłychany wprost urok osobisty. Wiele razy usiłowałyśmy z Daszą zdefiniować, na czym ten jego urok polega, ale nigdy się to nam nie udało. Sympatyczny był po prostu szalenie i już. Przy tym w ogóle się nie narzucał. Nigdy się nie zdarzyło, żeby przekroczył granicę dobrych obyczajów. Pracowity był niemożliwie i kiedy całe towarzystwo leżało pokotem na pokładzie, Jarek czuwał nad linami, żaglami, sterem, naszym samopoczuciem, drinkami, kanapkami i tym, żebyśmy, broń Boże, nie doznali porażenia słonecznego. Nie było w tym cienia służalczości, gdzie tam. Jarek wyglądał, jakby wszystkie czynności wykonywał mimochodem i bez wysiłku.

À propos wyglądał – uczciwie mówiąc, Marcin i Karol byli od niego dużo przystojniejsi. Obaj wysocy, muskularni i opaleni blondyni, obaj błękitnoocy – prawie jak bracia. Podobali się nam szaleńczo – to znaczy mnie obaj, a Darii Marcin. Karol był jej siostrzeńcem i jego uroda nie miała na nią wpływu. A w ogóle podziwiałyśmy ich wyłącznie abstrakcyjnie. Dzieciaki! Dwadzieścia trzy lata przy naszych przekroczonych trzydziestkach...

Jarek nie był taki przepiękny. Przy tych posągowych facetach wyglądał nieco myszowato. Szare i nieduże oczka, włosy bez koloru, nos za długi, uszy za duże, ręce zaniedbane haniebnie... Tylko ten jego cudny charakter! Nie można było go nie lubić. No i zbudowany był też bardzo przyzwoicie, ale oni tam w Szkole Morskiej pewnie w ogóle nie przyjmowali graślawych krasnoludków.

Zapłynęliśmy któregoś dnia do takiej prywatnej mariny w małej wiosce na wyspie Wolin. Ślicznie tam było jak w bajce. Nieduży pomościk, wszystkie wygody, woda, prąd, a na brzegu tawerna w rybackim stylu, ozdobiona zwisającymi sieciami, baryłkami, pływakami i takim różnym rybackim bardzo malowniczym śmieciem.

Tato Królik pierwszy wytoczył się na pomost i od razu ruszył w stronę otwartych drzwi tawerny z głośnym wołaniem:

– Pani Ewelino! Goście walą! Węgorzyka pani zadysponuje! I zupę rybną, bo moja załoga jeszcze nie jadła takiej zupy!

Z drzwi wychynęła obszerna blondyna w różowej bluzce z dekoltem.

– A kto to się tak ogłasza? No, nie! Oczom nie wierzę! Pan kapitan! Niech padnę! Pan kapitan! Panie kapitanie!

Rozwarła ramiona i rzuciła się w objęcia Taty Królika, całując go rozgłośnie w oba policzki. Byliśmy przyzwyczajeni do rozmaitych oryginalnych znajomości naszego wodza, więc nie dziwiąc się niczemu, karnie ustawiliśmy się za jego plecami, do powitania z obszerną panią Eweliną. Wbrew moim oczekiwaniom, uścisk dłoni miała rzeczowy, prawie męski.

– Bardzo się cieszę! Bardzo! Państwo nie wiedzą, a pan kapitan był kapitanem na trzech statkach, na których mój małżonek pływał jako ochmistrz! Mąż bardzo pana kapitana dobrze wspominał, zawsze, zawsze... Świeć Panie nad jego duszą... Teraz mam drugiego, ale to nie to samo. Walery, chodź szybciej, pan kapitan Królikiewicz, opowiadałam ci!

Na pomoście zjawił się drugi małżonek (ale to nie to samo) pani Eweliny, osobnik duży i łagodny – i po wylewnym przywitaniu nastąpiła błyskawiczna narada robocza.

– Walerciu, słuchaj: zupa z tego sandacza i z leszcza od Nowickiego, pulpeciki, smażony węgorz, smażony sandacz. Dużo ma być, powiedz dziewczynom, taka załoga na pewno dużo potrzebuje. – Tu pani Ewelina z aprobatą spojrzała na umięśnione torsy Karola i jego koleżków. – Panie kapitanie, siadajcie, czujcie się jak w domu!

Malutka marina okazała się rajem nie z tej ziemi. Właścicielka otworzyła nam skarbnicę swego serca i swojej gościnności (wszystko dla pana kapitana!). Rozsiedliśmy się przy wygodnych stołach, a po niejakim czasie służebne panienki zaczęły nam donosić nieziemskie frykasy. Kiedy już zaspokoiliśmy pierwszy głód niebywałą zupą rybną z pulpecikami, a na scenie pojawiły się góry smażonego węgorza i sandacza, pani Ewelina uznała, że teraz już wypada dołączyć do nas, co też uczyniła, zabierając ze sobą dla towarzystwa – nie męża Walerego, o nie – po prostu skrzynkę szkockiej. Uznała widocznie, że jedną butelką pana kapitana nie uhonoruje dostatecznie. Z niejakim zdziwieniem przyjęła naszą prośbę o duże ilości gazowanej mineralnej, ale władczym głosem nakazała personelowi jej spełnienie. Dla siebie i Taty Królika zadysponowała tylko lód. Nie za dużo!

– No, kochani – powiedziała po pewnym czasie i kilku kieliszkach – teraz my sobie z panem kapitanem porozmawiamy o starych Polakach, a wy może byście chcieli potańczyć?

Chcieliśmy. Po takiej wyżerce! Chociażby dla spalenia potwornej ilości kalorii (choć były to bardzo smaczne kalorie...). Ale gdzie tu tańczyć, na tym mikroskopijnym pomościku, czy na stołach?

Okazało się, że tańce są przyjęte na tarasie. Też nie porażał wielkością, ale tańczyć się dało. Personel zapuścił nam jakieś przeraźliwie ryczące urządzenie i ruszyliśmy do zabawy. Nasza zgrana załoga i pozostali goście gospody pani Eweliny, którzy jeszcze mieli siły.

No i okazało się, że Jarek cudownie tańczy. Nie wiem dlaczego, bo przecież ten jego słuch... ten pierwszy stopień muzykalności... Nic a nic mu to nie przeszkadzało.

Ponadto okazało się, że jest mi bardzo przyjemnie w jego ramionach. I że w zapadających ciemnościach nie widać wcale, że jest myszowaty. Przeciwnie: ma wielkie, wyraziste, płonące oczy...

W dodatku stwierdziłam ze zdumieniem, że on mnie uwodzi!

Ten chłopaczek! Dwadzieścia trzy lata! Rozśmieszyło mnie to niebotycznie.

I z tego śmiechu dałam się uwieść do końca. W hangarze na łodzie.

Następnego dnia po śniadaniu przygotowanym przez niezawodny personel pani Eweliny – ona sama odsypiała całonocne prawie rozhowory z ukochanym panem kapitanem – odpłynęliśmy sobie powolutku, na silniczku, z cudownej mariny. Żegnały nas kelnerki i czapla siwa stojąca na jednej nodze w trzcinach. Zapewne dyżurna. Wczoraj też tam stała.

Byliśmy wszyscy w nastroju pogodnym, nieco sennym i rozmarzonym. Nie wnikałam w przyczyny rozmarzenia reszty załogi. Mnie było dobrze. Nie czułam żadnych objawów kaca – ani alkoholowego, ani moralnego (a zdarzał się takowy). Natura uśmiechała się do nas życzliwie i z pełną aprobatą. Błękitne niebo krasiły puchate chmurki (kumulusiki jak pączuszki – powiedział zadowolony Tata). Było – och – cudownie! A Jarek, jak zawsze jedyny naprawdę odpowiedzialny członek załogi, uśmiechał się do mnie, pilnując jednocześnie, żebyśmy się nie zaplątali w rozstawionych na zalewie żakach.

Pożegnaliśmy się w Dąbiu, gdzie Tata wynajmował hangar dla swojej ukochanej łódki. Wyściskaliśmy się ze wszystkimi równo – i tyle.

No i skąd ja teraz mam wiedzieć, czy Jarek chce być tatusiem?

Na logikę, nie powinien chcieć. Jest dopiero studentem, na czwartym roku WSM. Baba od niego starsza dziewięć lat, od dawna samodzielna – a właśnie, on chyba jeszcze przy rodzicach? Boże, przecież na dobrą sprawę ja o nim nic nie wiem! Pewnie ma jakąś dziewczynę. Swoją drogą, jeżeli ma, to czemu jej nie zabrał na ten jacht? Tata Królik przyjmował narzeczone i narzeczonych swoich wnucząt oraz kolegów i koleżanek swoich wnucząt bez najmniejszych oporów.

Och, och, w co ja wpadłam.

Chyba naprawdę muszę mu powiedzieć.

Ostatecznie jest dobrze wychowany i taktowny, nie będzie mi robił scen.

On – mnie???

To ja powinnam mu zrobić scenę. Ja, kobieta! To kobiety robią sceny facetom, nie odwrotnie!

Nienawidzę robienia scen. Może w gruncie rzeczy jestem facetem, tylko natura się pomyliła i wyposażyła mnie w biust oraz wszystko inne. Chyba niezłej jakości, skoro na to poleciał. Nie leciał na duszę, bo on mnie też nie zna... Tyle, co na tym jachcie.

Powiem mu. Powiem, bo tak będzie przyzwoicie (kochany Pawełek! ja nie pomyślałam, a on pomyślał). Ale powiem też, że jeśli chce, może o mnie – o nas – zapomnieć. Dla nas obojga to w końcu wielkie zaskoczenie. Nie będę człowiekowi komplikować życia!

A co będzie, jeżeli on się zechce ze mną ożenić?

A na co mi student czwartego roku nawigacji?

To może mu nie powiem.

I co wtedy Paweł o mnie pomyśli?

Nic nie pomyśli, bo nie będzie wiedział.

Ale gdyby wiedział, to by pomyślał!

A jeżeli to nie jego dziecko, tylko pięknego Stanisława?

Niemożliwe. Czuję, że to Jarka. Cholera, skąd tu wziąć pewność? Trzy tygodnie różnicy. Ta cała Zula może nie odróżniać, poza tym jej nie powiem!

Jarka, na pewno Jarka. Na pewno Jarka.

A właściwie, co mi zależy? Niech sobie będzie Stanisława.

Wolę Jarka. Piękny Stanisław jest piękny, ale kompletnie zdemoralizowany. A to z Jarkiem... było takie jakieś ładne...

Ale pewności nie mam.

Więc kogo mam zawiadamiać, że został tatusiem?!

– Wicia, Wiciunia, nie śpij. – Paweł delikatnie potrząsał moim lewym ramieniem. – Jesteśmy już na promie. Obudź się!

– Wicia nie śpi – zawyrokował Marek. – Ma przeżywkę. Ma o czym myśleć.

– To trzeba jej dać piwa – rozległ się z końca samochodu głos Bereta. – Wicia, napij się ciepłego piwa. Zaraz się obudzisz. Do roboty!

– Ciepłego piwa nie mogę, brzydzi mnie, ale dziękuję za troskę. Możecie mi dać gumę do żucia.

– Teraz tak już będzie – oświadczył Marek, zjeżdżając z promu. – Będzie miała zachciewajki, jak to baba w ciąży. Wykończy nas. Gdzie te bunkry?

– Jedź w prawo i do oporu.

– Za kapitanatem?

– Za kapitanatem i za marynarką wojenną.

Marek runął jak burza i wyglądało na to, że zdążymy na naszą oficjałkę.

Dookoła starych bunkrów kłębiły się tłumy. Świnoujska śmietanka przyszła zobaczyć, co też malarz Emanuel z przyjaciółmi wymyślili tym razem. Nusio kręcił się zaaferowany przed wejściem. Ujrzawszy nasz wóz, parkujący w tumanach kurzu za podeschniętym krzakiem, rzucił się w naszą stronę.

– Nie parkujcie tu, nie tutaj! Tam jedźcie, za tamte krzaki!

– Nusiek, co ty chcesz od tych krzaków – zaprotestował Marek. – Bardzo dobre krzaki, samochód nie będzie się rzucał w oczy.

– Mareczku, ty nic nie rozumiesz! To będzie krzak gorejący! My to spalimy, kochany! Chcesz, żebyśmy to spalili razem z wami?

– Czekaj, Nusiu – wtrąciłam. – Niech on parkuje, a my wysiądziemy, i opowiesz nam, co tu się będzie działo.

– Niespodzianka – zaszemrał Emanuel. – Zobaczysz, wszyscy oszaleją! Muszę lecieć!

– Nie ma, że niespodzianka, kochany – powiedziałam stanowczo. – Dla wszystkich może być niespodzianka, a dla nas nie. Musimy wiedzieć wszystko, żeby Paweł mógł się przygotować. Przecież nie będzie kręcił na chybił trafił! Bo nie trafi w to, na czym ci najbardziej zależy.

– Ajaj, nie pomyślałem. – Emanuel był skruszony. – Ja przecież wiem! Czekajcie, już wam mówię. Ideologia też wam potrzebna?

19

– Ideologia nie. Tylko powiedz konkretnie, kto gdzie będzie stał i co się będzie działo.

– I do czego będą mówić – wtrącił Beret.

– Do tego stojącego mikrofonu. Głośnik jest tam. A ja będę miał mikroport; to się tak nazywa? Taki mały, cwany, przypinany do gaci.

– Do gaci to nadajnik – wyjaśnił Beret. – A mikrofon ci przypną pewnie do brody... Albo gdzieś w okolicach. Może do koszuli albo do krawata. Uważaj, jak będziesz mówił, żeby ci broda nie właziła do mikrofonu, rozumiesz, żeby po nim nie szurała, bo będzie to słychać w dużym wzmocnieniu.

– Ale co tu będzie za akcja? – Paweł domagał sie szczegółów.

– Akcja będzie zawodowa i wielotorowa – pochwalił się Nusio. – Najpierw przyjedzie Rybczyk ze świtą i jak przyjdą tu, pod wejście, to zapalimy ten wasz krzak i jeszcze ten stos. One się będą palić na kolorowo, jeden znajomy pirotechnik z marynarki wojennej nam to załatwił. Bomba, mówię wam. W bramie do bunkra będzie pruska warta. A w ogóle cały bunkier będzie zasłonięty taką dużą szmatą.

Rzeczywiście, grupa komandosów kończyła wciąganie na fasadę bunkra kilometrów kwadratowych jakiejś płachty. Płachta była częściowo przezroczysta i widać było przez nią sylwetki dwóch facetów w mundurach i pikielhaubach. Z dużymi giwerami, na których lufach sterczały bagnety.

– No i jak przyjdą oficjele – kontynuował Nusio – to się ich powita tutaj, dyrektor emdeku powie coś głupiego, jak zwykle, potem ja poproszę prezydenta Rybczyka, żeby też coś powiedział...

– Do tego samego stojącego mikrofonu – upewniał się Beret.

– Do tego samego. I jak Rybczyk już coś powie o tym, że bardzo kocha artystów, to ja poproszę wszystkich do środka. I Rybczyk stanie jak wałek przed drzwiami, i nie będzie mógł wejść, bo ta płachta... widzicie, nie? I w momencie, kiedy jemu już się zrobi trochę łyso, to nasi dwaj koledzy od środka – od środka! – rozetną płachtę bagnetami, o, tak ją rozprują, trrrach! Wszyscy wejdą i zobaczą wystawę... A na końcu, za obrazami, będzie siedziało kilku kolegów przy sztalugach i będą malowali, tam, na drugim końcu sali, bo tam chcemy mieć pracownię.

– No i bardzo dobrze – powiedziałam, wciąż usiłując nie myśleć o pięknym Stanisławie, myszowatym Jarku i dziecku nie wiadomo którego z nich. – I jak już się skończą te całe jasełka, zapewne dasz im szampana, a ja będę mogła ponagrywać sobie wywiady.

– Tak, Wiciu kochana, tak, ale teraz ja naprawdę muszę lecieć, poradzicie sobie jakoś?

– Poradzimy sobie – mruknął Paweł do pleców oddalającego się spiesznie Emanuela.

– Marek, weź statyw do środka i gdzieś schowaj, będzie mi potrzebny do obrazków. Tych na ścianach. Tam trzeba będzie postawić ze dwa światła. No chodź, coś wykombinujemy ładnego.

Nie zauważyłam nawet, jak przestałam myśleć o problemie ojcostwa i skupiłam się na przygotowaniach do akcji. Wyglądało na to, że inwencja Nusia i jego przyjaciół artystów nie ograniczy się do tego, o czym nam opowiadał. Po obu stronach bunkra, tak nieco bardziej z tyłu, stanęły bowiem jakieś dziwne maszyny, pilnie strzeżone przez kolejny oddział komandosów. No, może raczej oddziałek, ale zawsze. Zastanawiałam się, do czego mogą służyć.

Zastanawiałam się również, po co artystom ogień w biały dzień. Ogień powinno się palić po zmierzchu, bo nie będzie efektu. Wprawdzie rosnące wokół bunkra olbrzymie lipy i kasztanowce dawały spore zaciemnienie, ale jak na efekty pirotechniczne wydawało mi się za jasno.

No i okazało się, że wcale nie miałam racji. Artyści pomyśleli o wszystkim.

Kiedy na drodze dojazdowej ukazały się limuzyny Zarządu Miasta Świnoujścia, komandosi odpalili owe tajemnicze maszyny.

Kurczę blade – to były maszyny do zadymiania, ale nieprawdopodobnie skuteczniejsze niż te, które znałam osobiście z różnych scenicznych okoliczności! Pufnęły po kilka razy, siwa mgła poszła wokoło, zakłębiła się, od góry zatrzymały ją gałęzie tych lip i kasztanowców. Ciemności skryły ziemię. A w momencie, kiedy VIP-y wylazły z samochodów i zbliżyły się do miejsca akcji, zapłonęły nasz znajomy krzak i ten wielki stos – ale zapłonęły kolorowym ogniem! Zielone i błękitne płomienie buchały tak wysoko, że wystraszyłam się nieco, czy aby organizatorzy pamiętali o strażakach pożarnych na wszelki wypadek. Rozejrzałam się dyskretnie i zauważyłam kilku facetów z gaśnicami gotowymi do strzału, kryjących się dyskretnie za fragmentami pruskich umocnień.

Dalej wszystko odbywało się według planu. Paweł z kamerą na ramieniu szalał zapewne z uciechy, bo miał niezwykle malownicze obrazki. Z boku wyglądało to dosyć pociesznie, bowiem cały czas musiał pamiętać o długości kabla, którym jego kamera spięta była z mikserem dźwięku. Mikser zwisał z ramienia Bereta, ten zaś stał w niewzruszonej pozie koło głośnika, z którego nagrywał przemówienie prezydenta do artystów. Paweł miotał się w prawo i lewo, a Marek ganiał za nim, podtrzymując kabel nad głowami zebranych jak welon nad głową panny młodej.

Cały happening udał się doskonale, tylko początkowo goście trochę kasłali z powodu działalności maszyn do zadymiania. Kiedy już wszystko się skończyło i podano szampana, zrobiliśmy kilka setek, czyli rozmów niezbędnych do wyjaśnienia widzom, o co chodzi. No i przede wszystkim ten obiecany wywiad z prezydentem, który zadeklarował uroczyście, że „oddaje artystom bunkry w dziedziczne władanie". Miałam nadzieję, że Emanuel będzie zadowolony. I że artyści w najbliższej przyszłości wyduszą z Rybczyka potwierdzenie tych deklaracji na papierze.

– Bądź spokojna – powiedział Niunio przy kieliszku szampana. – Wydusimy. Umówił się z nami na pojutrze, a do pojutrza chyba go jeszcze nie posuną...

– A co, chcą go posunąć?

– Od dawna. Kiedy ty byłaś u nas ostatnio?

– Jakieś sto lat temu. Rzeczywiście, słyszałam, że robi jakieś głupie rzeczy, ale za to ma bardzo mocne oparcie w Radzie Miejskiej...

– Oparcie! Sterroryzował wszystkich, boją się go jak ognia. Ale prędzej czy później znajdą na niego haka. Najpóźniej przy końcu roku, kiedy okaże się, co zrobił z miejskimi pieniędzmi.

– Co takiego zrobił?

– Między innymi finansuje swoją parszywą gazetkę, ale nie tylko. Czekaj, to nie miejsce i nie czas na takie rozmowy, przyjedź tu kiedyś, to ci dużo ciekawych rzeczy opowiemy.

– Nusiu, a powiedz jeszcze, wracając do twojej imprezy, skąd wytrzasnąłeś takich komandosów? I te wszystkie dymy, i ognie – pirotechnika była jak w Hollywoodzie!

– Aaa, to pan admirał nam dał. I chłopaków zdolnych, i maszynerię. A taką dziwną pirotechniką zajmuje się hobbystycznie jeden komandor, chemik z przygotowania oraz z zamiłowania; strasznie się ucieszył, że dostał takie nietypowe zlecenie. Bo on jest też miłośnik sztuki. Chodzi na wernisaże i nawet kupuje obrazy. Mój też jeden kupił, słowo honoru. Zaprzyjaźniliśmy się z nim w końcu, był na paru naszych... powiedzmy, zamkniętych imprezach...

– Rozumiem, a co on pije?

– Wszystko. To porządny człowiek. To znaczy, oczywiście, nie chla denaturatu po bramach, ale takie subtelności – czy szkocka, czy wódeczka, czy koniaczek – nie robią mu różnicy. Ale wywiadu z nim nie zrobisz.

– Czemu? Ja z każdym zrobię wywiad, jak będę chciała!

– Z nim ci się nie uda. Strasznie nieśmiały i potwornie się jąka. Może dlatego lubi robić wybuchy. Tak sobie rekompensuje.

W tym momencie podeszli do nas trzej faceci. Dwaj wydali mi się znajomi, trzeciego widziałam chyba pierwszy raz.

– Pani redaktor, chcieliśmy się przywitać. Pamięta pani nasze ostatnie spotkanie?

– Pewnie że pamiętam. Cudnie było po prostu!

Przypomniało mi się, skąd ich znam. Było cudnie, rzeczywiście. Faceci są jakimiś działaczami żeglarskimi, a poznałam ich wczesnym latem, kiedy robiłam reportaż z takich towarzyskich regat, które się nazywały „Na plaży". Oczywiście, jachty nie pływały po piasku, tylko po morzu, na wysokości świnoujskiej plaży.

Żeby mieć ładne zdjęcia, potrzebowaliśmy z Pawełkiem wsiąść na jakiś ponton, czy inne pływadło, którym moglibyśmy się kręcić między zawodnikami. No i ci dwaj faceci właśnie zaprosili nas na swoją motorówkę, która wyglądała jak żywcem wzięta ze „Słonecznego patrolu" albo „Policjantów z Miami" – biała, ogromna, z bajerami. Po czym udaliśmy się owym cudem techniki na morze, przeszkadzać regaciarzom. Nasi panowie na motorówce byli uroczy. Z radosnym okrzykiem „Chce pan mieć ładne ujęcie?!" wciskali się między jachty, płynęli równolegle do nich, nacierali na nie od dziobu. Niektórzy – ale tylko nieliczni – żeglarze stukali się w czółko i wygrażali nam pięściami. Za to Paweł kwiczał ze szczęścia. Zdjęcia, które wtedy przywieźliśmy, wyglądały jak America Cup, a nie jakieś towarzyskie regaty amatorów.

Teraz moi dwaj działacze gięli się w ukłonach – wytworni, w żeglarskim sznycie: szare spodnie, granatowe dwurzędowe marynarki, złote guziki – ach, ach!

Ich towarzysz był od nich nieco młodszy (byli dobrze po pięćdziesiątce, on zaś chyba nie przekroczył czterdziestki; a może się tak dobrze trzymał), nieco więcej niż średniego wzrostu, szatyn, pięknie opalony. Pewnie się wylegiwał na jakichś Seszelach czy Hawajach, bo na ubogiego nie wyglądał.

– To nasz przyjaciel – powiedział jeden z moich działaczy żeglarskich (nie udało mi się zapamiętać, który jest który, bo jakoś byli do siebie podobni: jeden pan Zbyszek, drugi pan Krystian). – Chciał koniecznie panią redaktor poznać.

Pewnie potrzebuje, żeby mu zrobić kryptoreklamę jego firmy albo program interwencyjny, bo się pieniaczy z sąsiednim przedsiębiorstwem budowlanym, które wybudowało mu wieżowiec pod nosem i zasłoniło widok na morze – pomyślałam ponuro. Najczęściej po to właśnie ludzie chcieli poznać panią redaktor.

– Nazywam się Tymon Wojtyński – powiedział facet bardzo wyraźnie, ściskając moją rękę (leniwy człowiek – jego kolesie to całowali po rąsiach!). – Bardzo się cieszę, że mogę panią poznać osobiście.

– A nieosobiście to mnie pan zna? – wyrwało mi się głupio, bo już się napiłam szampana i zrobiło mi się wesoło.

– Do pewnego stopnia. Oglądałem różne pani programy, więc trochę panią znam.

Każdy tak mówi, a jak przyjdzie co do czego, nie jest w stanie wymienić ani jednego konkretnego tytułu. Czasami po szampanie jestem kłótliwa.

– Moje programy pan oglądał? Jak to miło! Które?

– Kilka. Dużo nie, bo nie mam specjalnie czasu. Ale lubiłem te pani dyskusje z młodzieżą i z naukowcami. O kryzysie osobowości było świetne. Inne też zresztą. Szkoda, że pani ich już nie prowadzi.

O kurczę. Rzeczywiście oglądał. I nawet zauważył, że ich już nie ma. Zrobiło mi się przyjemnie – prawdziwy, żywy telewidz, moja własna publiczność... Zdumiewający facet zaś kontynuował:

– Pani reportaże też lubię. Mają taki klimat, który mi odpowiada. W maju chyba był film o starszej pani, zupełnie niebywałej; wiedziałem, że to pani, zanim zobaczyłem plansze.

24

Babcia Felcia rzeczywiście była niebywała, ale żeby facet rozróżniał styl reportera filmowego, w to już nie uwierzę. Teraz pewnie powie: „Mam dla pani taki temat" – i wyjdzie szydło z worka. Ten cały Wojtyński widocznie dostrzegł w mojej twarzy obrzydliwą podejrzliwość, bowiem przestał mówić mi komplementy.

Natomiast pan Zbyszek – a może pan Krystian – przywołał gestem dziewczę z tacą szampana.

– Pani Wiktorio! Za nasze miłe spotkanie!

W tym momencie zmaterializował się przy nas ociekający potem Paweł. W oczach lśniły mu zarówno lekki obłęd wynikający z pośpiechu, jak i zadowolenie, wynikające zapewne z urody zdjęć, które wykonał.

– No coś ty, Wicia, tobie teraz nie wolno pić alkoholu!

Zabrał mi z ręki kieliszek i wypił sam, po czym odstawił szkło na tacę.

Trzej faceci, lekko oszołomieni nagłym pojawieniem się u mego boku anioła stróża w postaci rosłego młodzieńca z kamerą, pomyśleli sobie być może, iż właśnie rozpoczęłam kurację przeciwalkoholową, mam wszyty esperal albo coś podobnego. Paweł zaś wypił duszkiem jeszcze jeden kielich szmpana i zapytał grzecznie:

– Czy ty już masz wszystko, co chciałaś mieć? Bo jeżeli chodzi o mnie, to zrobiłem ci obrazków na „Ben Hura". Myślę, że będziesz zadowolona.

– Wszystko mam, możemy się zbierać. Panowie wybaczą, jutro od rana siadam do montażu, a koledzy też mają swoją pracę – warto by się wyspać. Musimy się pożegnać.

Pan Zbyszek i pan Krystian rzucili się znowu całować rąsie, a ten opalony wielbiciel mojej twórczości znowu zadowolił się shake-handem, popatrzał mi głęboko w oczy i powiedział:

– A jednak cieszę się, że mogłem panią poznać...

A jednak się cieszy... A jednak? To chyba znaczy, że wyszłam na jędzę. Kiedy ja się nauczę powściągać język?

– Bardzo mi było miło – odrzekłam, jak umiałam najmilej. – Na pewno jeszcze się kiedyś spotkamy, bo ja często przyjeżdżam do Świnoujścia.

Już nic nie powiedział, a mnie zrobiło się całkiem głupio, wobec czego pożeglowałam szybko w stronę wyjścia, rzucając się jeszcze tylko po drodze Nusiowi na szyję.

– Pięknie ci to wyszło, oglądaj jutro, od rana montuję, zrobimy ci z tego cacko. Tylko powiedz mi jeszcze, co to za jeden ten Wojtyński? Strasznie mi się oświadczał, kocha moje programy i żyć bez nich nie może.

– Wojtyński? A to fajny człowiek, armator rybacki. To znaczy ma takie swoje przedsiębiorstwo, parę kutrów, trochę czarteruje w Danii. Porządny gość. Żyje z ciężkiej pracy.

– Z taką opalenizną z Bermudów?

– Wiciunia, z jakich Bermudów! On na wczasy jeździ wyłącznie w Tatry, nasze albo słowackie. Hobbysta. Ale w tym roku wczasów nie miał, a opalił się na Bałtyku, bo mu ostatnio zachorował szyper i sam pływał na jednym z tych swoich kutrów.

– No, no, on to umie sam robić? A nie wygląda...

– Umie, umie, on jest rybak, po szkole. Pływał i ryby łowił. No, pa, Wiciunia moja kochana, dziękuję ci strasznie, niezawodna jesteś, przyjaciółka nasza, przyjedź ty kiedyś do nas prywatnie, pobądź ze dwa dni chociaż, nagadamy się wreszcie jak ludzie! Lecę, bo admirał wychodzi, muszę go pożegnać, pa...

Ryby łowił. Coś podobnego.

Na dworze Marek grzał już silnik. Wszyscy byliśmy zmęczeni, więc prawie bez słowa wsiedliśmy do samochodu i wróciliśmy do Szczecina. Po drodze spałam jak dziecko. Śniły mi się na zmianę szproty w puszkach i niemowlaki w becikach. Paweł mówił, że krzyczałam przez sen, ale pozostali koledzy tego nie potwierdzili.

Środa, 13 września

Od rana padał deszcz. Strasznie mi się wstawać nie chciało, ale się zmobilizowałam. Kiedy już udało mi się zreanimować na tyle, że wyjechałam z domu, okazało się, że moją jednokierunkową ulicę zatkał kompletnie jakiś tir, który nie wiadomo skąd się wziął (chyba jest zakaz jeżdżenia po starych uliczkach dla tych krowiastych ciężarówek!).

Zadzwoniłabym do kolegi, że się spóźnię, ale, jak na złość, torbę z komórką cisnęłam bezmyślnie na tylne siedzenie i nie mogłam jej dosięgnąć, a wysiadać mi się nie chciało.

Dwadzieścia minut spóźnienia! Mateusz mnie zabije, chociaż z natury jest tolerancyjnym człowiekiem.

Dopadłam zziajana drzwi montażowni – i pocałowałam klamkę. Ulżyło mi. Mateusza jeszcze nie ma.

Nagle coś mnie tknęło. A jeżeli jest w palarni? Poleciałam do śmierdzącego pomieszczenia koło schodów. Mateusza nie było.

A może był, obraził się i sobie poszedł?

Niemożliwe.

Pewnie, że niemożliwe. Na końcu długiego korytarza zobaczyłam wysoką sylwetkę, zmierzającą ku mnie wielkimi krokami.

– Wikuś, strasznie cię przepraszam, zaspałem. Długo czekasz?

Korciło mnie, żeby powiedzieć, że od ósmej, ale jednak uczciwość zwyciężyła.

– Dopiero przyszłam. Nie przejmuj się. A mamy jakiegoś komputerowca do napisów?

– Pewnie mamy. Tylko nie wiadomo, gdzie sobie poszedł. Znajdziemy kogoś.

Weszliśmy do montażowni. Rzuciłam się do otwierania okien, a Mateusz leniwie zaczął włączać urządzenia.

– Od czego zaczniemy? – zapytał, przytykając kolejnymi guziczkami.

– Od kawy. Ja szybko zrobię, a ty poprzewijaj kasety.

Byliśmy w połowie przeglądania i spisywania materiału roboczego, kiedy drzwi pomieszczenia otworzyły się z hukiem i stanął w nich Pawełek.

– Cześć, ranne ptaszki. Jak się czujesz, Wiciu?

Pytanie było na tyle nietypowe, że zainteresowało Mateusza.

– Coś ci jest?

– Nie, nic mi nie jest. W każdym razie to nie choroba.

– Wiktoria będzie miała dziecko – poinformował radośnie mój ulubiony operator. – Tylko nie chce powiedzieć, z kim. To nie twoje przypadkiem?

– Nie wydaje mi się. Ja osobiście nie robiłem nic w tym kierunku – oświadczył niewzruszony Mateusz. – Swoją drogą, gratulacje, Wika. Nic nie mówiłaś.

– Nie mówiłam, bo nie wiedziałam. Wczoraj się dowiedziałam.

– A kiedy je będziesz miała? Jakoś na dniach?

– A gdzie tam, za siedem miesięcy dopiero. Zdążymy jeszcze dużo programów położyć.

– I nie masz do niego tatusia? Ja się mogę z tobą ożenić, jakbyś chciała.

– Kochany jesteś, naprawdę. A co na to twoja żona?

– Zrozumie, jak jej wytłumaczymy. Chyba że mnie nie chcesz.

– Nie, dziękuję. Czarni faceci nie są w moim typie. Ty leć dalej z tymi obrazkami, bo czas ucieka.

– Oglądacie? – zainteresował się Pawełek. – No i jak?

– Bardzo ładnie – powiedziałam.

– Zupełna chała – powiedział jednocześnie Mateusz.

Pawełek przez chwilę stał zdezorientowany, ale jednak zorientował się po naszych minach, że wszystko jest w porządku.

– Oglądacie po kolei? Widzieliście już tego gościa ze sztalugami? O, chyba zaraz będzie, po tych przebitkach z laseczkami. Jest! Patrzcie, no i co?

Na kilku ekranach przed naszymi oczami pojawił się obraz jak z Rembrandta: malarz przed sztalugami z rozpiętym płótnem, misternie przez Pawła oświetlony, tak że z półcienia wyłaniały się tylko jego ręce i twarz, no i ten obraz, który malował, kutry rybackie wychodzące w morze na tle świnoujskiego wiatraka. W tonacji buroniebieskiej.

Pawełek promieniał.

– Nie wiedziałem, czy mi to wyjdzie, ale myślałem, że powinno. No i wyszło! – cieszył się jak dziecko.

– Jeżeli myślisz, że z tego powodu ktoś ci podniesie wycenę choćby o dziesięć groszy, to się mylisz – rzekł cyniczny Mateusz.

– A jeżeli ty myślisz, że za twój genialny montaż i te wszystkie figle-migle, które tu zaraz będziemy robili, ktoś ci podniesie wycenę choćby o grosz, to też się mylisz – powiedziałam stanowczo.

– A jeżeli ty myślisz, że za te wszystkie twoje pomysły realizacyjne ktoś ci podniesie wycenę o pół grosza, to też jesteś w błędzie – dopowiedział Paweł.

– Jednym słowem, cholerni hobbyści – podsumował ponuro Mateusz i wróciliśmy do pracy.

Bardzo dobrze się złożyło, że po drugiej kawie Mateusz obudził się na dobre i zaczął myśleć zamiast mnie, bo wciąż mnie absorbował temat dubeltowego tatusia i nie mogłam całej uwagi poświęcić pracy.

Plansze wgrywaliśmy o piętnastej.

O siedemnastej trzydzieści przewidziana była emisja. Zabrałam kasetę z materiałem i zaniosłam kolegom, żeby w stosownej porze mieli co wypuścić na antenę.

Po czym udałam się do mojego producenta.

Producent, Henio, był, owszem, obecny, chociaż już szykował się do odlotu.

– Heniu, słuchaj – powiedziałam – ja muszę jechać do Warszawy.

– To jedź sobie – odrzekł Henio uprzejmie.

– Pojadę, tylko chcę, żebyś wiedział, że jadę w sprawie naszego cyklu. I jakby co, masz tak zeznawać. Że uzgadniam szczegóły zmian realizacyjnych z redakcją warszawską.

– Dobrze, proszę bardzo. A po co jedziesz?

– Po coś innego. Tak naprawdę prywatnie. Ale potrzebna mi jest delegacja.

– Szczęśliwej podróży.

Zabrał teczkę i poszedł sobie.

Wróciłam do swojej redakcji i wykręciłam numer telefonu. Ostatecznie, raz kozie śmierć.

– Redakcja reportaży. – Pani w słuchawce miała rekordowo nieuprzejmy głos. Może u nich też padało.

– Szczecin, Wiktoria Sokołowska. Z redaktorem Górskim poproszę.

– Nie ma.

– Proszę mu przekazać, że dzwoniłam, dobrze?

– Dobrze. Kto taki?... Chwileczkę – właśnie wszedł.

Uff! A ja już odetchnęłam!

– Halo, Górski, słucham. – Aksamitny baryton, psiakrew.

– Cześć, Staszku – powiedziałam beztrosko – Wiktoria do ciebie mówi.

– Ach, Wiktoria – ucieszył się; nie wiem, czy nie fałszywie. – Gdzie jesteś?

– Jeszcze w Szczecinie. Ale jutro albo pojutrze będę w Warszawie. Zapraszasz na kawę?

– Oczywiście. Przyjeżdżasz służbowo czy prywatnie?

– Jasne, że służbowo. Mam sprawy w edukacyjnej i zaraz będę wracała.

– No to wpadnij do mnie do redakcji. W końcu jutro czy pojutrze?

29

No właśnie. Czy ja wytrzymam do pojutrza?

– Jutro. Koło południa. Przyjeżdżam Intercity, to koło jedenastej jestem na Centralnym, wpadnę, jak dojadę na Woronicza.

– Będę czekał – zaszemrał czule; pewnie ta nieuprzejma baba już wyszła. – Całuję cię mocno, przyjeżdżaj...

Napisałam jeszcze e-maila do Krysi, z prośbą, żeby mi załatwiła tę delegację w sprawie uzgodnień programowych co do cyklu o Morzu Bałtyckim – i padłam na fotel.

Co ja mu powiem?

„Kochany Staszku, wiesz, jestem w ciąży. Niewykluczone, że z tobą. Cieszysz się? Bo ja bym wolała, żeby to był ten drugi, jakoś bardziej mi się podobał. Ale i ciebie przyjmę z godnością. Tylko jak my to rozstrzygniemy? I co na to powie twoja żona – która to, druga czy trzecia? I z którą masz tych dwoje dzieci, z obecną czy z jakąś poprzednią? Czy powiesz im, że mają przyrodniego braciszka? Albo siostrzyczkę... A czy masz jakieś preferencje co do imienia? Po tatusiu to by było zbyt proste, ale może być – i dla dziewczynki, i dla chłopca...".

Co za idiotyzmy wymyślam, zamiast iść do domu, porządnie się wyspać i ładnie jutro wyglądać...

W domu życie rodzinne kwitło.

Jakoś nie chciało mi się dotąd wyprowadzać od mamusi i tatusia, zwłaszcza, że moje mieszkanie na piętrze obszernej poniemieckiej willi na Pogodnie miało oprócz wewnętrznych schodów osobne wejście i wszelkie wygody. Jedyną jego wadą była niemożność utrzymania prywatnego życia całkiem na boku. Inna sprawa, że nie zawsze mi na tym zależało, a rodzinę swoją lubiłam. I kiedy tylko chciało mi się do człowieka, zawsze mogłam zejść na parter, skorzystać z obficie zaopatrzonej spiżarni, pokłócić się z mamusią na temat życia reportera telewizyjnego, napić z tatusiem koniaczku, zagrać z nim w szachy albo z siostrzeńcem w pokera, pogadać z siostrą o polityce lub ze szwagrem posłuchać naszej ukochanej muzyki irlandzkiej. Albo szkockiej. Ogólnie – celtyckiej.

I tym razem wypatrzył mnie z daleka. Wychylił się przez okno i zawołał:

– Chodź no tu, mam nową płytę, posłuchasz, jakie to genialne.

Nie bardzo mi się chciało słuchać czegokolwiek, ale pomyślałam, że może nie warto zaszywać się u siebie, z wieloma głupimi myślami do towarzystwa. I tak nie mogę w tej chwili niczego postanowić, dopóki nie zdobędę pewności co do osoby. Jeśli zaś będę tak rozpatrywała milion możliwych sytuacji, to zwariuję. Krzysio, mój szwagier, rozwalał się w fotelu w pokoju swojego syna a mojego siostrzeńca Bartka. Bartek w wieku lat siedemnastu był już doświadczonym radiowcem i dysponował znakomitym sprzętem dźwiękowym, który kupił sobie za pieniądze zarobione w rozgłośni. Jego ojciec z upodobaniem używał tego sprzętu, co spotykało się z cichą dezaprobatą właściciela. Zwłaszcza kiedy przez pomyłkę rozprogramował mu całe ustrojstwo, nastawione na nagranie konkretnej audycji muzycznej. Jakoś tam się jednak dogadywali.

– Zobacz, co dostałem – pochwalił się Krzyś i zapuścił jakąś niesłychanie intensywną muzykę. Miała ona, niewątpliwie, celtycki charakter, ale jak na moje gusta i dzisiejszy nastrój była zbyt agresywna.

Posłuchałam chwilkę.

– I to ci się podoba, Krzysiu? – zapytałam zgryźliwie. – Te parapety w tle? Ta wściekła perkusja? Ten wyjec?

– Jasne – rozpromienił się mój szwagier. – Wszystko mi się podoba. A co nazywasz parapetami?

– No, te instrumenty klawiszowe, bardzo elektroniczne.

– Ale one robią wspaniałe tło! A ten wyjec jest po prostu genialny! Genialny! Całkiem dziki. Dziki Celt! Dziki Bretończyk!

– Nie żaden dziki, tylko ma fatalną dykcję.

– Ale co za ekspresja! Posłuchaj uważnie. A swoją drogą, po jakiemu on śpiewa? Chyba to jest gaelic...

– Moim zdaniem to jest niechlujny francuski.

– Ależ ty jesteś dziś na nie! Naprawdę ci się nie podoba?

– Naprawdę. Chyba pójdę do siebie.

W tym momencie w drzwiach pojawiła się mama.

– Wikuś, twój materiał właśnie leciał, bardzo ładny. Ty to wczoraj kręciłaś?

– Tak, mamciu. I dlatego tak późno wróciłam. I dlatego jestem dzisiaj zmęczona jak jasny gwint. Opuszczam was. Nie nęć mnie kolacją, bo mnie nie interesuje. Żegnam was, rodzino. Aha, jutro rano jadę do Warszawy. Wrócę prawdopodobnie pojutrze rano. Albo coś w tym rodzaju.

– Wika, jaka kolacja, obiad jest. Nie zjesz?

– O której my te obiady jadamy... – westchnęłam. – Normalni ludzie jedzą obiad o pierwszej w południe, góra o drugiej...

– Chyba w sanatorium – oburzyła się mama. – Normalni ludzie jedzą tak jak my, bo przedtem pracują ciężko. Jest krupnik na dróbkach i fasolka po bretońsku.

– A to świetnie, Krzysio zje moją porcję. Krzysio też jest dzisiaj po bretońsku. Albo Bartuś. Bartuś rośnie i potrzebuje witamin. Fasolka zawiera witaminy. Kiełbasa w fasolce też. Oraz sosik. Ależ mi się chce spać...

– Ciotka, gdzie ty idziesz? – Na schodach zatrzymał mnie siostrzeniec. – Mieliśmy dzisiaj zagrać. Oderwiemy ojca od jego dzikich Celtów. Dam ci wycisk.

– Nie chcę, żebyś dawał mi jakikolwiek wycisk. Nie dzisiaj. I dlaczego wciąż mówisz mi „ciotka", mówiłam ci, że już jesteś dostatecznie duży, żeby mi mówić po imieniu.

– Nie chcę. Co ci tak zależy na tym „po imieniu"? A może ja lubię mieć ciocię!

W istocie. Dziecko chce mieć ciotkę. Ma w końcu tylko jedną, bo Krzysztof nie posiada rodzeństwa. Dobrze, będę ciocią. Będę też mamusią, to szczeniak zyska kuzyna. Świetnie po prostu.

Trzasnęłam drzwiami i powlokłam się na górę.

Czwartek, 14 września

O wpół do czwartej rano wyrwał mnie ze snu odgłos dwóch budzików i grzmiące tony V koncertu fortepianowego Es-dur Beethovena. Jeżeli muszę wstać o jakiejś określonej, a idiotycznie wczesnej porze, to Beethoven jest niezawodny. Zwłaszcza V koncert fortepianowy. Wyłączyłam oba budziki i kompakt, po czym powlokłam się do łazienki.

Wylazłam spod prysznica i popatrzyłam na swoje odbicie w lustrze.

W zasadzie nie jest źle. Widywałam gorsze, zwłaszcza tuż po umyciu.

Włosy – średni blond. Oczy – szare, z przewagą niebieskiego. Za gruba. Ale poza tym zdecydowanie przystojna osoba. Są tacy, co lubią za grube. Zresztą niedługo będę znacznie grubsza. Nogi mam dobre. Ręce po prostu bardzo, ale to bardzo ładne. Zwłaszcza jeśli nie zaniedbam manikiuru.

Opanuj się, kobieto! Nie jedziesz tam po to, żeby złożyć ofertę małżeństwa!

Właściwie dlaczego ja do tej pory nie wyszłam za mąż?

Aha – matka telewizja, nie pozostawiająca czasu na życie osobiste.

Byłabym zapomniała. W żadnym się jeszcze nie zakochałam tak naprawdę. Ale też żaden mi się z propozycjami ślubnymi nie narzucał.

Późno! Pociąg mi ucieknie!

W pociągu, o dziwo, spałam. Obudziłam się w Warszawie. Zachodniej.

Dworzec Centralny, jak zwykle, obszmendrany i śmierdzący. Mafia taksówkowa. Tłum – zapewnie połowa tych ludzi to kieszonkowcy, a druga połowa narkomani. Bezdomni. Kloszardzi warszawscy. Zapaskudzone ściany tuneli.

Zapaskudzonym tunelem wydostałam się na przystanek tramwajowy. Trzydzieści trzy jechało kiedyś na Woronicza. Dobrze, teraz też jedzie. Ależ te ulice rozgrzebane.

Telewizja też jak zwykle. Ludzie latają w te i we wte jak poparzeni. Mnóstwo młodych aroganckich. Ja niby też jestem całkiem młoda, ale to dwudziestoparolatkowie. Pampersy.

Żeby nie zjawić się w redakcji Stanisława zbyt wcześnie, idę najpierw do Dwójki, porozmawiać, jak to będzie w tym roku z Wielką Orkiestrą Świątecznej Pomocy. Bo jakby co, to my z kolegami mamy nowe, znakomite pomysły...

Udaje mi się zgubić pół godzinki.

No to zajrzę jeszcze do edukacyjnej.

Kolejne pół godzinki. Tu też chcieliby, żebym sobie jak najszybciej poszła. Ale zawsze można pogadać o Morzu Bałtyckim i moich nowych pomysłach realizacyjnych. Dobrze, dobrze, byle w ramach tego samego kosztorysu.

Dochodzi trzynasta. Teraz chyba nie będzie to wyglądało, jakbym przyjechała tylko dla niego.

Długi korytarz. Łącznik. Kolejny długi korytarz. Jest. Redakcja reportaży.

– Dzień dobry. Pana Górskiego szukam.

– O, pani Wiktoria – cieszy się kierownik redakcji, któremu niedawno sprzedałam bardzo porządny materiał. – Dzień dobry, proszę sobie usiąść, mówił, że pani może przyjść, prosił, żeby poczekać. Co nowego w Szczecinie?

– Różne różności, panie Mirku. Miałabym dla pana propozycję...

Pan Mirek macha nerwowo rękami.

– Zapomnijmy na razie. Bryndza straszna. Zabrali nam jedno pasmo, resztę anteny mam zapchaną aż do listopada. To może poczekać?

– W zasadzie może. To by był reportaż o jednej takiej pani, co żyje ze zbierania kamieni po polach. Tymi rękami zbiera, sama widziałam. Ładuje na taką przyczepkę i wozi do Rejonu Dróg, czy jak tam się to nazywa – wdałam się w zawiłą historię pani kamieniarki.

– Kawkę, pani Wiko?

Opowieść została opowiedziana, a Staszka jak nie było, tak nie ma.

– Chętnie.

Pan Mirek nalewa mi kawę ze stojącego na małym stoliczku ekspresu.

– To jest historia – mówi z namysłem. – Może jednak niech pani to napisze? I kosztorys od razu proszę zrobić. Pani rozumie, im niższy, tym większą będzie miał szansę realizacji. Zobaczymy. Mnie się wydaje, że warto.

Nie słucham go. W drzwiach stoi piękny Stanisław.

Piękny jest, nie da się ukryć. W dodatku wydaje się ucieszony moim widokiem.

– Nie pij tej lury! Mirek dba o serce, to jest bezalkoholowa, to znaczy bezkofeinowa. Chodź ze mną do bufetu!

Ściskamy się serdecznie, jednak ja go naprawdę lubię. Może szkoda, że ma żonę i dzieci? Oraz że jest łajdaczyną.

– Czekaj, nie idźmy do bufetu, chodź do Kaprysu. Nie potrzebuję siedzieć z tobą wciśnięta w tłum aktorów.

W małym bufecie przy studiu dają wprawdzie lepszą kawę i jest przytulniej, ale wystarczy pięć osób, żeby zrobił się tłok. A ja potrzebuję mieć go tylko dla siebie. Kawiarnia zwana przez pracowników Kaprysem Prezesa jest obszerna i można się w niej zgubić we dwoje.

– Ślicznie wyglądasz – mówi Stanisław mało oryginalnie. – Masz więcej czasu, czy przyjechałaś na jeden dzień? Bo może byśmy gdzieś skoczyli razem... Musisz dzisiaj wracać?

– Muszę, nie muszę. A gdzie chciałbyś skakać?

– Na moją daczę. Mam takie coś sto dwadzieścia kilometrów stąd. Tylko że ja dzisiaj montuję po południu, musiałabyś poczekać.

– Nie, chyba to jednak nie jest najlepszy pomysł. Widzisz, ja mam konkretną sprawę. Chyba najlepiej będzie, jeżeli ci wszystko od razu powiem. Nie rób min, proszę. Słuchaj, jestem w ciąży.

Powiedziałam. Ulżyło mi.

Stanisław popatrzył na mnie z namysłem. Nie robił min. A jednak wyglądał na zakłopotanego.

– I co, Wikuś? Myślisz, że to wtedy, na tym szkoleniu?

– Nie wiem, naprawdę nie wiem.

– A ty wtedy, wybacz, że cię o to zapytam, nie miałaś nikogo innego? Jesteś pewna, że to ze mną?

– Uczciwie mówiąc, jest jeszcze jedna możliwość. Ale nie bardzo wiem, jak to można odróżnić na tym etapie. Były między... wami... dwa tygodnie różnicy. Staszek, zrozum: ja w ogóle nie chciałam ci o tym mówić, ale jeden mój kolega dał mi do myślenia. Powiedział, że ojciec ma prawo wiedzieć. Rozumiesz? Prawo. Więc gdybyś przypadkiem był tym ojcem...

– I chciałaś być wobec mnie uczciwa? Wikuś, ja cię jednak kocham. No to słuchaj, ja też będę z tobą uczciwy. To nie moje. Ja nie mogę mieć dzieci.

– Jak nie możesz, kiedy masz?

– Moja pierwsza żona zaszła w ciążę natychmiast po rozwodzie ze mną. Ze swoim obecnym mężem. Moja druga żona wykonała ten sam numer. A moje dzieci – Janek i Ewunia – są adoptowane. Oboje z Renatą – to moja trzecia żona – chcieliśmy mieć dzieci, ja zresztą zawsze chciałem, ale zarówno Ewa, moja pierwsza, jak i Marzena, moja druga, upierały się, że to muszą być nasze wspólne. A ja nie mogę i już. Jest to stwierdzone przez paru profesorów z Akademii Medycznej, bo się starałem jakoś zaradzić, wyleczyć. No i dopiero moja trzecia, Renata, nie upierała się tak głupio jak poprzednie panie małżonki. Cztery lata temu adoptowaliśmy bliźniaki. Teraz mają sześć lat. Chcesz zaświadczenie z Akademii Medycznej, że ja nie mogę?

– No coś ty, na co mi zaświadczenie. Wierzę ci.

– Ulżyło ci? Kto to jest ten drugi?

– Nieważne. Słuchaj, to ty masz fajną tę żonę.

– Nawet bardzo. Tylko że widzisz, jakoś nie potrafię być tak całkiem... monogamiczny. Zwłaszcza, jak mi się trafi ktoś taki jak ty... na przykład.

– A ona to akceptuje?

– Staram się, żeby jednak nie wiedziała. Uważasz, że jestem łajdaczyną?

– Czy ja wiem? Do pewnego stopnia chyba tak... A gdybym była w tobie zakochana?

– A jesteś?

– Nie, nie jestem. Ale cię lubię. Mimo że niewątpliwie jesteś łajdaczyną.

– Ja cię też lubię. – Położył rękę na mojej dłoni. – Bardzo źle jest urządzony nasz świat, że nie pozwala nam zakładać haremów. Spokojnie mógłbym kochać was obie.

– Myślisz, że pogodziłybyśmy się?

– Dlaczego nie? Obie jesteście inteligentne, mogłybyście się nawet polubić. Wspólnie wychowywałybyście dzieci... Może nawet adoptowalibyśmy jeszcze kilka sztuk. Ja lubię dzieci. Na pewno będziesz świetną mamusią. Mam nadzieję, że nie przyszło ci do głowy usunięcie ciąży?

– Przychodziło, oczywiście, ale odrzuciłam ten pomysł w przedbiegach.

– Bardzo dobrze. Własne dziecko to skarb, jak przypuszczam. Te moje nie moje bardzo są kochane. Ale zawsze będę miał świadomość, że byłem tylko zastępczym ojcem. A ten twój drugi kandydat to co za jeden, wyjdziesz za niego? Przepraszam, że jestem nachalny, ale zaczynam się czuć za ciebie odpowiedzialny... Śmieszna sprawa, nie? No powiedz, co z tobą teraz będzie, Wikuniu.

– Nic nie będzie. Drugi kandydat, to znaczy już nie kandydat, tylko pewniak, to jest, mój kochany, student. Wiesz? Student czwartego roku. Dzieciak!

– Nie taki znowu dzieciak – mruknął piękny Stanisław. – No a jaka jest między wami różnica?

– Dziewięć lat, Stasiu. Dziewięć lat. To jest przepaść.

– Czy ja wiem... może i przepaść. Ale powiesz mu?

– Powiem, oczywiście. Tylko mam wrażenie, że cokolwiek zdecyduje, będzie niesłuszne. Małżeństwo chyba nie wchodzi w rachubę. Zobaczymy, co będzie.

– Słuchaj, Wika, jak już się z nim rozmówisz, proszę, powiedz mi, jak się to skończyło. Chciałbym wiedzieć.

– Po co ci ta wiedza?

– A nie wiem. Ale chciałbym. Jeżeli, oczywiście, nie masz jakichś przeciwwskazań.

– Nie, chyba nie mam. Dobrze, zawiadomię cię. Chodźmy już, jeszcze zdążę na powrotne Intercity. Odprowadź mnie do tramwaju.

Trzydzieści trzy właśnie mi uciekło. Staliśmy pod brudną wiatą i patrzyliśmy na siebie.

– Wikuś, a ty naprawdę miałaś jeszcze coś do załatwienia w Warszawie, czy przyjechałaś tylko po to, żeby mi powiedzieć?

– Tylko po to. Ale pokręciłam się trochę po firmie, żeby się nie rzucało w oczy, że prosto z pociągu lecę do ciebie...

– Rozumiem. Słuchaj, bardzo bym chciał, żeby ci się w życiu powiodło. Niezależnie od tego, czy wyjdziesz za tego faceta, czy nie, chciałbym, żebyś była szczęśliwa. I oczywiście żebyś miała wspaniałe dziecko.

– Dziękuję, Staszku. To ładnie z twojej strony, że tak mówisz. Może nie jesteś tak do końca łajdaczyną.

– Poligamia, tylko poligamia może nas uratować – mruknął. – Masz ten swój tramwaj. Nie chcesz, żebym z tobą jechał na dworzec?

– Nie, nie, Staszku, wolę sama. Do zobaczenia jakimś następnym razem.

Zdążył jeszcze mnie uściskać i tramwaj z rykiem i wizgiem ruszył. Poczułam się jakoś dziwnie: tak naprawdę wolałabym jednak nie być sama. Sama w tłumie, cha, cha. Ale byłam. I zanosiło się na to, że będę coraz bardziej sama.

Swoją drogą ten piękny Stanisław, częściowo łajdaczyna i kobieciarz zdradzający swoją żonę, to zupełnie sympatyczny, ciepły i bliski człowiek. Posiada uczucia wyższe. Zatroskał się o mój los.

No, no. A nie wyglądał na takiego. Może szkoda, że to dziecko nie jego?

A może zełgał?

Ale po co miałby łgać?

No jak to po co? Żeby się mnie pozbyć!

Niemożliwe. Prawda patrzyła mu z oczu. Nie mogę być taką nieufną jędzą. Ostatecznie w ciągu tych wszystkich lat pracy podejrzliwego reportera nauczyłam się odróżniać uczciwych ludzi od kłamców pospolitych.

W pociągu natychmiast zasnęłam, skulona w kąciku przedziału. Śnił mi się tym razem piękny Stanisław w otoczeniu pięknych kobiet – wśród nich i ja byłam – i mnóstwa drobnych dzieci. W tym moich.

Piątek, 15 września

Zapisałam się na wizytę do pani profesor. Na te wszystkie badania mogę iść w poniedziałek. Dzisiaj by mi wyszły nieprawdziwe wyniki. Jestem okropnie zmęczona.

Wtorek, 19 września

Pani profesor jest urocza. Wcale się nie dziwię, że moje koleżanki różne do niej biegają, choć bierze stówę, ale podobno jak na profesora to wcale nie za dużo. Dlaczego właściwie dotąd do niej nie chodziłam? Znam ją od trzech lat, odkąd wystąpiła w moim programie dla kobiet i była rewelacyjnie rozsądna – w latach nagonki na zwolenników aborcji! Powiedziała, że wyniki w zasadzie w normie.

– Pali pani?

– A gdzie tam. Tylko biernie, ale tego nie można sie ustrzec.

– Bardzo dobrze. Niech pani stara się jednak uciekać od palaczy jak najdalej.

– Ciekawe jak pani profesor to sobie wyobraża. Przecież musiałabym robić awantury...

– A co, nie potrafi pani? Pani Wiktorio! Przecież ja widziałam, jak pani w programie zrobiła marmoladę z prezesa spółdzielni mieszkaniowej!

– Widziała pani? Straszny łobuz. Naprawdę, mam się awanturować?

– Jak najbardziej. Dym z papierosów to straszna zaraza. Będzie szkodził pani dziecku. Lubi pani swoje dziecko?

– Czy ja wiem? Jeszcze się nie zdążyłam przyzwyczaić do tego, że będę miała jakieś dziecko.

– Już je pani ma.

– A to, że nie mam jeszcze do niego stosunku uczuciowego, to bardzo źle?

– Nie, to normalne. Proszę nie dać sobie wmówić, że już pani powinna pałać uczuciem macierzyńskim. Do tego się dojrzewa. Pani ma jeszcze kilka miesięcy przed sobą, zdąży pani śpiewająco. Na razie niech pani dba o nie przez rozum.

– Jak mam o nie dbać, na litość boską?

– Dbając o siebie. Najważniejsza jest pogoda ducha i w miarę regularny tryb życia.

– Regularny tryb życia? W telewizji? Pani profesor!

– Prawda. No to niech pani się stara, a jak już pani pożyje nieregularnie, to proszę starać się odpocząć. Najważniejsze pozytywne podejście.

Pozytywne podejście... No dobrze, ja tam jestem optymistką. Jest natomiast jedna rzecz, która mnie denerwuje, odkąd dowiedziałam się, że jestem w ciąży. Jakoś nie odważyłam się zapytać o to Zuli, ale teraz... póki byłby jeszcze czas...

– Pani profesor... jest jeszcze coś...

– Proszę mnie o wszystko pytać. Ja wszystko wyjaśnię. Niech pani nic w sobie nie dusi. No, co takiego?

Zebrałam się w sobie. Jak nie zapytam, będę się dręczyć siedem miesięcy.

– Nie byliśmy specjalnie trzeźwi, kiedy to dziecko... zaistniało. Trochę się teraz boję, czy to nie będzie miało wpływu... no, czy ono na pewno będzie normalne?

Pani profesor ryknęła zdrowym śmiechem.

– Pani Wiktorio! Jakby tak wszystkie dzieci zrobione w stanie nietrzeźwym miały być nienormalne, to połowa stanu na porodówkach byłaby nienormalna! Przynajmniej w naszym kraju! Rozumiem, że nie jesteście państwo nałogowymi alkoholikami? Że to było raczej incydentalne? Mam na myśli zanietrzeźwienie.

– Incydentalne, oczywiście – potwierdziłam ucieszona. – Mówi pani, że nie mam się co martwić?

– Jasne, że nie. Będzie świetny dzieciak. Imię już macie wybrane?

– Nie wiem, czy nie zapeszę...

– Spokojna głowa. Nic się już nie zapeszy. Tatuś się cieszy?

– Tatuś jeszcze nie wie – westchnęłam szczerze. I poleciałam dalej, bo już nabrałam zaufania do pani profesor. – A jak się dowie, to będzie w szoku.

– Rozumiem – powiedziała pani profesor. – Tatuś nie od kompletu?

– Niestety.

– Jakby co, poradzi sobie pani bez niego?

– Myślę, że tak. Mam rodzinę, przyjaciół. No i jestem już raczej duża dziewczynka.

– Dobrze. Słuszne podejście. Lepiej, oczywiście, z tatusiem, ale skoro go nie ma, to nic na siłę. No to życzę powodzenia. I niech pani nie słucha żadnych głupot, które pani będą różne kumy opowiadać. A jeżeli przez przypadek coś panią wystraszy, to proszę natychmiast przyjść do mnie albo nawet zadzwonić, wszystko wyjaśnię. Nie chcę, żeby pani przeżywała jakieś bezsensowne stresy.

– I tak chyba stresy są nieuniknione – zaszemrałam.

– Oczywiście. W tej sytuacji, o jakiej pani mówi, na pewno. Tym bardziej niepotrzebne nam są jakiekolwiek dodatkowe. Dobrze będzie, ja pani to mówię! Za miesiąc się spotykamy. Tu ma pani moje wizytówki z telefonami i proszę pamiętać: jakby co, to w dzień i w nocy. Bez wyrzutów sumienia. Nawet jeśli to będą tylko głupie myśli.

Wyszłam na ulicę nowiutka. Prosto z fabryki. Będzie dobrze! No, kochana: teraz jest nas dwoje!

A może dwie?

Coś mi mówi, że dwoje. Facecik. Na pewno facecik.

Och, naprawdę wcale się nie dziwię, że te moje koleżanki do pani profesor latają tabunami.

No dobrze. Na razie i tak nic nie zdziałam. Rodzinę zawiadomię, jak już będę miała wyjaśnioną sprawę z Jarkiem. Muszę teraz szukać dojścia do Jarka.

Zaczęłam sie nagle śmiać tak serdecznie, że aż dostałam kolki i musiałam usiąść na murku. Jakiś pan spytał mnie nawet troskliwie, czy przypadkiem nie poczułam się źle.

A ja po prostu wyobraziłam sobie, jak wchodzę do uroczystego holu Wyższej Szkoły Morskiej i wieszam na ścianie ogromny plakat: „Jarek z IV roku nawigacji pilnie poszukiwany w sprawie świadomego ojcostwa". I numer mojej komórki.

Muszę znaleźć inteligentniejszy sposób. I tak nie wiadomo, czy Jarek jest w Szczecinie. Zajęcia na uczelni zaczynają się przecież dopiero w październiku. No to mam mnóstwo czasu na oswojenie się z sytuacją. A na razie trzeba wziąć się ostro do roboty.

Wydzwoniłam Krysię.

– Nie uważasz, że warto by się zająć Orkiestrą?

– Jak najbardziej. A co ci się teraz przypomniało? Przecież widziałyśmy się w pracy.

– Ale jestem w dobrym humorze.

– Aaa, byłaś u pani profesor. I już wiesz, że wszystko będzie dobrze!

– Zgadłaś. Jesteś genialna. To może spotkamy się jutro? Ty, ja i Maciek?

– Dobrze. Maciek ma jutro nagranie, pani prezydentowa przyjeżdża w sprawie chorych na AIDS, kończy o czternastej. Ja też mam to samo nagranie. Potem możesz czekać na nas z kawą...

– To buziaczki. Do jutra.

Środa, 20 września

Jedną z największych zalet pracy w telewizji jest to, że jeśli nie zaplanuję sobie pracy o świcie, to nie muszę wstawać o świcie. Zdarzają się, naturalnie, przypadki losowe, jak zebranie redakcyjne albo pilny montaż, ale generalnie sama sobie ustawiam czas pracy. Nie ma to nic wspólnego z nieróbstwem, przeciwnie: wiem doskonale, że jeśli nie zrobię, to nie zarobię, więc staram się robić jak najwięcej. Zresztą lubię to. Nader często więc pracuję po dwanaście godzin, po szesnaście... Bardzo niezdrowo. Trzeba będzie wziąć pod uwagę potrzeby kotusia.

Z uwagi na potrzeby kotusia pospałam do dziesiątej, po czym leniwie wykonałam niezbędną toaletę, makijaż – zaniedbane baby w ciąży to ohyda – zjadłam lekkie, acz pożywne śniadanie i zapiłam mocną kawą – nie mogę przecież tak od razu poświęcać wszystkiego. Kotuś siedział cicho. W zasadzie w jego wieku to zrozumiałe.

W samo południe jechałam windą na swoje jedenaste.

Potem usiadłam przy kolejnej – niestety – kawie i popracowałam umysłowo, żeby mieć jakieś propozycje dla Krysi i Maćka.

Dziesięć po drugiej otworzyły się drzwi i wszedł monstrualny bukiet róż, do którego doczepieni byli Maciek z Krysią.

– A co to za cudne kwiecie? – Byłam oszołomiona rozmiarami bukietu. Musieli wydać majątek!

– A to zagrało w programie, dostała pani prezydentowa, ale w końcu nie wzięła – zaśmiała się prawdomówna Krysia. – No to Maciek postanowił ciebie uczcić.

– Mnie uczcić? Kryśka, powiedziałaś mu!

– Jaaa? Nic mu nie powiedziałam!

– Jak to nic, a dlaczego kwiatki?

– Dziewczyny, nie kłóćcie się – powiedział Maciek. – Wiciu, kochana, o czym to Krysia miała mi powiedzieć? Kwiatki wziąłem, bo po co się miały marnować. Myślałem, że się ucieszysz.

– Bardzo się cieszę! Nadzwyczajne kwiatki!

– To daj buziaczka na dzień dobry i powiedz, o co wam chodziło.

Zanim zdążyłam starannie dobrać słowa, w których zamierzałam powiadomić drogiego kolegę o mojej nowej sytuacji życiowej, Krysia wyręczyła mnie z wrodzonym wdziękiem.

– Będziesz ojcem chrzestnym, Macieju. A ja mamusią. Chyba, że nas Wika nie poprosi, ale to by było ostatnie świństwo, bo kto, jak nie my! No jak, Wika, masz lepszych kandydatów?

– W życiu – powiedziałam słabo. – Tylko wy. I nikt inny na całym świecie.

– Będziesz miała dziecko – ucieszył się Maciek. – Gratuluję. Kiedy to radosne wydarzenie nastąpi?

– Dopiero wiosną. Koniec kwietnia, początek maja.

– A to świetnie. To spokojnie zrobimy jeszcze parę programów. Przyjmij najlepsze życzenia szczęścia na nowej drodze życia.

– Ale ja nie wychodzę za mąż!

– Co nie zmienia postaci rzeczy, jesteś na nowej drodze, zobaczysz, że to całkiem fajne. – Maciek miał dwójkę ślicznych dzieciaków i znakomitą żonę, którą jednakowoż starał się trzymać z daleka od telewizji.

Bardzo kocham Maćka. To jeden z najmilszych ludzi na świecie, poza tym niesłychanie zdolny realizator. Uwielbiam z nim pracować. Wymyślamy sobie możliwie najbardziej skomplikowane programy, a potem on je robi. Najchętniej na żywca. Najchętniej wozem transmisyjnym, jak najdalej od wieżowca. Dlatego lubimy robić razem Orkiestrę. Jest trudna, skomplikowana, nieprzewidywalna i dostarcza nam tyle adrenaliny, że starcza nam na kilka miesięcy (wliczając czas przygotowań).

No i te przygotowania czas był najwyższy zaczynać.

Zrobiłam moim gościom kawę, sobie też (trzecią! Co na to kotuś?) i zasiedliśmy naprzeciwko siebie przy biurkach.

– Rozumiem, że masz już jakieś wstępne założenia. – Maciek popatrzył na mnie pytająco.

– Zupełnie podstawowe. Resztę, mam nadzieję, właśnie zaraz wymyślimy. Po pierwsze, już wiadomo na pewno, że będziemy główną imprezę robić w Niechorzu.

– Już tam robiliśmy – wtrąciła Krysia.

– Wiem. Ale mamy robić jeszcze raz. Rozmawiałam z wójtami, powiedzieli, że mają forsy więcej niż w zeszłym roku, czekają na nasze pomysły.

– Masz jakieś?

– Mam. Ponieważ głównym celem Orkiestry jest zbieranie pieniędzy, więc pomyślałam sobie, że najważniejszym elementem scenografii i całej akcji powinien być bank. Z czym wam się kojarzy bank? Bo mnie z taką westernową budą z napisem „Bank", takim charakterystycznym liternictwem, no wiecie. A dookoła hasają kowboje na koniach. Forsa przyjeżdża dyliżansem, odbywa się strzelaninka, piękne kobiety w saloonie tańczą na stołach – takie klimaty. Moglibyśmy wszystko zaplanować w takim westernowym charakterze. Najważniejszymi elementami oprócz sceny byłyby dwie budy: bank, gdzie będziemy zbierać pieniądze, i saloon, gdzie będą się pożywiać wolontariusze. Pamiętajcie, że oni przyjadą z odległych gmin, a to będzie styczeń. Będą zmarznięci i głodni i trzeba im dać coś gorącego do jedzenia i picia. W tym saloonie będziemy też mieć scenę dla tych wszystkich zespołów

43

i zespolików z terenu, które się nie załapią na główną scenę na plaży. I co wy na to? Dookoła takiego pomysłu można by teraz nabudować całą akcję.

– Czemu nie – powiedział z namysłem Maciek. – Myślałaś już o prowadzących?

– Myślałam. Dwójka nie wystarczy, w zeszłym roku było za mało. Niechby to byli ci, co w zeszłym roku...

– Czyli Marta i Michał – wtrąciła Krysia. – A kto trzeci?

– Właśnie nie wiem. To musi być ktoś z jajami.

– Niekoniecznie mężczyzna – dodała Krysia.

– Niekoniecznie.

– Boję się – powiedział Maciek – że cała reszta będzie zaangażowana w Szczecinie i w terenie, gdzie my tam jeszcze mamy te sceny...

Popatrzyliśmy na siebie. Pierwsze sęki. Będzie ich więcej.

Boże kochany, ja po prostu uwielbiam tę robotę.

Sobota, 23 września

Chandra straszna. Pogoda po prostu wymarzona, słoneczko, cieplutko, astry w ogródku kwitną jak szalone.

A ja siedzę przy oknie i gapię się w niebo i na te astry.

I żebym chociaż cokolwiek myślała.

Nic nie myślę, tylko mi smutno.

Niedziela, 24 września

To samo.

Wściec się można!

Wtorek, 26 września

Do wczoraj miałam taką upiorną chandrę, że ani rączką, ani nóżką. Ponieważ nie miewam porannych mdłości ani zachcianek kulinarnych typu kiszony ogórek z dżemem, doszłam do wniosku, że tak się objawia – między innymi – ciąża. No bo jakieś anomalie chyba trzeba wykazywać?

Jeżeli będzie tak dalej, to jak ja to wytrzymam?

Obejrzałam się w lustrze przy kąpieli. Na razie żadnych zmian. Ciekawe, czy bardzo utyję?

W pracy mały zastój. Naczelny dostał nasz scenariusz i jeszcze go czyta. Jak już przeczyta, trzeba się będzie wybrać do Warszawy, pokazać go w Dwójce. Napisałam też obszerną story o mojej kamieniarce i wysłałam do Reportażu.

Po powrocie do domu zastałam w skrzynce reklamówkę firmy kosmetycznej i co tu dużo gadać, zamówiłam kremów i balsamów na straszną sumę. Zaniedbana baba w ciąży to zgroza. Należy o tym pamiętać.

Facecik na razie siedzi cicho. A może to jednak kobietka? Mała, mądra kobietka, która nie będzie robiła mamusi wyrzutów o parę niezbędnych kosmetyków?

Najwyżej zrobię debet. Mój bank już się przyzwyczaił do moich debetów.

Czwartek, 28 września

Coś by trzeba ruszyć w sprawie Jarka. Przypomniałam sobie o tym problemie, bo pojawiły się w ramówce programy o uczelniach. Zbliża się październik i rok akademicki.

Również w WSM-ce.

PAŹDZIERNIK

Niedziela, 1 października

Pierwszy października.

W poniedziałek inauguracje w większości uczelni.

Wtorek, 3 października

We wczorajszych dziennikach były przede wszystkim inauguracje na uniwersytetach, politechnikach, akademiach i wyższych szkołach. Rozumiem, że zarówno Jarek, jak i Karolek, do którego mam numer na komórkę, są już w zwartym szeregu studentów i w eleganckich mundurach zasuwają do szkoły!

Dam sobie jeszcze dwa dni, żeby nie wyglądało, że czekałam tylko na ten rok akademicki i obgryzałam paznokcie.

Czwartek, 5 października

Wytrzymałam do piętnastej i zadzwoniłam do Karolka.

– O, Wiktoria – ucieszył się. – Co słychać, płyniesz z nami? Bo ojciec ma ochotę zrobić jeszcze jeden rejs z przyjaciółmi, tak na pożegnanie sezonu. Miałem właśnie cię szukać.

Rejs. Ciekawe z jaką załogą.

– Dziękuję ci bardzo, Karolku, ale nie wiem, czy będę mogła, urlop mi się już skończył definitywnie. A u nas, wiesz, jak już się zacznie orkę, to trzeba orać do uśmiechniętej śmierci. Słuchaj, kochany, mam sprawę do twojego przyjaciela...

– Marcina – domyślił się, niesłusznie, Karolek. – Ale jeżeli chcesz, żeby ci pożyczył te szkockie ballady, to nie dzwoń do niego. Ja je mam. Mogę ci przegrać.

– A, to przegraj, przegraj koniecznie! I pozdrów Marcina bardzo serdecznie. Ale sprawę to ja mam do Jarka i potrzebuję do niego jakiś namiar.

– Ach, Jarka? Ale nie dzwoń do niego dzisiaj. Wszystko wskazuje na to, że może nie być w stanie używalności.

– O tej porze?

– Miał ciężkie przejścia wczoraj wieczorem. Właściwie to skończyliśmy dzisiaj rano. No i my poszliśmy od razu na zajęcia, a on nie dał rady. Zresztą, faktycznie, może do tej pory już się zdążył zreanimować. Ale nie zadawaj mu zbyt ciężkich zadań, bo mógłby nie podołać.

– Imieniny miał? Wczoraj było Jarosława?

– Gorzej. Oblewaliśmy koniec wolności naszego przyjaciela. Zaręczył się oficjalnie, gdzieś w pobliżu Nowego Roku będzie się żenił. Tradycyjna rodzina, narzeczona z pierścionkiem, takie rzeczy. Tatuś z hrabiów, a mamusia bizneswoman. Córka trochę dziwna, ale to w końcu będzie jego żona. Możesz mu od razu składać gratulacje.

Tego nie przewidziałam.

– Co ty mówisz? Żeni się! A czemu ta narzeczona dziwna? Ja przepraszam, to nie moja sprawa, ale sam zacząłeś, to już mów dalej.

– No, dziwna. Sama zobaczysz, jak z nami popłyniesz; ona też będzie. Taka jakaś wymokła blondaska. Miągwa makolągwa. Ale za to posiada butik, a może nawet dwa butiki, albo i trzy. Oraz łeb do interesów.

– A ten Jarek też ma zacięcie do biznesu?

– Nie mam pojęcia. Zawsze wydawało mi się, że Jarek to raczej chce na morze. Ale po naszych studiach można robić wiele rzeczy. Niekoniecznie pływać.

– Oj, Karolku, nie spodobała ci się dziewczyna przyjaciela – powiedziałam podstępnie. – Czy to aby ładnie?

– Jemu też ona się chyba nie za bardzo podoba – wylało się z Karolka. Po czym umilkło. Minęła dłuższa chwilka, nim Karolek odzyskał głos. – Wicia, ty jemu tego czasem nie powtarzaj. Nie powinienem ci tego wszystkiego mówić, ale wiesz, ja go lubię, to jest mój przyjaciel. Kandydatkę odwaliliśmy razem, od początku studiów mieszkamy w jednym pokoju – i nic nie wiedziałem. On jej przecież nie poznał w czasie wakacji, zresztą w czasie wakacji też byliśmy razem, na tym rejsie ty też byłaś, pamiętasz przecież...

No, raczej.

– I tu nagle się okazuje: trach, Jarecki ma narzeczoną. Znaczy, miał ją od dawna. Tylko nic nam nie mówił. Wstydził się nas?

– Jeżeli rzeczywiście ona mu się nie za bardzo podoba, a jednak się z nią żeni, to chyba naprawdę nie miał wam o czym mówić... Ale może ją jednak kocha?

Karolek nagle zachichotał.

– Kocha ją, kocha. W każdym razie bardziej niż swojego górala.

– Jakiego górala?

– Sprzedał rower i kupił jej ten pierścionek zaręczynowy. Z szafirem. I diamentami.

No pewnie. Jak się już ożeni z butikiem, kupi sobie mercedesa. Albo harleya-davidsona. Kurczę blade. A może się z nią żeni, bo jej też zrobił dziecko?! No, ale przecież o to Karolka nie spytam.

– Boże, co za miłość. Dosyć plotkowania. Dasz mi numer do niego?

– Proszę cię bardzo, wolisz telefon domowy czy komórkę? – Karola nie interesowało najwyraźniej, jakie też sprawy mogę mieć do jego kolegi, więc nie wyskakiwałam z żadną wymyśloną historyjką, aczkolwiek miałam ich kilka w zapasie.

47

Wolałam komórkę. Zawsze bardziej prywatna. A czy ja wiem, kto odbierze w domu i jaki będzie miał współczynnik wścibstwa? A może już narzeczona?

Otrzymałam z rozpędu oba numery oraz mnóstwo serdeczności od Króliczej familii z Tatą na czele. Tato będzie niepocieszony, że nie mogę z nimi płynąć. A to byłoby przecież tylko malutkie pływanko. Góra tydzień na zalewie, od wyspy do wyspy. No, a może jednak popłynę?

Zobaczyć tę jego miągwę...

No i co? Zobaczę i powiem: „Jareczku, na co ci ta miągwa?". A on na to: „Rzeczywiście. Cholerna miągwa. Chyba jej zabiorę ten pierścionek. Lubisz szafiry?".

Nie, to oczywiście idiotyzmy. Ale zawsze bym wiedziała, jak ona wygląda.

Wzięłam jeszcze raz słuchawkę do ręki i puknęłam klawisz „redial".

– O, Wicia – ucieszył się głos Karolka. – Zapomniałaś o czymś czy zdecydowałaś się z nami płynąć?

– Może nie do końca płynąć, ale powiedz mi, kochany, kiedy chcecie to zorganizować?

– Od soboty do przyszłej niedzieli. Chcemy się pokręcić trochę tu i tam, to jeszcze nie jest sprecyzowane. Myślę, że będziemy odwiedzać po kolei wszystkich licznych przyjaciół Taty na Wolinie, w Świnoujściu, na Karsiborze też kogoś ma.

– Kusisz. Może dojadę do was na ostatni dzień lub dwa. Będziecie mieli miejsce?

– Tak sądzę, bo Dasza się nie wybiera, a Marcin będzie wysiadał w połowie. Ma jakieś takie zajęcia, z których nie może się urwać. A my z Jarkiem mamy praktycznie tydzień wolny. To co, powiedzieć, że możemy się ciebie spodziewać? Ucieszą się wszyscy.

– Dobrze. Bądźmy w kontakcie, trzymaj się, Karolku. Ucałowania dla Taty i wszystkich Królików.

Ciekawe, czy to naprawdę taka miągwa?

Piątek, 6 października

Pani sekretarka była uprzejma zawiadomić mnie, że w poniedziałek w Warszawie spotykamy się w sprawie Owsiaka. Usiadłam do

komputera i jeszcze raz przerobiłam nasz scenariusz orkiestrowy. Siedziałam przy kompie do trzeciej w nocy.
Muszą nam to wziąć!

Wtorek, 10 października

Chyba było nieźle. Nasze pomysły się spodobały, w dodatku miałyśmy bardzo precyzyjny scenariusz (o ile precyzyjny może być scenariusz złożony z pobożnych życzeń).
No i dobrze. Najpierw są pobożne życzenia, a potem się je realizuje!
Och, najważniejsze, że mamy co robić! I że można zrobić dużą zadymę.
Zadyma, zadyma, kocham zadymy!!!

Środa, 11 października

Przyszedł do mnie do redakcji Paweł.
– Jak samopoczucie? Młody kopie? Rozmawiałaś z tatusiem?
Początkowo nie zrozumiałam, co mój ulubiony operator ma na myśli.
– Z tatusiem? Nie. Z mamusią też nie. W ogóle jeszcze nie mówiłam rodzinie.
– Ja nie o tym. Dałabyś kawy?
– Zrób sobie. A o czym?
– Ja się ciebie pytam, czy powiedziałaś temu facetowi. I co on na to. I czy ewentualnie mam iść do niego, obić mu gębę?
Coś podobnego! On mnie kontroluje!
Już zamierzałam odpowiedzieć Pawełkowi, żeby zajął się pilnowaniem własnego nosa, ale spojrzenie moje padło na te jego szczere niebieskie oczy i w tych niebieskich szczerych oczach zobaczyłam coś takiego, że zmieniłam zamiar. To były zaniepokojone o mnie oczy przyjaciela. No, ten Paweł mnie zdumiewa!
– Jeszcze nie udało mi się go złapać – powiedziałam łagodnie i zgodnie z prawdą. – Ale nie martw się, jestem na dobrej drodze. Powinnam mu przekazać radosną wiadomość w ciągu tygodnia.
– I jak myślisz, co on powie? – kontynuował przesłuchanie.

– A bo ja wiem? Cokolwiek powie, raczej zostanę samotną mamą. Nie przejmuj się, Pawełku. Cukru chcesz?

– Poproszę. Łożył na dziecko, oczywiście, będzie?

– Tam jest cukier, w tym dużym pojemniku. Nie wiem, czy będzie. Nie wiem, jaka jest jego sytuacja majątkowa.

– No dobrze. Pamiętaj jakby co, że masz tu przyjaciół. A co z tą kamieniarką?

– Chyba dostaniemy zlecenie. Ale raczej na piętnaście minut niż na pół godziny. Co, już cię nosi?

– Nosi mnie. Już sobie wyobrażam te ujęcia. Te kamienie w trawie. Jak ona je wyrywa. Chyba sobie tam dołek wykopię, na tym polu.

– Niewykluczone. Dobrze by było, żeby się w redakcji zdecydowali przed zimą, bo jak przyjdą mrozy, trzeba będzie czekać do wiosny.

Wypiliśmy kawę, gawędząc na tematy służbowe. Potem przyszła Krysia, też pogawędzić na tematy służbowe. Potem dołączyli Maciek z Mateuszem i nie pozostawało nam nic innego, jak iść do baru na piwo. To znaczy oni pili piwo w dużych ilościach, mnie Paweł zabrał sprzed nosa szklankę wypitą do połowy i kazał pić sok z grejpfruta.

Przyjaciele bywają denerwujący. Ale generalnie dobrze, że są.

Piątek, 13 października

Przyszły kwity na kamieniarkę. Piętnaście minut. Krysia natychmiast zamówiła kamerę i montaż. Za parę dni jadę na zdjęcia. Oczywiście z Pawłem i Beretem. Montuję, ma się rozumieć, z Mateuszem.

No dobrze, to mogę zadzwonić do Karolka, dowiedzieć się, gdzie są. I jutro od rana do nich pojadę... jakimiś środkami komunikacji masowej. Pekaesem albo czymś podobnym. Własne auto chyba nie wchodzi w grę, bo przecież oni pewnie już wracają do Szczecina.

Wtorek, 17 października

Wszystko wiem.

Wróciliśmy w niedzielę wieczorem, cały poniedziałek leżałam martwym bykiem.

Ale po porządku.

W piątek przed południem zadzwoniłam z roboty do Karolka, a potem popędziłam do domu jak strzała i pozbierałam bety, żeby zdążyć. Okazało się, że Marcin, który opuścił towarzystwo w połowie tygodnia, wraca na końcówkę rejsu, a na jacht będzie go odwozić jego dziewczyna, która nienawidzi wszelkiego pływania jak zarazy. Swoją drogą ciekawe, po co jej w tym układzie chłop marynarz. A tak w ogóle to jest bardzo sympatyczna i życzę jej wszystkiego najlepszego.

Rozpadającym się ze starości mercedesem Anetka zawiozła nas do Wolina, gdzie czekał Tato Królik z trzyosobową załogą. Próbowaliśmy ją zatrzymać choćby na godzinkę, ale zakręciła prawie w miejscu i odjechała z obrzydzeniem. A Marcinek, radosny jak prosię w deszcz, z pieśnią na ustach rozwalił się na pokładzie, wystawiając oblicze do mizernego, październikowego słońca. Oczywiście, natychmiast podjął śpiew Karolek, któremu wyraźnie brakowało partnera do tych rzeczy (Tata Królik nie lubił śpiewać publicznie, a Jarek, jak wiadomo, nie potrafił; kobiety w dziedzinie pieśni marynarskich nie liczyły się wcale).

W innych okolicznościach z przyjemnością padłabym gdzieś nieopodal śpiewaków i przysłuchiwałabym się zgranemu duetowi – teraz jednak chciałam przede wszystkim obejrzeć sobie miągwę. Znacznie bardziej mnie to męczyło niż misja informacyjna wobec Jareczka. Musiałam się jednak wstrzymać z bólami całe dwadzieścia minut, bowiem para narzeczonych była uprzejma właśnie oddalić się w stronę najbliższego supermarketu – teraz już nie ma sklepów, nawet w Wolinie – celem uzupełnienia zapasów kawy i herbaty; żarcie i dwie skrzynki piwa przywieźliśmy mercedesem Anetki.

Powinni byli się spieszyć, bowiem Tato zamierzał jeszcze przepłynąć do znanej mi skądinąd marinki pani Eweliny na obiecany pensjonatowy nocleg. Spanie na jachcie było możliwe, ale już trochę ziębiło.

Dla zabicia czasu zeszłam na dół, zrobić kawę sobie i Marcinowi.

Właśnie wydłubywałam ze słoiczka ostatki i sprawiedliwie rozdzielałam pomiędzy dwa kubki, kiedy ktoś się zaparł w zejściówce i zasłonił mi światło.

51

Ona!

Nie, nie ona. Jarek. Szalenie się ucieszył na mój widok. Nawet mnie – dość ostrożnie jednak – uściskał. To świetnie, że jestem. Był pewien, że jednak przyjadę, choćby na ostatnie godziny. Teraz dopiero będzie można pożegnać sezon.

O miągwie ani słowa.

– Tu masz świeżą kawę, tamte resztki ci nie wystarczą! Nie masz pojęcia, jak się cieszę, że załoga znowu jest razem...

No, niezupełnie, Darii nie ma, a wtedy była. Widać mu to nie robi różnicy.

Gdzie jest miągwa?!

– Pomóż mi zanieść tę kawę na pokład, ja zawsze rozlewam połowę – zażądałam. – I wyjdźmy na świeże powietrze.

– A ta druga to dla mnie? – zaszemrał zmysłowo.

Ktoś tu zwariował.

– Nie, nie dla ciebie. Dla Marcina, bo prosił. Zrobić ci także?

– Nie, dziękuję. Daj te kubki.

Zgrabnie sobie poradził, nie wylał.

No i dobrze, że nie wylał, bo miągwa na niego patrzyła.

Wygramoliłam się na pokład i pierwsze, co zobaczyłam, to dziewucha w białym płóciennym gieźle, płóciennych portkach i takimże zawoju na głowie, wsparta niedbale o reling.

Oczka miała wbite w otwór zejściówki.

– O, jak miło. Zrobiłeś kawę...

– Wiktoria zrobiła. Dla siebie i Marcina – odpowiedział rzeczowo jej narzeczony.

Marcin, niestety dżentelmen, usłyszawszy to, natychmiast zaoferował miągwie swoją kawę.

Gdybym to przewidziała, nie umyłabym kubka.

Miągwa podała mi miękką łapkę. Nienawidzę miękkich łapek!

– Cześć – powiedziała idiotycznie zachrypniętym głosem. Już ja znam takie chrypki. Starannie ćwiczone. Żadna uczciwa chrypa tak nie brzmi.

– Wiktoria Sokołowska – przedstawiłam się wyraźnie i uścisnęłam mocno, choć z obrzydzeniem tę jej miękką łapkę. Jakbym złapała meduzę.

Skrzywiła się nieco.

– Karol mówił, że może przyjedziesz – chrypnęła.

– No i jestem. – Tu mi się skończyła inwencja. O czym jeszcze z nią gadać, na Boga? I jak ona się nazywa? Jarek nie uznał za stosowne porządnie nas sobie przedstawić. A teraz zajął się odcumowywaniem jachtu od kei. Ryczący wciąż radośnie duet Marcina z Karolkiem rzucił się mu pomagać. W chwilę później płynęliśmy w stronę ulubionej mariny Taty Królika. Towarzyszyły nam dźwięki pieśni „Żegnaj, Nowa Szkocjo". Poczułam się, jakbym wypływała na ocean.

Kiedy cumowaliśmy przy gościnnym pomoście pani Eweliny, słońce zaczynało już się skłaniać ku zachodowi. Wczesnemu, jak to w październiku, ale jednak zachodowi.

Pani Ewelina stanęła na wysokości zadania. Uprzedzona telefonicznie (komórka to największe cudo dwudziestego wieku!) pogoniła swój personel i znowu czekała na nas nieprzytomna wyżerka. Jak również ogrzany ogniem płonącym na kominku salon, gdzie mieliśmy spać wszyscy na kupie, w śpiworach, na materacach, kanapach, poduchach, skórach baranich i tak dalej. Cała reszta pensjonatu była zapchana wycieczką z Niemiec.

– Rozumie pan kapitan – tłumaczyła pani Ewelina – dla mnie to jest duży interes, teraz, pod koniec sezonu; a właściwie już po sezonie. Cały autokar!

Nie mieliśmy jej za złe. I tak okazała nam dużo serca, nie biorąc od nas żadnych pieniędzy. W dodatku znowu uparła się nas częstować.

– Kochani – tłumaczyła – dla mnie przyjmować przyjaciół pana kapitana Królikiewicza to jest taki zaszczyt, taka przyjemność, że tu nie ma mowy o żadnym płaceniu! Zjedzcie tu zaraz kolację, taka zaimprowizowana jest, jak to po sezonie, a potem może byście chcieli posiedzieć przy ognisku? Nie przy kominku, tylko na dworze, zrobimy ognisko nad wodą...

Kto by nie chciał? Rzuciliśmy się na smakołyki, a kiedy nasyciliśmy pierwszy głód, wyszliśmy na dwór, do tego ogniska.

Okazało się, że ogniska są dwa. Po obu stronach pomostu. Jedno było już – jeżeli można to tak określić – zajęte. Stała nad nim niemiecka wycieczka, zachwycona i, niestety, śpiewająca. Repertuar zachodnich gości obejmował pieśni zapewne biesiadne, obfitujące w różne tralala i jodłowanie. Każdy uczestnik przyjęcia dzierżył w jednej ręce flaszkę piwa, w drugiej kiełbaskę na patyku. Tata Królik, widząc nasze strapione miny, pocieszył nas przypuszczeniem, że te kiełbaski w końcu im się upieką, a wtedy oni zajmą się spożywaniem, a my sobie pośpiewamy. To znaczy Karol i Marcin.

Zazwyczaj po kilku piwach do tych dwóch kapitalnie współbrzmiących głosów przyłączały się nasze, nieco mniej wyrafinowane. Rozpoczynali jednak oni i tylko oni.

Rozsiedliśmy się na ławeczkach (tu uwidocznił się patriotyzm lokalny pani Eweliny: Niemcy musieli stać, bo nie dostali ławeczek; a może gospodyni nie miała ich już więcej) i słuchaliśmy krzepkiej pieśni z refrenem *Ein, zwei, drei Matrosen, Matrosen, Matrosen...* Echo niosło się po zalewie.

A ja przyglądałam się miągwie.

Faktycznie, miągwa.

Nie tylko te łapki miała takie zwisłe, ale cała jakby słaniała się na nogach. Dopiero teraz zauważyłam, że nóżki miała obute w sandały na żelazkach. Coś podobnego! Że też nie zwichnęła sobie ani jednej nogi na pokładzie!

Nie tylko nóżki były eleganckie. Makijażyk, rzęski jak firanki, brewki jak skrzydła jaskółki, usta jak wiśnie, paznokietki purpurowe na pół metra... Musiałam przy niej wyglądać jak sierota, bo przed wyjazdem z domu zdążyłam jeszcze skrupulatnie zmyć makijaż, który zazwyczaj robiłam sobie do pracy. Jakoś mi się kłóciła wytapetowana twarz z łonem przyrody. Nawet, jeżeli to łono miało być pokładem jachtu.

Spod białego zawoju, który miała na głowie, wysunął jej się artystyczny kosmyk i zasłonił połowę twarzy. Drugą połową spoglądała bez uśmiechu w dal ciemną. Może ją trochę brzydziło nasze wesołe towarzystwo.

Bo w końcu zrobiło nam się wesoło. Kapitan i pani Ewelina zaczęli wspominać dawne czasy, kiedy to świętej pamięci pierwszy mąż pływał pod panem kapitanem jako ochmistrz, Karolek i Marcin opowiadali, jak to było, zanim do nich dotarłam, a Jarek... Jarek spokojniutko dorzucał do ognia, podawał nam piwo, odganiał od miągwy komary.

Wciąż nie wiedziałam, jak ona się nazywa. Uważam, że nazwisko, a szczególnie imię, to część człowieka. Bez imienia to po prostu Nikt.

54

Ponieważ nie było przy mnie Pawełka, który by zadbał o moje prowadzenie się, wypiłam dwie butelki piwa – prawie duszkiem, bo mi się strasznie pić chciało – i w połowie drugiej po prostu zapytałam Karolka:

– Ty, słuchaj, ona się jakoś nazywa?

– Taaaak – szepnął konfidencjonalnie Karolek. – Ona się nazywa Fryderyka Stanisława Zawratyńska.

– Matko Boska, po co jej takie dwa imiona długie? I jak wy do niej mówicie? Frydzia? Frycka? Czy Stasia?

– Frycka, czekaj, Frycka! Jej rodzice chyba byli melomanami...

– Czemu melomanami? Ach! Już rozumiem: Fryderyk Chopin i Stanisław Moniuszko! Więc nie tylko melomani, ale i patrioci. No, no. Pięknie. Zatem Frycka?

– Nie, Frida na nią mówimy. To znaczy ona chce, żeby tak do niej mówić, ale zawsze się komuś wypsnie Frydzia. I ona wtedy cierpi oraz zamiera w milczeniu. Nawet Jarek do niej kiedyś tak powiedział i do wieczora nie chciała z nim gadać.

– A w ogóle można z nią o czymś porozmawiać?

– Można, dlaczego nie. O giełdzie papierów wartościowych, kursie funta i dolara, cenach samochodów, lokatach i obligacjach... no, o różnych takich rzeczach. Wtedy się zapala i jest w temacie straszna kosa. Tato próbował z nią kiedyś na te tematy, bo trochę w tym siedział, ale zrezygnował. Poza tym jest, jaka jest. Sama widzisz.

Trudno mi było uwierzyć, że miągwa, czyli Frydzia, mogła się do czegokolwiek zapalić. Ciekawe, czy paliła się do Jarka. Jeżeli tak, to ogniem głęboko ukrytym.

No i dobrze. A co mnie to wszystko obchodzi? Przecież ja nie pretenduję do ręki panicza! Ja tylko mam z nim dziecko. To znaczy, będę miała. I muszę mu o tym powiedzieć, bo inaczej nie spojrzę Pawełkowi w oczy, nigdy, przenigdy. A tu na okazję do pogawędki sam na sam wcale się nie zanosi.

Uderzyła nas nagle w uszy cisza.

Niemieccy turyści uznali, że kiełbaski są fertig und gut i przestali katować narodowy repertuar.

– Karol, Marcin – szepnęłam dramatycznie – śpiewajcie szybko, bo oni zaraz zjedzą i zaczną znowu!

Kochani chłopcy tylko na to czekali.

– Żegnaj nam, dostojny, stary poooorcie – zaintonował Marcin bardzo gromko.

– Rzeko Mersey, żegnaj nam – dołączył się baryton Karolka. „Pożegnanie Liverpoolu". Ciekawe, czemu my to tak lubimy? Niewykluczone, że zaanektujemy kiedyś ten kawałek Anglii z powodów wokalno-sentymentalnych. Oczywiście wszyscy mieliśmy tę pieśń doskonale opanowaną i kiedy soliści dotarli do refrenu, wsparliśmy ich ile sił w płucach.

– A więc żeeegnaj mi, kochaaaana ma, za chwilę wypływamy w długi rejs...

Kiedy doszliśmy do drugiego refrenu, spotkała nas niespodzianka.

Z drugiej strony pomostu, od niemieckiego ogniska, dotarła do nas ta sama pieśń, w języku oryginału jednakowoż.

No więc Karol z Marcinem też przeszli na angielski. Refren brzmiał wspaniale.

Zakończyliśmy przebój wspólnie.

Po czym germański zapiewajło ryknął pełną piersią kolejny hicior polskich szantowisk:

– *Rrrrrrolling down to old Maui!*

Podjęliśmy wszyscy.

Niebawem jeden z naszych nowych niemieckich przyjaciół popędził do pokoju po koncertinę, czyli taką maciupką harmonię, no i zaczęła się integracja.

Koncert pieśni marynarskich (nauczyli nas tego przeboju o *drei Matrosen...*) połączony ze wspólnym piciem piwa skończył się około trzeciej nad ranem. Nie starczyło mi samozaparcia i nie zrezygnowałam z imprezy ani minuty wcześniej. Może powinnam, ze względu na kotusia, ale pomyślałam sobie: niech się przyzwyczaja. Też będzie kiedyś żeglował i niech się zawczasu uczy śpiewać.

Ale warunków do zawiadamiania Jarka znowu nie było.

Miągwa Fryderyka nie śpiewała. Trąbiła jednak piwo jak stara. Na moje oko po czwartej półlitrowej butelce powinna zacząć śpiewać. A ona nic. Natomiast się śmiała. Jakoś tak dziwnie, z tą chrypką. Jarcio zapewne uznaje taki śmiech za niezwykle seksowny.

W salonie spaliśmy solidarnie, ale niesymetrycznie. Stale ktoś się budził, gdzieś wyłaził... W tym ja, oczywiście. W sumie nie była to najlepiej przespana noc.

Na sobotę planowaliśmy spokojne śniadanie i przejście do Trzebieży, gdzie też czekało nas imprezowanie w towarzystwie przyjaciół żeglarzy kończących sezon. Udało nam się zebrać do kupy dopiero koło jedenastej, a śniadanie jedliśmy cichutko i w niedużych ilościach... Jakoś nikt nie śpiewał. Niemców też nie było widać; potem się okazało, że oni już od ósmej na nogach, pojechali zwiedzać Uznam i Świnoujście. Wspominaliśmy ich – acz niemrawo – bardzo mile. Kto by pomyślał, że trafimy na takich szantofilów...

Kiedy zaczęliśmy już na dobre zbierać się do odlotu i zakładać na siebie cieplejsze odzienie, Marcin odkrył w kieszeni kurtki dwa nowiutkie flety o nietypowym kształcie, zwężające się z jednej strony, czwórgraniaste i w dodatku czarne.

– Skąd ja to mam? Ej, słuchajcie, wiecie może, kto mi to dał?

– Pokaż – powiedział Karol i spróbował zagrać. – Ty, to brzmi jak regularna irlandzka świstawka... Kto to wczoraj miał?

– Ten chudy, jak mu było, Sztefek – przypomniałam sobie. – Grał na tym irlandzkie sztajery. A Frydka, przepraszam, Frida tańczyła. Chyba się zaprzyjaźniliście i on ci to podarował na pamiątkę.

– Mnie czy Marcinowi?

– Tobie, ale Marcin schował do kieszeni, bo miał duże kieszenie. Ciekawe, czy on teraz wie, gdzie te flety są...

– No i patrzcie, jakie sympatyczne Niemce. A myśmy się uprzedzili. To przez te ich straszne pieśni. Bawarsko-tyrolskie.

– Bardzo dobrze – powiedział Tata stanowczo. – A teraz proszę uprzejmie: wszyscy na dek, odjeżdżamy z tego raju, możecie po drodze ćwiczyć, wieczorem w Trzebieży się przyda.

Pozbieraliśmy swoje, nieliczne zresztą, manatki i udaliśmy się na pokład. Wiatr mieliśmy w sam raz. To nas ucieszyło, bo żadne z nas nie było w bojowym nastroju.

Drogę do Trzebieży uprzyjemniały nam nieustanne ćwiczenia dwóch zapalonych flecistów. Nie było to łatwe przeżycie, ale trzeba przyznać, że się chłopcy wyćwiczyli i mogliśmy oczekiwać, że dwa albo nawet trzy celtyckie tanuszki zagrają jak należy.

Miągwa trzymała się uparcie Jarka przez całą drogę. Nawet z nim specjalnie nie rozmawiała, nawet mu w oczka nie zaglądała. Po prostu była przy nim. On na pokładzie – ona też. On na dole – ona z nim. Do konwersacji pozostał mi Tata Królik, zresztą przeuroczy pan, za którym przepadałam – w normalnych warunkach. Ale teraz warunki były nienormalne i rozpierała mnie Wiadomość.

W Trzebieży natychmiast przygarnęły nas przyjazne ramiona żeglarskiego towarzystwa ze Śląska, które już tylko na nas czekało, żeby zacząć bankietowanie.

Tym razem miągwa padła na samym początku.

O radości! Teraz go złapię.

Nie złapałam. Odholował ją na łódkę i tam, niestety, przy niej pozostał.

Ze złości rzuciłam się na te irlandzkie tańce, które Karol z Marcinkiem wyćwiczyli perfekt – nie mogli się tylko zgodzić co do tego, czy to jig, czy reel, czy może hornpipe. Kazaliśmy im się postukać w czółka i grać, dopóki będą w stanie. Byli w stanie dosyć długo, więc bawiliśmy się świetnie przy tych trzech melodiach, jakie opanowali. Potem Ślązacy zapragnęli śpiewać, no i powtórzyła się historia z wczorajszego wieczora. Tyle że integrację polsko-niemiecką zastąpiliśmy integracją Śląska z Pomorzem. Przed pójściem spać ustaliliśmy solidarnie, że łączymy oba regiony w jeden duży, wcielając przy okazji Wielkopolskę i co tam jeszcze po drodze. Ziemię Lubuską?

A moja zasadnicza sprawa dalej leżała odłogiem.

W niedzielę pozostawało nam już tylko wrócić do Szczecina i zostawić łódkę w Tatowym hangarze na Dąbskim.

Ślicznie było. Słońce świeciło, jesiennie kolorowe brzegi Odry, żółte i pomarańczowe, odbijały się w wodzie... Sielanka. Wszyscy byliśmy trochę rozmarzeni. To już ostatnia taka przyjemność w tym roku. Bezapelacyjny koniec sezonu.

Każdemu z nas ten sezon coś przyniósł. Tacie Królikowi – odnowienie znajomości z rewelacyjną panią Eweliną. Karolkowi i Marcinowi – po jednym flecie. Jarkowi – miągwę. A mnie – kotusia.

Facecik będzie, facecik!

Facetom jest w zasadzie lepiej. Chociażby dlatego, że nikt za nimi nie lata, pytając, kiedy wreszcie się ożenią. Jak moja rodzina, nie przymierzając. Gdybym była facetem, miałabym sobie spokojnie swoje trzydzieści dwa lata, zawód opanowany, drogę otwartą. I mogłabym być dowolnie brzydka, nikt by nie sprawdzał, jak wyglądam, jeżeli chcę się pokazywać na antenie. Co to jest, że panowie mogą być grubi, łysi, brzydcy jak nieszczęście – wystarczy, żeby mieli olej w głowie, choć i to nie zawsze. A ja, przy pewnych określonych brakach urody (ale wszak nie pcham się do zajęć prezenterskich!), muszę się upominać, że jestem niegłupia, że mam opanowany materiał, że chcę rozmawiać z ludźmi na antenie po swojemu, a nie uczyć prezenterów, co mają powiedzieć i jakim dowcipem sytuacyjnym (cha, cha, cha) sypnąć w danym momencie.

Nie mam długich nóg (choć generalnie są niezłe!) ani burzy blond włosów, ani uśmiechu Pamelki Anderson. Nie mam też za grosz figury.

Ale mam łeb!

No i co – mam z tym łbem latać od szefa do szefa i zaglądać im w oczka? Słuchaj, ja naprawdę nie jestem głupia, daaaaaj mi poprowadzić własny program.

A gdybym była płci odmiennej, problemu by nie było żadnego.

I tak to wygląda w wielu dziedzinach. No więc lepiej, żeby był facecik.

Zresztą czuję, że to chłopak. Nie wiem, skąd to wiem, ale wiem.

Imię dla dziewczynki też wymyślę w swoim czasie. Na wszelki wypadek.

Na takich i innych rozmyślaniach zeszła mi droga z Trzebieży do Szczecina. Zastanawiałam się jeszcze, czy w tej sytuacji, kiedy Jarek zamierza się żenić z miągwą, ta wiadomość nie będzie dla niego zbyt dużym wstrząsem. Czy mu to nie pokrzyżuje planów. Ostatecznie nie chcę mu wchodzić w drogi życiowe. Może więc uznać, że los tak chciał? Trzy dni usiłowałam znaleźć okazję, żeby go uszczęśliwić wiedzą, i nie udało mi się. Dlaczego wierzgać przeciw ościeniowi? No tak. Ojciec powinien wiedzieć. Chociażby na wypadek, gdyby chciał mi płacić jakieś alimenty czy cuś...

Ale o pieniądzach to ja na pewno nie wspomnę!

Serdeczności przy rozstaniu było co niemiara. Miągwa obdarzyła mnie letnim uściskiem. Poza tym nie odstępowała swojego Jarcia na centymetr. No, jeżeli tak już będzie, to mu nie zazdroszczę! Koniec końców to nie były stracone dni. Tyle przyjaznych uczuć, tyle pieśni, tańców, ta cudowna woda i nawet słoneczko okazało nam uprzejmość. Tak naprawdę mogę potraktować ten rejs jako pożegnanie nie tylko sezonu, ale i beztroski... A do Jarka zadzwonię. Przecież Karol dał mi jego komórkę.

Środa, 18 października

Zadzwoniłam.

– Cześć, Jareczku. Tu Wiktoria. Jak tam po wakacjach? Nie złożyłam ci gratulacji... Karol mówił, że będziesz się żenić na dniach.

– Witam cię, kochanie! Jak miło cię słyszeć.

Ho, ho. Takie powitanie. Miągwy nie ma w promieniu dziesięciu kilometrów. Swoją drogą, dlaczego nie podziękował za gratulacje? A co też ja słyszę w tle? Ulica. Bardzo dobrze, wykorzystamy ten jakże sprzyjający zbieg okoliczności.

– Mnie też miło cię słyszeć. Ale wiesz co, Jareczku, mam do ciebie sprawę. Czy moglibyśmy się spotkać? Nie będę ci wszystkiego opowiadała przez telefon, zresztą słyszę, że odebrałeś chyba na ulicy? Idziesz teraz gdzieś?

– Tak, rzeczywiście, skąd wiesz?

– Ma się to ucho. To co proponujesz?

– A ty co proponujesz?

– Dzisiaj mam robotę – nie była to prawda, ale byłam zdania, że tak lepiej wypadnie, niech nie myśli, że rzucam wszystko i lecę do niego – ale jutro mogę się dostosować do twoich możliwości. Byle nie za rano!

– Jutro, mówisz? Jutro ja nie mogę. A jak wyglądasz pojutrze?

– Bardzo dobrze wyglądam gdzieś od trzynastej.

– Trzynasta? Może być. Gdzie się spotkamy?

Masz ci los, nie pomyślałam, a to musi być jakieś rozsądne miejsce, żeby nie oznajmiać przy okazji całemu światu o naszych sprawach. Boże święty! I żeby nie przyprowadził miągwy!

– Czekaj, niech pomyślę...

Gdzie ja widziałam taką pustą salę... stoliki dwa kilometry jeden od drugiego.

– W Radissonie na górze, na siódmym piętrze, nie pamiętam, jak się ta kawiarnia nazywa... to jest chyba właściwie jakiś klub. Trafisz łatwo, winda dojeżdża i staje naprzeciwko drzwi.

– Dobrze, jeszcze tam wprawdzie nie byłem, ale jakoś trafię.

– Świetnie. No to buziaczki i do piątku – rzuciłam dziarsko.

Prośba, żeby był sam, nie przeszła mi przez gardło. Najwyżej, jeżeli przywlecze Fryderykę, coś wymyślę.

Fryderyka. Jak już za niego wyjdzie, będzie się nazywała Krochmal, niestety. Fryderyka Krochmal. To jest do pewnego stopnia pocieszające.

Frydzia Krochmal brzmi lepiej.

Czwartek, 19 października

Jestem cała w nerwach. Trema czy co?

Byłam na kontroli u pani profesor. Kotuś rozwija się jak należy. Dobre dziecko.

Przyszły kosmetyki. Zapłaciłam jak głupia. Ale żel do biustu – świetny. I torebka też.

Piątek, 20 października

Przywlókł ją! To nie do pojęcia, ale ją ze sobą przywlókł!

Przyszłam do tego Radissona za pięć trzynasta. Pierwsze, co zobaczyłam, to ta cholerna para, siedząca w fotelu i trzymająca się za rączki. Nie zauważyli mnie. Szybko wycofałam się do wychodka i postałam chwilę przy umywalce, lejąc wodę i gorączkowo zastanawiając się, jaki też ja mogę mieć do niego interes.

Nie wymyśliłam nic mądrego. W końcu szlag mnie trafił, wyszłam z tej toalety i przemknęłam z powrotem do windy. Co za kretyńska sytuacja! Zjechałam na parter i zeszłam schodami do klubu, który był już otwarty i – jak to o tej porze – całkowicie pusty. Wzięłam sobie kawę do stolika i wyjęłam komórkę.

Wybrałam jego numer.

– Cześć Jareczku, to ja. Wybacz, że się spóźniam.

– No, cześć, Wika. – Głos zupełnie inny niż ostatnio. Nawet gdybym ich nie widziała przed chwilą, domyśliłabym się, że siedzi obok niego i ucho ma jak słoń.

– Słuchaj uważnie. Swojej narzeczonej możesz powiedzieć, co chcesz. Chciałam się spotkać z tobą, a nie z nią, bo mam interes do ciebie, a nie do niej. Sądziłam, że się domyślisz i przyjdziesz sam. Skąd wiem, że jesteście razem? A bo tam przed chwilą byłam i widziałam was. Żeby nie przedłużać: będziesz tatusiem. Nie wiem, może masz zamiar ją o tym zawiadomić, może nie macie tajemnic przed sobą, to ja tam natychmiast przyjdę. Chcesz?

– Nie, nie gniewam się, skądże... Rozumiem, w tym układzie nie mogłaś przyjść. Zadzwonię do ciebie wieczorem, to się umówimy jeszcze raz.

– Bardzo dobrze. Czekam na telefon.

Usłyszałam jeszcze:

– W porządku, nic się nie stało, każdemu może się zdarzyć...

Skończyłam rozmowę. Niewykluczone, że Jarek coś tam jeszcze dalej gadał do wyłączonego telefonu, żeby podtrzymać Fryderykę w przekonaniu, że nie mogłam przyjść i właśnie zadzwoniłam, żeby się usprawiedliwić.

Wyszłam z tego Radissona, żeby uniknąć zetknięcia z zakochaną parą w holu. To by dopiero było śmiechu co niemiara, gdybyśmy na siebie wpadli.

Zadzwonił wieczorem, a jakże.

– Słuchaj, czy możemy zobaczyć się teraz? Przyjechałbym po ciebie...

Poczułam wielką ochotę teraz właśnie go przetrzymać. Ale z drugiej strony zaczynałam mieć dość tej ciuciubabki. Niech to się wreszcie skończy.

Miałam pewne przeczucia co do tego, czym się skończy.

– Nie przyjeżdżaj do mnie do domu – powiedziałam sucho. – Przyjedź do mnie do redakcji. Ja tam będę za pół godziny.

Podałam mu dokładne namiary.

Czekał w holu. Z bukietem białych róż w ręku! Jak Boga kocham! Wręczył mi te róże od razu przy powitaniu, całując mnie w rączkę jak gdyby nigdy nic! Jakby te kwiaty były z okazji imienin!

Na moim piętrze było o tej porze ciemno i pusto. Zapaliłam światła i weszliśmy do redakcji. Przeszło mi przez myśl, że może by wypadało zaproponować mu kawę, czy coś w tym rodzaju, ale powiedziałam tylko:

– Siadaj, proszę.

Usiadł w fotelu bez jednego słowa. Złość mnie opuściła. Ale jednocześnie wiedziałam, że nie uda się nam porozumieć. Nieważne, na czym miałoby polegać to porozumienie. Po prostu – nie będzie żadnego.

– Już wiesz najważniejsze. Usiłowałam znaleźć jakąś taką sytuację, żeby ci to powiedzieć w miarę taktownie, ale nie było takowej. Ani na jachcie, ani po powrocie. Z tego, jak kurczowo trzymasz się swojej narzeczonej, wnioskuję, że domyślałeś się, co ci miałam do powiedzenia.

– Niezupełnie – sprostował spokojnie. – Sądziłem, że chcesz ciągnąć dalej to, co nam się tak ładnie przydarzyło. A ja tymczasem zaręczyłem się z Fridą. I muszę uporządkować swoje życie.

– Świetnie. Porządkuj. Zawiadamiam cię uprzejmie, że wiosną będziesz miał potomka. Zanim zadasz mi nietaktowne pytanie, czy jestem pewna, że to twój, dowiedz się, że owszem, jestem tego pewna. – Nie wiem, czy chciał mi takie pytanie zadać, ale wolałam je uprzedzić. – A teraz słuchaj dalej. Do ciebie należy decyzja, co z tym fantem zrobić. Nie w sensie: usunąć czy zostawić, bo tę decyzję już podjęłam. Natomiast jeżeli chcesz, możesz zapomnieć o wszystkim.

Czy widzę ulgę w jego oczach?

– Chciałabym, żebyś mnie dobrze zrozumiał. Powiedziałam ci o tym dlatego, bo masz prawo wiedzieć.

Dokładniej mówiąc, Paweł tak uważał i mnie przekonał, ale to na jedno wychodzi.

– Co z tym prawem zrobisz, to już twoja rzecz. Może lepiej będzie, jeśli mi teraz nic nie odpowiesz. Pomyśl o tym po prostu. Ja nie chcę ci komplikować życia. Z drugiej strony nie mogę podejmować decyzji za ciebie.

Miał w tej chwili minę nieprzeniknioną. Jak Stirlitz.

– Chodźmy już, dobrze? Kiedy już wyrobisz sobie zdanie, to mi dasz znać.

Nie dodałam, że jeśli będzie zwlekał, to może się wypchać. Zastanawiałam się, jak zareagować, jeżeli zechce mnie pocałować.

Ale nie zechciał. Powiedział tylko uroczyście:

– Dziękuję, że nie chciałaś usunąć tego dziecka...

I pocałował mnie w rękę.

Kiedy zjeżdżaliśmy windą, patrzył mi w oczy i uśmiechał się słabo.

– Czekaj na mój telefon – poprosił i jednak mnie pocałował. W policzek.

Pojechałam do domu i białe róże przekazałam mamuni, łżąc w żywe oczy, że to od wdzięcznej telewidzki, której coś tam załatwiłam. Chyba bym ich nie chciała trzymać w pokoju.

Zrobiłam sobie herbatę i usiadłam w fotelu przy ciemnym oknie. Czułam się dziwnie. Pusto. Głupio. Tak mu to wszystko rzeczowo powiedziałam, a może powinnam była załatwiać to jakoś bardziej po kobiecemu? Mdleć i padać w objęcia? Ronić łzy? Tylko że ja nie umiem ronić łez w takich sytuacjach.

Bo tak w ogóle to umiem bardzo dobrze. Ale muszę być sama, tak jak teraz.

Przeważnie jestem sama! To znaczy cały czas w tłumie ludzi, ale w końcu zawsze zostaję sama. Milkną telefony w sprawach służbowych i towarzyskich, wszyscy idą do siebie i zostaję sama. I wtedy ronienie łez mam opanowane do perfekcji... Najpierw ronienie, a potem wylewanie całymi strumieniami...

Boże, dlaczego ja się tak mażę? Dobrze będzie. Musi być dobrze. Jutro od rana idę do mojej ukochanej pracki. Cholera, dlaczego oni mi tak mało płacą? Znowu gania mnie telefonia komórkowa z rachunkami i muszę zapłacić ratę za samochód, a jeszcze rozliczyć się z rodziną za gaz i światło, i wodę, i ścieeeeeki... i skąd ja na to wszystko wezmę?

I jak ja sobie poradzę z dzieckiem?

Poradzę sobie, do diabła. Poradzę. A na pewno nie będę ciągała Jareczka po sądach, dam sobie radę bez alimentów, a dziecko lepiej niech się wychowuje w atmosferze pozbawionej nienawiści, tych wszystkich przepychanek, użerania się i tak dalej.

Dobrze, dzidzia, możesz się urodzić. To znaczy poczekaj na swój termin. A na razie chodźmy spać, jest już późno i cera nam się marnuje.

Sobota, 21 października

Poszłam do Rossmanna i kupiłam sobie bardzo dobre kremy L'Oreala do twarzy na dzień i na noc, i do oczu też. Poczułam się lepiej niż ostatnio.

A potem poszłam na pocztę i zadebetowałam kolejnym czekiem. Bankomat ostatnio nie chciał ze mną rozmawiać. Trochę się już denerwuję, ale jakoś tam na to zarobię. Nie wiem, jak głęboki już mam debet na koncie, muszę sprawdzić. Ale przecież nie dzisiaj, tylko w poniedziałek.

A jeszcze potem poszłam do pefumerii w empiku i kupiłam tusz do rzęs Bourjois. Najbardziej lubię francuskie kosmetyki. Niestety, w żaden sposób nie odważę się na te, które naprawdę bym chciała kupić. Mogłabym na nie już nie zarobić.

Niedziela, 22 października

Nie wiem, czy już zawiadamiać rodzinę, czy jeszcze niekoniecznie.

Obejrzałam się w lustrze. Żadnych zmian. Poza tym że mam lepsze rzęsy niż wczoraj. Ten stary tusz już był do niczego.

Trzeba spakować manatki na mały wyjazd. Jutro jedziemy robić kamieniarkę. Byłabym zapomniała.

No to jeszcze nie zawiadomię rodziny.

I nie pójdę do banku.

Środa, 25 października

Byłam rano w banku. Mam debet jak diabli. Mogę go nie pokryć w całości, zresztą do honorariów daleko. Zobaczymy. Na razie mam jeszcze ze sto złotych. Spróbuję wytrzymać, a za parę dni płacą pensję. Grosze, bo grosze, zwłaszcza po odtrąceniu pożyczek, ale do honorariów wystarczy.

Zrobiliśmy zdjęcia do kamieniarki. Jeszcze nie wiem, jak to nazwę.

Jak tylko zajechaliśmy na podwórko, Pawełkowi oczka zaświeciły. Ledwo przywitaliśmy się z panią, zaczął wielkimi krokami przemierzać obejście i kombinować, co by tu i jak sfilmować. A obiektów miał dużo i wszystkie malownicze. Najbardziej mu się spodobała sterta drewna i zdezelowana krajzega.

65

– Pani to sama obsługuje?

– No pewnie! Pokazać panu?

– Nie, nie, ja wiem, jak to działa, to potem zrobimy. A ten traktor sama pani prowadzi?

– Sama! Czasami to robi mój... przyjaciel, pan Zdzisio. Ale przeważnie sama. Pokazać?

– Nie trzeba, nie tak zaraz. A te kaczki to panine?

– No pewnie, że moje. Kury też.

– I pani je karmi?

– Pewnie, że ja. Pokazać?

– Nie, nie, dziękuję, to już jak będziemy filmować. A te kamienie to gdzie pani zbiera?

– Różnie. Na tym polu, o, może pan stąd zobaczyć. I w innych miejscach też.

– Pan Zdzisio pomaga?

– Nie bardzo. On choruje na serce, nie może dźwigać.

– Pawełku – wtrąciłam – może najpierw pójdziemy do domu i zdjęcia zaczniemy od setki?

Pani od kamieni jakby się nieco zmieszała.

– Ja myślałam, że to potem, kolację zrobię czy coś... I wtedy byśmy się napili. Po pracy...

Moi kochani koledzy ryknęli śmiechem.

– To nie taka setka! Ale cię pani wyczuła, Wika! Ten twój pociąg do gorzały!

– Przepraszam – powiedziałam, nie zwracając uwagi na moich nietaktownych kolesi. – To nieporozumienie. Ja chciałam zaproponować, żebyśmy najpierw nagrali rozmowę, to się u nas nazywa setka, czyli sto procent...

– Och, to ja przepraszam! Ja myślałam, że państwo chcą tak na dobry humor... a może jednak?

– Wykluczone – powiedział stanowczo Paweł. – Teraz pójdziemy do domu i nagramy sobie rozmowę. I będziemy wiedzieć, co nam jeszcze będzie potrzebne.

Pani Zosia się spłoniła, bo nieco ją krępowała perspektywa zeznawania do mikrofonu potwornej wielkości, którym Beret wywijał jej nad głową. Ale szybko jej ta krępacja przeszła. Opowiadała nam ciekawe rzeczy.

– Ja kiedyś byłam drugim dostawcą mleka na trzy wojewódz-

twa – mówiła z płonącymi oczami. – Przede mną była taka jedna
ze Słupska. Tylko ona. Miałam dwadzieścia sześć krów mlecz-
nych. Miałam na polu pszenicę. Trzydzieści hektarów. Miałam
maszyny. Wszystko pięknie wyglądało, pięknie mi się rozwijało...
Nagle zwiędła. Chlipnęła. Otarła oczy przybrudzonym ręka-
wem. Siąpnęła nosem.

– Wzięłam kredyty w banku. Na rozwój. Chciałam dokupić
ziemi, dokupić bydła. Policzyłam sobie wszystkie raty, wyszło, że
dam radę.

Chlipnęła solidniej. Wstrzymaliśmy oddechy. Paweł zamarł
przy kamerze, widziałam tylko leciutki ruch ręki na joysticku.
Dojechał do twarzy pani Zosi. Mam nadzieję, że nie na chama,
do samych oczu i ust, tylko nieco subtelniej...

– No i przyszedł Balcerowicz. Banki podniosły procenty na
kredyty. Wszystko mi przepadło. Wszystko straciłam, żeby spłacić te kredyty. Bydło, pole, wszystko.

Polały się jej łzy po twarzy. Paweł nie drgnął. Za to go kocham!
Znam paru takich operatorów, którzy w tej chwili dojechaliby cynicznie do tych płaczących, zaczerwienionych oczu i wykrzywio-
nych ust.

Pani Zosia pozbierała się.

– Ja to szybko płaczę – zakomunikowała rzeczowo – i szybko
się śmieję. Taką mam naturę.

– A co dalej było z tą panią gospodarką? – zapytałam.

– Nic nie było. Nie było już gospodarki. I nie będzie. Nie opłaca się. Próbowałam handlu... – Tu opowiedziała nam o swoich
perypetiach z handlem spożywką. Wykończyła ją konkurencja.
Lepiej zlokalizowana, na środku wsi. Z ciuchbudą i hurtownią
odzieży też jej nie wyszło. Wpadła na pomysł z tymi kamieniami... Okazało się, że można z tego wyżyć. No więc kamienie zbiera, drewno też. Jakoś leci.

A ja narzekam na ciężką pracę! Może mi się i zdarza dwanaście godzin albo szesnaście; czasami nawet w ciągu, ale przynajmniej nie muszę nosić kamieni! Jak ona to znosi, ta pani Zosia?
Na Herkulesa nie wygląda. Pan Zdzisio jej nie pomaga, bo sercowy, jak ona to wytrzymuje?

– Kręgosłup mi wysiada. A najbardziej bolą ręce. Czasami
w nocy nie mogę zasnąć, chodzę po domu, płaczę. To zakwasy się

robią. Potem przestaje boleć. Do lekarza nie mam po co iść, bo by mi kazał zmienić zajęcie. A na co ja je zmienię? Ja mam pięćdziesiąt cztery lata. I nie mam wykształcenia. Ja tylko umiem ciężko pracować. Robota kocha głupiego.

– A te pani kredyty?

– Pospłacałam wszystko. Ale musiałam wziąć nowe pożyczki. Na paliwo, na nawozy, bo jeszcze trochę ziemi mam, na życie. I teraz je spłacam.

– A te kamienie to opłacalny interes?

– Za kamienie dostaję w Rejonie Dróg siedemnaście złotych za tonę – odpowiada pani Zosia, chwalić Boga, pełnym zdaniem. – Dziennie mogę oddać kilkanaście ton. Zdawałam już i trzydzieści za jednym razem.

Patrzymy na siebie z niedowierzaniem. Pani Zosia to widzi i jej twarz rozjaśnia się uśmiechem.

– Naprawdę. Trzydzieści i więcej. Tylko teraz mi już trzy miesiące nie płacą... ten dług mi rośnie.

– Jak to nie płacą? – Tu już się oburzyłam zupełnie prywatnie. – A to łobuzy!

– Łobuzy, łobuzy, a muszę z nimi dobrze żyć. Mówią, że nie mają, i co ja na to poradzę? Pani Wiktorio! Ja już tyle gadam! Może kawy?

– Kawy – zamruczał Beret – kawy...

– No dobrze, to zrobimy przerwę, wypijemy tę kawę i będziemy robić sceny aktorskie.

– Jakie aktorskie? Ja nie dam rady aktorskich! Co pani wymyśla? A miało być łatwo! A tę setkę do kawy dać?

Podziękowaliśmy za miłą propozycję, ale zamierzaliśmy jeszcze długo i owocnie pracować. Przy kawce Paweł spróbował się z panią Zosią na ręce. Położyła go, jak chciała. Marek zamierzał też zawalczyć, ale skrewił. Wystraszył się, gdy zobaczył Pawełkową klęskę.

Jako aktorka pani Zosia spisała się, oczywiście, znakomicie. Grała zresztą samą siebie. Prosiliśmy, żeby dla potrzeb kamery podliczała zarobki za te swoje kamienie i żeby przy tym mamrotała pod nosem. A potem miała już gromkim głosem zawiadomić pana Zdzisia, siedzącego w pokoju obok, że znowu będą tyły finansowe.

Udało się nadzwyczajnie. Pani Zosia pisała, kreśliła, używała kalkulatorka, martwiła się spektakularnie (ale bez niestosownych przerysowań), klęła (z chwalebnym umiarem), w końcu zaś zawołała do pana Zdzisia to, co miała zawołać. On zaś siedział sobie na kanapie i oglądał telewizję. Leciało akurat sprawozdanie z obrad sejmowych. Nabzdyczona pani posłanka mówiła właśnie o konieczności cięć budżetowych. Udało nam się ją nagrać jednym ujęciem z panią Zosią. Jedną panoramą!

Mogłam, naturalnie, wykorzystać czyste nagrania z sejmu, ale o wiele lepiej było tak to złapać razem z tym mało zamożnym mieszkaniem i dwojgiem niemłodych ludzi.

Po tych ćwiczeniach pani Zosia zagrzała kiełbaskę i ekipa pożywiła się, nadal jednak, ku zmartwieniu gospodyni, odmawiając wypicia setki.

Potem było jeszcze lepiej. Kręciliśmy mianowicie piłowanie drewna przez panią Zosię. I to już zahaczało o horror.

Zażyczyłam sobie taką sekwencję gospodarczą. Żeby pani Zosia poruszała się w obrębie tego swojego malowniczego podwórka, karmiła kaczki, używała krajzegi – takie klimaty wsiowe były mi potrzebne. Pawełek kiwnął głową, że rozumie, o co mi chodzi i zabrał się do roboty. Z panią Zosią już byli poważnie zaprzyjaźnieni, bo strasznie jej się podobało, że z pełnym wdziękiem przyjął porażkę w tym pojedynku z nią na ręce. Chłop, a nie udaje, że lepszy we wszystkim! Więc robiła, co tylko sobie zażyczył. Powtarzali te kaczki, dublowali, Pawełek kręcił ogólniaki, zbliżenia, latał dookoła pani Zosi jak szalony, a ją to bawiło coraz bardziej. Kaczki prawdopodobnie były zachwycone, bo każdy dubel wymagał nowej porcji żarcia, które pochłaniały z kaczym wdziękiem.

Aż przyszło do piły.

Piła była okrągłą tarczą, umocowaną pionowo w stole. Po prawej jego stronie leżała sterta gałęzi do pocięcia. Takich, powiedziałabym, grubszych gałęzi.

Paweł postanowił sekwencję nakręcić z ręki. Konsekwentnie, tak jak kaczki. Zresztą inaczej by nie dał rady, pani Zosia bowiem poruszała się z prędkością błyskawicy.

Najpierw złapała jakieś kable i zaczęła je rozplątywać. Znalazła końcówkę – bynajmniej nie zakończoną wtyczką – i poleciała podłączać te dwa sterczące druty do gniazdka.

– Tego tutaj niech pan nie kręci – zawołała wesolutko do swojego nowego przyjaciela Pawełka – bo tu wszystkie bebechy na wierzchu! Jeszcze mi się ktoś doczepi!

– Dobrze – odkrzyknął Paweł – ja to zrobię tak z daleka, żeby nie było widać szczegółów!

Zamiast przyzwoitego gniazdka, w murze ziała dziura, do której pani Zosia wetknęła to, co powinno być wtyczką. Znaczy – w dziurze siedział prąd.

Potem jak fryga zakręciła się wokół własnej osi, podbiegła do maszyny i włączyła ją. Ustrojstwo zadrżało i piła poszła w ruch.

– Jeszcze raz, pani Zosiu – zawołał Paweł, który nie zdążył dobiec. – Ja zrobię zbliżenie. Jeszcze raz, proszę.

– Dobrze – zgodziła się życzliwie pani Zosia – proszę bardzo. I wyłączyła urządzenie. Cisza zatrzęsła powietrzem.

Paweł przymierzył się z kamerą.

– Teraz proszę.

Pani Zosia podbiegła raz jeszcze, jej dłoń pojawiła się w wizjerze kamery i przekręciła wyłącznik. Maszyna ponownie ruszyła, z potwornym rzężeniem, jękiem i zgrzytem.

– O cholerka – zmartwiła się nagle nasza gwiazda. – Ciapek mi przegryzł izolację, na tym kablu może być przebicie... Ciapek, ty zarazo!

Ciapek, żółty kundel, odwrócił się do nas zadkiem.

– To nie powinno tak leżeć w wodzie – kontynuowała pani Zosia – bo może być nieszczęście.

W istocie, nadgryziony fragment kabla spoczywał właśnie w kałuży.

Pani Zosia rozejrzała się, podniosła z ziemi niewielki pieniek, wstawiła go do kałuży, po czym całkiem spokojnie włożyła rękę do wody, podniosła zeń kabel i położyła go na pieńku. Przegryzionym do góry. Maszyneria cały czas była w ruchu! Prąd przez ten kabel przelatywał!

– O Jezu – powiedział nabożnie Marek. – Behape!

Beret nie mógł opanować nerwowego chichotu. Jedyne widoczne oko Pawełka (drugie miał przyklejone do wizjera) otwierało się coraz szerzej.

Tymczasem pani Zosia stanęła sobie za wirującym w pionie kołem tarczy, po czym złapała grube polano ze stosu, chwyciła je obiema rękami za końce i naparła nim na piłę. Jazgot zmienił tonację, polano zostało przecięte, pani Zosia odrzuciła jego dwie połówki na inny stosik. I złapała następny kawał konara. I powtórzyła operację. I tak dalej, i dalej, dopóki Paweł nie opuścił kamery i nie oznajmił, że ma wszystko.

Było mi nieco słabo. Oczami duszy widziałam, jak pani Zosia traci równowagę, leci do przodu i zostaje przez własną krajzegę rozcięta na dwie równe połowy! W pionie!!!

Moich kolegów dręczyły chyba podobne wizje, bo Paweł ocierał pot z czoła, Beret kręcił głową jak zepsuty pajacyk, a Marek powtarzał z rosnącą pobożnością:

– O mój Boże, o mój Boże, nie mogę na to patrzeć, Matko Boska...

– Pani Zosiu – powiedziałam – nie boi się pani tak tą piłą... bez żadnej osłony?

– A czego mam się bać?

– No przecież, gdyby pani straciła równowagę...

– To by mnie przecięło na pół – dokończyła beztrosko. – Nie ma strachu, ja to robię od lat!

Popatrzyliśmy na siebie. Pani Zosia miała, niewątpliwie, bardzo porządnego i pracowitego anioła stróża. Może jej nie uchronił przed reformą Balcerowicza, ale i tak miał sporo zajęcia.

W poniedziałek nic już więcej nie robiliśmy. Wypiliśmy wreszcie tę setkę – setka jest tu wartością raczej symboliczną, bo koledzy wytrąbili znacznie więcej, a Marek oraz ja z kotusiem – zero, z powodów oczywistych. Przyjaźń ekipy z panią Zosią (pan Zdzisio w tym stadle pełni raczej rolę bierną) zacieśniła się niezmiernie. Nic dziwnego, bo ekipa jest sympatyczna, a pani Zosi też niczego nie brakuje. Kładła potem na rękę wszystkich trzech, bo się uparli, że jeszcze spróbują. Najbardziej jednak pokochała Pawełka – i to z wzajemnością. Bardzo serdecznie się ściskali na dobranoc.

Nocowaliśmy w pobliskim Wałczu w hotelu, dosyć podłym. Ciepłej wody nie było, że o barze z herbatą nie wspomnę. Ale namówiłam recepcjonistkę, żeby mi zrobiła swojej prywatnej herbaty. Zwierzyłam się jej, że jestem w ciąży i to jej podziałało na wyobraźnię. Oraz damską solidarność.

We wtorek świtkiem zaczęłam wewnętrzną linią hotelową dzwonić do kolegów, żeby sprawdzić, czy już się zreanimowali. Paweł, zaspany, ale żywy, odebrał telefon w miarę szybko. Z Markiem było nieco gorzej, ale po kilkunastu sygnałach zgłosił się, mocno niezadowolony z życia. Telefon do Bereta wypadł mi nieco dziwnie. Po kilku sygnałach jakby podniósł słuchawkę, potem coś dźwięknęło i zapadła cisza. Z daleka dobiegała tylko muzyczka, taka, jaką często słyszy się w telefonach, czekając na połączenie. Oraz dziwny, trudny do określenia odgłos.

Nie mogąc dodzwonić się do Bereta, spróbowałam do recepcji. Ale i mój telefon nagle przestał działać.

Zezłościłam się, ubrałam byle jak i zeszłam do recepcji osobiście. Powiedziałam tej samej co wczoraj, życzliwej panience, jaki mam kłopot.

Teraz ona zaczęła próbować. Rezultat był żaden.

– Strasznie mi przykro – powiedziała w końcu zaczerwieniona z wysiłku – ale nic mi nie wychodzi, to połączenie jest jakieś dziwne. Ja dopiero niedawno tu pracuję, może jeszcze nie znam tej centrali tak dobrze... A może pani zadzwoni do tego pana na komórkę?

– On nie ma komórki. Jakby miał, to bym to już dawno zrobiła. Proszę pani, chodźmy tam. Niech pani weźmie zapasowe klucze, może mu się coś stało.

Zdenerwowałam się. Może mu ta setka zaszkodziła? Ale Beret ma mocną głowę. Co to dla niego taka ilość trunku! Boże, może naprawdę coś się stało.

Wbiegłyśmy na piętro. Recepcjonistka, której udzieliło się moje zdenerwowanie, wetknęła klucz do zamka i zaczęła nim gmerać. Bez rezultatu.

Serce podeszło mi do gardła. Rąbnęłam pięścią w drzwi.

Otworzyły się. Nie były wcale zamknięte na klucz.

Na miękkich nogach weszłam do pokoju.

Radio cicho grało. To była ta muzyczka, którą słyszałam.

Częściowo przykryty kołderką, a częściowo na niej, wystawiając kosmate nogi na świeże powietrze, leżał sobie w łóżeczku mój kochany kolega dźwiękowiec. Chrapał. W ręce dzierżył słuchawkę telefoniczną, na której ufnie oparł policzek. I spał jak dziecko. Musiał odebrać ten mój telefon, przyłożyć słuchawkę do ucha i natychmiast zasnąć.

Zdążyłam już tyle sobie nawyobrażać, że ulga mnie dosłownie powaliła. Moje miękkie kolana zmiękły całkiem i zemdlałam, jak się zdaje.

Kiedy się ocknęłam, wszyscy trzej koledzy stali nade mną, ciężko przerażeni. W towarzystwie równie przerażonej recepcjonistki. Wyglądali tak, że dostałam ataku śmiechu. Było mi wprawdzie nieco niedobrze, ale widok trzech facetów nickompletnie ubranych i z oczami na słupkach był po prostu zniewalający.

A jak się ucieszyli, że jednak żyję!

Śniadanie hotelowe było obrzydliwe, ale i tak mi się nie chciało jeść. Wzięłam, bo było w cenie pokoju, ale zeżarli je kochani koledzy. Mówili, że z nerwów bardziej ich ssie.

Zanim dojechaliśmy do wiochy pani Zosi, wydobrzałam całkowicie.

Nawet mi się spodobało takie mdlenie. Przynajmniej przekonałam się, że koledzy się mną przejmują.

– A coś ty – powiedział wprawdzie cyniczny Beret – my po prostu nie chcemy mieć żadnych zwłok w ekipie!

– To straszny kłopot, taki nieboszczyk znienacka, policja może się przyczepić – zamruczał Marek, dodając gazu, bo chcieliśmy złapać poranne klimaty, a czas uciekał.

– Właśnie – dodał Paweł, przewracając oczami. – Materiał zaczęty, nieskończony, rozpaprany; nie byłoby wiadomo, jak to rozliczyć...

Ale już do końca zdjęć cackali się ze mną jak ze śmierdzącym jajkiem. Zauważyłam, że stale któryś z nich miał mnie na oku.

Przeważnie pilnował mnie Marek. Pawełek bowiem, pospołu z biegającym za nim na kablu Beretem, dokumentowali zmagania pani Zosi z polnymi kamieniami.

To było coś niesamowitego. Pani Zosia nie tylko bowiem zbierała kamienie leżące na polu. Również wyrywała je z ziemi, a czasami były w nią wrośnięte do połowy. Jednemu nie mogła dać rady.

– Och ty, ty sobie nie myśl, że cię tak zostawię – syczała i stękała przez zaciśnięte zęby, próbując jednocześnie podważyć głaz łomem. – Tak nie może być. Nie wygrasz! Muszę cię zabrać... No chodź, chodź do mnie, ty draniu...

W końcu jednak nie zdołała go wyciągnąć. Pogroziła mu zaciśniętą pięścią.

– Ja tu wrócę po ciebie, czekaj...

Nie chodziła, ale biegała po tym kamienistym poletku. Mniejsze i większe kamienie najpierw układała obok siebie po kilka, potem zaś brała ich całe naręcze i biegła z nimi do traktora z przyczepką. W kabinie siedział sercowy pan Zdzisio i obserwował jej wysiłki, wzdychając ciężko. Pewnie by jej pomógł, gdyby mu to nie groziło zawałem.

– Patrz, Wicia – mówił do mnie z podziwem Marek. – Ja bym tego nie uniósł! Jeden, dwa, ale ona bierze po pięć na raz!

Przyczepka zapełniała się. Pani Zosia miała swój urobek i my mieliśmy swój. Paweł ciężko dyszał.

– Będzie? – Pani Zosia popatrzyła na niego pytająco.

– Będzie – odpowiedział, kiwając głową.

Nagle pani Zosia podskoczyła w miejscu.

– Jak to będzie? Przecież mi jeszcze został ten jeden, co mu obiecałam, że do niego wrócę!

Obróciła się i pognała przez pole, a za nią Paweł i Beret.

Z daleka widziałam, co się działo.

Pani Zosia z furią natarła na głaz, wciąż wbity w glebę. Spróbowała parę razy łomem, w końcu objęła go ramionami, zaparła się i wyszarpnęła ogromny kamień z ziemi! Pogalopowała do swojego traktorka, cisnęła głaz na kupę i z błyskiem w oku mruknęła:

– Mówiłam ci, że po ciebie wrócę!

– Popatrz – mówił do mnie Paweł, kiedy wracaliśmy już do domu, nakręciwszy jeszcze kilka scenek z panią Zosią w stacji paliw i przy zdawaniu kamieni. – Gdybyś napisała taką rolę dla aktorki, to nawet największa na świecie, najzdolniejsza aktorka zrobiłaby ci z tego kupę nie do przyjęcia. To po prostu nie mogłoby wypaść naturalnie. A ona naprawdę z tymi kamieniami rozmawiała. Beret, nagrałeś to porządnie? – zwrócił się nagle do dźwiękowca, zatopionego w rozmyślaniach na tylnym siedzeniu.

– Tak, tak, oczywiście, bardzo porządnie. – Beret najwyraźniej myślał już o czymś innym. A może raczej zasypiał snem sprawiedliwego.

– A słuchaj, Wika, jakie mi wyszły obrazki pod słońce, ona sylwetkowo z tymi kamieniami w objęciach... Kiedy montujesz?

– Za jakiś tydzień dopiero. Ale będę wcześniej przeglądać, to przyjdź.

– A jak ty się czujesz? – przypomniał sobie nagle.

– Bardzo dobrze, tylko mi się spać chce.

– No to śpimy. Beret już dawno odleciał.

No to poszliśmy spać. Z wyjątkiem biednego Marka, który włączył sobie radio i jechał.

Czwartek, 26 października

Nie bardzo mi się chciało iść dzisiaj do firmy. Niby nic mi nie było, ale śniadanko stanęło mi kością w gardle. Poniechałam jedzenia i postanowiłam jednak jechać do pracy i zająć się czymś konkretnym, żeby nie myśleć o żołądku. Czyżby to kotuś tak rozrabiał?

I bardzo dobrze, że pojechałam. W kancelarii obok kilku zaproszeń na różne imprezy, przeważnie mało ciekawe, znalazłam przesyłkę od pięknego Stanisława. Poznałam jego charakterystyczne pismo, przypominające indiańskie pismo węzełkowe. Prawie nie do odczytania.

Strasznie chciałam zajrzeć do koperty od razu, ale w tym momencie do kancelarii wszedł naczelny.

Pogadaliśmy trochę o Orkiestrze.

Szef zawiadomił mnie, że dostaliśmy bardzo porządny budżet na program i sporo wejść antenowych. On nam gratuluje. Podobno scenariusz był bardzo ładny.

No, no, jak miło.

Poszedł sobie.

Następnym przeszkadzaczem okazał się Paweł.

Przyszedł do mnie, do redakcji, dokładnie w momencie, kiedy zabierałam się do rozcinania koperty.

Chciał wiedzieć, czy przeglądałam już obrazki z panią Zosią. Oraz, skoro nie, to może byśmy zaraz poszli na przeglądarkę i zobaczyli? Bo on nie może usiedzieć.

Ja też nie mogę. Z nieco innego powodu, ale go rozumiem.

– Pawełku – powiedziałam – idź na dół, weź klucz od przeglądarki i wróć po mnie. Ja tymczasem wykonam jeszcze parę telefonów.

Paweł posłusznie wybiegł, a ja złapałam kopertę.

Telefon zadzwonił.

Nie umiem nie odebrać telefonu. Skoro już dzwoni, to znaczy, że ktoś mnie szuka, bo ma do mnie jakiś interes. Że jestem komuś potrzebna. No więc muszę odebrać. Ale to nie ja byłam potrzebna, jak się okazało.

– Dzień dobry, czy to redakcja programu „Morze Bałtyckie"?

Schowałam kopertę do kieszeni.

– Jak najbardziej. Wiktoria Sokołowska przy telefonie, autorka.

– Jak to autorka? Przecież to prowadzi taki pan z brodą?

– Zgadza się. Pan z brodą prowadzi, nazywa się Roch Solski. A ja redaguję. Czym mogę służyć?

Damski głos w telefonie zawahał się.

– Czy ja jednak nie mogłabym rozmawiać z tym panem... Solskim?

– Niestety nie, pan Roch nie pracuje w telewizji, tylko wpada do nas, kiedy robimy program. Ale jeżeli chodzi o sprawy tego cyklu, to ja się orientuję we wszystkim.

– No tak, pani się orientuje. Ale ja bym chciała z panem Solskim. Proszę mi podać jego telefon.

Zdenerwowała mnie ździebko.

– A pani dzwoni w sprawie programu czy jako wielbicielka pana Rocha? – zapytałam ciepło i uprzejmie. – Bo widzi pani, ja, niestety, nie jestem upoważniona do podawania jego prywatnego numeru. Proszę mi podać swój, postaram się państwa skontaktować.

– A gdzie on pracuje?

Zastanowiłam się, czy podawać babie takie informacje, ale w końcu podpisywaliśmy Rocha w każdym programie, mogła sobie przeczytać wizytówkę. Chociaż wątpię, skoro nie pamiętała nawet nazwiska swojego idola.

– Pan Solski pracuje w Urzędzie Morskim.

– W jakim dziale?

Już jej miałam dosyć. Niech sobie szuka tego Rocha i nie zawraca mi głowy.

– Proszę pani, proszę zadzwonić na centralę urzędu i poprosić o połączenie. Ja nie mogę pani nic więcej powiedzieć. Chyba że chodzi o zawartość programu. Nie? Do widzenia pani.

Rzuciła słuchawkę. Bardzo dobrze. Wreszcie przeczytam.

Telefon.

Ludzie! Co się dzieje? Przypomniało mi się, jak usiłowałam powiadomić Jarka o jego nowej roli – i też nie mogłam, bo mi bez przerwy coś przeszkadzało. Coś ja mam utrudnioną komunikację z tymi tatusiami. A w ogóle dlaczego nie zadzwonił, tylko pisze?

Prawda, dzwoni.

– Słucham...

– Witam cię, Wikuniu – zadudnił w słuchawce ciepły baryton Rocha. – Jak leci?

Nie leci. Zaparło się.

– Jako tako, Rosiu drogi. A co u ciebie?

– Mam dla ciebie parę ciekawostek. A tak w ogóle to dlaczego do mnie nie dzwonisz? Nie potrzebujesz mnie już? Nie robimy więcej programów?

– Robimy, robimy. Forsę za wrzesień dostałeś?

– Dostałem, ale nie wiem dlaczego, skoro mnie we wrześniu nie używałaś... Były jakieś premiery, które przeoczyłem?

– Skleroza jesteś. Używałam cię przed wakacjami. Zapomniałeś? Nakręciliśmy materiałów na pięć odcinków do przodu. Cztery już poleciały, właśnie miałam cię szukać, żeby kontynuować. Zapasy się kończą. Trzeba by coś dokręcić na dniach. Krysia uzgodni z tobą terminy. Wpadnij zresztą, pogadamy.

Pawełek zadyndał mi przed nosem kluczami od przeglądarki.

– Dobrze, Wikuś – mówił tymczasem Roch. – To ja wpadnę jutro, chcesz?

– Może być. Koło jedenastej, nie wcześniej. Aha, będzie cię szukała jedna wielbicielka. Ze mną nie chciała gadać, tylko z tym pięknym panem z długą brodą.

– Ja nie mam długiej brody! Dałaś jej moją komórkę?

– Skądże. Powiedziałam jej tylko, że pracujesz w Urzędzie Morskim. Pewnie już zaczęła zamęczanie sekretarek.

– No i świetnie. Jutro ci powiem, czy mnie znalazła.

Wyłączył się. Takie wielbicielki to on miewał od czasu do czasu, bowiem, obiektywnie rzecz ujmując, był mężczyzną przystojnym do obłędu. Typ wikinga. Jasna grzywa nad czołem. Siwe oczy pod grzywą. Nos jak marzenie – prosty i rasowy. Szerokie, chętne do uśmiechu usta. Broda – wcale nie długa, lecz starannie przystrzyżona. W mundurze Urzędu Morskiego prezentował się wstrząsająco.

Byłabym się może w nim zakochała, gdyby nie to, że jestem odwieczną przyjaciółką jego żony. Chodziłyśmy razem do liceum, studiowałyśmy, tylko że ona, wyszedłszy już za Rocha, którego poznała na jakichś baletach, zrezygnowała z dziennikarstwa i postanowiła zająć się szczęściem rodzinnym. Gotowanie, sprzątanie, tego rodzaju sprawy. Machnęli sobie od razu bliźniaki, bardzo praktycznie. Kiedy już trochę podrosły, Lilka zaczęła pracować w księgarni, ale wciąż jej zainteresowania koncentrowały się na tym, żeby kochany Rosio miał podane, uprane i wyprasowane.

Kochany Rosio szczęście rodzinne doceniał i nie chodził na boki, chociaż mógłby; z powodu tej jego nadludzkiej urody leciały na niego watahy bab.

Nadludzką urodę i nadmiar energii Rosio spożytkowywał w moich programach. Robiliśmy je wspólnie od dwóch lat. Roch był właściwie współautorem, on to bowiem dostarczał mi konkretnej wiedzy o problemach morskich, poza tym udzielał się w charakterze prowadzącego. Czasem zabawiałam się w to sama, ale raczej zostawiałam sobie w tym cyklu przyjemność prowadzenia wywiadów. Głównie zza kadru.

Za gwiazdę robił Rosio.

I świetnie to robił, bo mu Bozia dała prawdziwy talent telewizyjny. Mówiąc językiem technicznym – urodził się na telewizyjną małpę. Zachowywał się przed kamerą absolutnie swobodnie i nie trzeba mu było pisać tekstów. Czasami mijał się z językiem polskim, wtedy robiliśmy duble. Ale generalnie rzecz biorąc, stanowił mój skarb i wunderwaffe.

Swoją drogą trzeba zaplanować jakieś nagrania. Krysia powinna mi o tym przypomnieć, a ona nic.

– Idziemy?

– Pawełku, kochany, już idziemy, tylko poczekaj sekundę, muszę do toalety...

No przecież inaczej nigdy tego nie przeczytam! Wpadłam jak burza do toalety, zamknęłam się starannie i wreszcie otworzyłam do końca Staszkową kopertę. W środku było ksero jakichś urzędowych kwitów i kartka zapisana peruwiańskim pismem węzełkowym.

Rzuciłam okiem na pieczątkę: Ośrodek Adopcyjny? Och, prawda! Już wiem, co to jest! Boże, on jednak nie był pewien, czy mu tak do końca uwierzyłam.

Wikuniu droga – pisał *– posyłam Ci na wszelki wypadek dokument stwierdzający, żeśmy z żoną adoptowali nasze dzieci. Ja wiem, że uwierzyłaś mi na słowo, ale wierzyć a wiedzieć – to dwie różne sprawy. Myślę, że Twoja pewność stanie się bardziej granitowa, kiedy sobie poczytasz te papierki. Jak się zapewne domyślasz, papierki są przeznaczone wyłącznie dla Twoich oczu. Bardzo Cię czule całuję. Cieszę się, żeśmy się w życiu spotkali. Mam nadzieję, że Ty również – mimo pewnych komplikacji... Staszek.*

Coś takiego...

Ja również, jasne. To naprawdę świetny facet. Może faktycznie szkoda, że poligamia jest karalna. A w ogóle to muszę do niego zadzwonić z biuletynem o Jareczku.

Jeżeli stąd natychmiast nie wyjdę, Pawełek dojdzie do wniosku, że zasłabłam i wezwie strażnika, żeby otworzył wychodek! Wyszłam.

Obejrzeliśmy pobieżnie panią Zosię. Obrazki znakomite. Muszę spisać setki, ale to nie dziś, dziś nie mam już głowy!

Piątek, 27 października

A Jarek się nie odzywa.

Tak myślałam.

Trzeba by powoli zawiadamiać rodzinę, że przybędzie jeden nowy Sokołowski.

Roch przyszedł omawiać najbliższe odcinki. Jak zwykle samym spojrzeniem powalił na kolana uzbrojoną po zęby panią strażniczkę na dole, kupił też gazety w naszym kiosku, czym osłabił panią kioskarkę, wreszcie wjechał na górę, doprowadzając do palpitacji serca trzy obecne w windzie młode dziennikarki z redakcji informacji.

– Witam cię, Wiktorio – powiedział od progu – a coś ty za wariatkę na mnie napuściła?

79

– Wariatka była? – spytałam, ucieszona, bo zawsze to jakieś urozmaicenie naszego żywota. – Co chciała?

– Zapraszała mnie do swojej rezydencji nad morzem. Proponowała, żebym sobie pooglądał klif koło jej domu, na pewno na temat tego klifu da się zrobić przepiękny i szalenie interesujący program. Powiedziałem jej, że pół roku temu robiliśmy trzy odcinki o klifie i że na razie nie mamy zapotrzebowania, ale uznała, że to ty mnie do niej zniechęciłaś. Ma o tobie złe mniemanie. Uważa, że mnie marnujesz.

– Ja cię marnuję? Baba zwariowała. Za gwiazdę u mnie robisz, wylansowałam cię na głównego znawcę Bałtyku, a ta mówi, że ja cię marnuję!

– No przecież mówię, że wariatka. Słuchaj, niewykluczone, że mam dla ciebie temat, ale nie miałem czasu, żeby się za nim pouganiać. Dałabyś kawki koledze?

– Kolega se zrobi. Mnie też przy okazji. Jeżeli twój temat jest naprawdę interesujący, to sama się za nim pouganiam. Naukowy czy społeczny?

Nasz cykl stanowił mieszaninę materiałów edukacyjnych z typową publicystyką społeczno-gospodarczą.

– Gospodarczy. I trochę też społeczny – zastanowił się Roch, wyciągając moją zastawę do kawy. – Słuchaj, znasz niejakiego Tymona Wojtyńskiego?

– Ze Świnoujścia? Szprotki łowi?

– Tak. Przedsiębiorca rybacki. Znasz go?

– Raz go spotkałam. Zrobił na mnie dobre wrażenie i dobrze o nim mówili. A ja byłam dla niego, niestety, mało grzeczna. No i co z nim?

– Być może będziesz miała okazję do wynagrodzenia mu tej niegrzeczności.

– Co mam zrobić? Zaprosić go na kawę?

– Jeśli mu pomożesz, on cię zaprosi. Robią mu koło tyłka koledzy po fachu.

– Rybacy?

– Rybacy. – Roch podał mi filiżankę z kawą i rozwalił się w moim fotelu, wyciągając długie nogi na środek pokoju. – Słuchaj, on czarteruje jakieś kutry, duńskie czy szwedzkie, nie wiem. I łowi nimi szprotki. Dużo łowi, te kutry są o wiele większe od naszych, polskich. Większe, mocniejsze, mają większe ładownie, więcej tych rybek się tam zmieści.

– To bardzo praktycznie – wtrąciłam. – A gdzie afera?

– Afery jeszcze nie ma, ale będzie. Nasze stowarzyszenie rybackie ma zamiar oskarżyć go o sprowadzenie obcych dużych kutrów do naszej strefy połowowej, przez co pozbawia on chleba naszych polskich rybaków.

– Chleba czy szprotek?

– Szprotek, czyli chleba. No i – słuchaj uważnie – coś tam gadają od rzeczy o przełowieniu Bałtyku, o zniszczeniu zasobów szprota na naszych łowiskach, takie tam sprawy.

– A ty skąd to wiesz?

– Obiło mi się o uszy, ale niedokładnie, na jednym bankiecie z udziałem przedstawicieli rybackiej klasy robotniczej. Oni go nie lubią, tego Wojtyńskiego, bo uważają, że się wywyższa. Chętnie zrobią z niego aferzystę, złodzieja i mafiosa. A mnie coś mówi, że jeśli on robi cokolwiek, to robi to legalnie i z sensem. Wejrzyj w to. Ja nie siedzę w rybactwie, ale jeśli pogmerasz, to możesz się dowiedzieć ciekawych rzeczy.

Roch rzeczywiście nie siedział w rybactwie, siedział w ochronie wybrzeża; to znaczy nie w żadnej Coast Guard, tylko w dziale zajmującym sie ochroną wybrzeża przed siłami przyrody. Nawiasem mówiąc, o klifie wiedział wszystko i mógł sobie z tą swoją wielbicielką podyskutować.

– Rochu – powiedziałam z namysłem – wiesz, że afery to moja specjalność. Ale ta afera jeszcze nie wybuchła.

– Może nawet nie wybuchnie, ale coś tam się szykuje. Wiem, że jakieś ruchy chłopcy robili w ministerstwie, tam ich spuścili do kanału. Teraz próbują wywołać zadymę prasową, liczą, że to ruszy ministerstwo. W końcu trafią na jakiegoś dziennikarza obrońcę uciśnionych, który stanie w obronie biednych rybaków przed wrednym kapitalistą. Ale mówię ci, to nie jest takie proste.

– Przyznaj się, dałeś już temu facetowi moją komórkę?

– Nie, nie, ja go nawet nie znam. Wszystko, co wiem, to od ludzi. Ale to rozsądni ludzie i jeżeli mówią, że jest coś na rzeczy, to jest coś na rzeczy.

– Jak ja się mogę z nim skontaktować? Przez kapitanat?

– Przez kapitanat pewnie też, ale zobacz, czy nie ma go po

prostu w książce telefonicznej. Dwóch Tymonów Wojtyńskich pewnie w jednym Świnoujściu nie będzie.

– Masz rację. Proste rozwiązania są najlepsze. Czekaj... jest. No, ty to jesteś genialny...

Wystukałam numer na klawiaturze służbowego telefonu.

– Co z głowy, to z myśli. Tylko czy on o tej porze będzie w domu? Był. Może przyszedł na obiad.

– Dzień dobry panu, Wiktoria Sokołowska, Telewizja. Poznaliśmy się niedawno.

– Oczywiście, pamiętam, miło mi panią słyszeć. Czym mogę służyć?

– No właśnie dokładnie nie wiem – powiedziałam ostrożnie – ale tu kolega jeden mówi, że w związku z pańskimi połowami na Bałtyku szykuje się jakiś protest. Czy pan to potwierdza? Może mi pan o tym powiedzieć coś więcej?

– Bardzo dużo mogę pani powiedzieć. Tak dużo, że telefon tego nie wytrzyma.

– Czy możemy się spotkać w takim razie? Mam przyjechać do Świnoujścia?

– W poniedziałek będę w Szczecinie, mógłbym zajść do pani, jeśli się pani nie spieszy, oczywiście. Ale muszę pani powiedzieć, że pani koledzy z prasy byli szybsi...

– Jestem niepocieszona – powiedziałam cierpko, bo nie lubię, kiedy mi się zarzuca opieszałość dziennikarską – ale dopiero przed chwilą dowiedziałam się, że nie wszystko jest w porządku z tymi szprotkami.

– Ze szprotkami wszystko jest w porządku. Przynajmniej jeżeli chodzi o moją firmę. Mogę to udowodnić. Bieda w tym, proszę pani, że nikt się do mnie nie pofatygował i nie poprosił o te dowody. Natomiast jutro albo w poniedziałek ukażą się w prasie artykuły, z których wyniknie, że jestem wrogiem polskich rybaków bałtyckich. Proponuję, żeby pani sobie te artykuły przeczytała, to będziemy mieli dobrą podstawę do rozmowy.

– W których gazetach?

– Tego to ja nie wiem. Mówiłem, dziennikarze do mnie nie przyszli. Życzliwi mi donieśli, że coś takiego się ukaże. Proszę mi wierzyć, że będę czekał na te artykuły bardziej niecierpliwie od pani.

– Dobrze, przeczytam na pewno. A spotkanie aktualne?

– Oczywiście. Mogę być u pani koło czternastej, czy to pani odpowiada?

– Dobrze. Może być czternasta. Podam panu moją komórkę, na wypadek, gdyby się panu coś odmieniło.

– Dziękuję bardzo. I ja podam pani swoją, na wszelki wypadek.

Zapisaliśmy sobie te komórki i pożegnaliśmy się uprzejmie. Ale ta dzisiejsza uprzejmość w jego głosie była zupełnie inna od pogodnej uprzejmości na bunkrowym wernisażu w zeszłym miesiącu. Facet miał zmartwienie, to się wyczuwało.

Roch wyglądał przez okno, ale najwyraźniej słuchał jednym uchem, co mówię, bo wylazł z tego okna.

– Umówiłaś się, jak słyszę.

– Tak. Facet ma problem. Ciekawe, kto o nim chce napisać i w czym...

– Na wszelki wypadek kup wszystkie gazety.

– Tak zrobię. A teraz my się musimy zabrać do roboty. W przyszłym tygodniu trzeba nakręcić odcinek. Albo lepiej dwa. Zaraz zawołam Krysię i ustalimy terminy. Mam nadzieję, że uda ci się wyrwać z urzędu.

– A czy kiedyś mi się nie udało? – zapytał pogodnie Rosio, który istotnie, zawsze potrafił harmonijnie połączyć nasze wyjazdy na zdjęcia ze swoimi wyjazdami służbowymi.

No więc zawołaliśmy Krysię i ustaliliśmy terminy kamer i montaży. Ale już zaprzątała mnie myśl o tajemniczej aferze szprotkowej. Tak to już jest, jak się robi cykl, to po dwóch latach wypuszczania co dwa tygodnie odcinka traci się tę pierwotną świeżość doznań... Szczęście, że Roch jest nie tylko kompetentny i w ogóle zawodowiec w każdym calu, ale też człowiek miły i zabawny. Inaczej dostałabym szału już po roku.

Sobota, 28 października

Kupiłam wszystkie gazety wychodzące u nas w sobotę. Nic o szprotkach i o Tymonie W. Może jeszcze chłopcy nie zdążyli, a może ponura tematyka nie pasowała im do magazynowych wydań weekendowych. Poczekamy z bólami do poniedziałku.

Dlaczego ja jeszcze nie tyję? No tak, jeszcze za wcześnie. Jakoś nie bardzo to wszystko do mnie dociera. Po początkowym szoku pracuję sobie jak zwykle, jeżdżę na zdjęcia, montuję nocami. Jak to wszystko będzie wyglądało, kiedy urodzę tego malucha? Ten głupi Jarek najprawdopodobniej dał dyla, skorzystał z mojej szlachetnej propozycji i zapomniał o wszystkim. Ma w końcu wesele na karku. Z miągwą i butikami. Niech tam. Nie będę sobie zamulać życiorysu użeraniem się o alimenty ani w ogóle o nic innego. Niech sobie synek rośnie w atmosferze miłości nieskażonej negatywnymi uczuciami. Albo córka, oczywiście.

Uczciwie mówiąc, żadna by z nas była para. Dziennikarka po trzydziestce i dwudziestoparoletni student nawigacji. Najprawdopodobniej znienawidzilibyśmy się dosyć szybko. Chociaż nigdy nic nie wiadomo.

Z takimi różnymi myślami pojechałam do roboty. Nie należy za wiele myśleć na tematy uboczne, prowadząc samochód, bo to dekoncentruje kierowcę.

Byłabym rozjechała faceta na pasach. Na szczęście miał szybkie nogi. Zwiał. Ale odwrócił się i pokazał mi brzydkie rzeczy rękoma.

Niedziela, 29 października

Mama zajrzała do mnie rano i zaprosiła na rodzinny obiadek. Bardzo świetnie. Nadam wiadomy komunikat w przytomności całej rodziny, więc ewentualna nawałnica pytań spadnie mi na głowę raz a dobrze. Tak wolę.

W południe nawiedził mnie mój ulubiony siostrzeniec (ulubiony, co nie znaczy, że mam ich więcej. Ale Bartek jest świetnym chłopakiem). Leżałam właśnie na tapczanie i słuchałam muzyki. Nie mam tak ambitnego sprzętu do słuchania, jak Bartuś, ale idzie wytrzymać.

– Cześć, ciocia – powiedział, wsuwając głowę w drzwi. – Można?

– Wejdź, proszę. Możesz ściszyć.

– Czego ciocia słucha? – zapytało grzecznie dziecko. – Co to za ponure wycie? Ciocia dostanie nerwicy. Albo wpadnie w depresję.

– Myślisz? Ale mnie się to wycie podoba, chociaż może jest ponure trochę. Zresztą, bo ja wiem? Zależy, jak się na to patrzy.

– A co to takiego?

– To Schubert. Romantyzm, mój drogi. Pieśni wędrownego młynarczyka. Właśnie puściła go kantem ukochana z takim jednym myśliwym. Na pewno był atrakcyjniejszy od młynarczyka, ale dla niego to żadna pociecha. Teraz właśnie będzie się topił w strumyku, a strumyk zaśpiewa mu kołysankę.

– Ajajaj – powiedziało dziecko. – Dramacik. Ja bym się nie topił, tylko bym mu dał w dziób. A panienka na drzewo, banany prostować. Nie słuchaj tego, ciocia. To już lepsze irlandzkie piłowanie mojego tatusia. A najlepszy hip-hop. Mogę cioci pożyczyć parę składanek.

– Nic nie rozumiesz – skarciłam szczeniaka. – On ją kochał. Kochał ją romantycznie, prawdziwie, całym sercem. Świata poza nią nie widział. A tu zjawia się taki cwaniaczek w zielonym ubranku, na konisiu, efektownie, i ona z punktu zapomina o skromnym młynarczyku. Serce mu złamała. Czy wy nie macie serca w tym wieku?

– Wiek jest, droga ciociu, dwudziesty – powiedział Bartuś, rozwalając się na kanapie, z której właśnie wstałam. – A na dniach będzie dwudziesty pierwszy. Topienie się z miłości w strumyku nie wchodzi w rachubę. Można się ewentualnie zaćpać na śmierć.

– Ja miałam na myśli twój osobisty wiek, Bartuniu. Siedemnaście lat. Najlepsze lata do przeżywania romantycznej miłości.

– Rozumiem. Ale teraz się tego nie robi. Teraz my mamy inne rzeczy na głowie.

– Na przykład?

– Na przykład to, że karierę trzeba zrobić. Koniecznie. W mojej klasie wszyscy zamierzają iść na zarządzanie, a natychmiast po studiach zrobić em-bi-ej. A po em-bi-ej wszyscy – rozumie ciocia – wszyscy zostają kadrą kierowniczą w dużych, najlepiej amerykańskich koncernach. Takich jak Coca Cola, albo General Motors.

– To świetnie po prostu. Bardzo ambitna klasa. A co to jest em-bi-ej?

– Ciocia nie wie? Naprawdę?

– Coś mi się obiło o uszy, ale jakoś bez echa...

– To jest, droga ciotko, taki tytuł, który się uzyskuje po studiach podyplomowych z zarządzania i administracji. Master of

Business Administration. Em-bi-ej. Jak się ma em-bi-ej, to świat staje przed człowiekiem otworem. Można dostać pracę w każdym, dowolnie wybranym kraju.

– No to cudnie. Ty też zamierzasz zrobić em-bi-ej?

– Ja nie. Ktoś musi pracować, żeby oni wszyscy mogli czymś zarządzać. Ja będę realizatorem dźwięku w radiu. Matka już się z tym pogodziła, ojciec mówi, że każdy jest kowalem swojego losu... Jak zdam maturę, pójdę na elektronikę.

– A kariera?

– To nie dla mnie. Miałbym stale się użerać, pracować trzydzieści godzin dziennie, lecieć do przodu z wywieszonym językiem, żeby mnie ktoś przypadkiem nie podsiadł na stołku? Nie, dziekuję uprzejmie. Ja sobie spokojnie będę robił to, co lubię.

– A jakąś rodzinę planujesz?

– Każdy planuje. To znaczy, nie zaraz. I nie wiem dokładnie, kiedy. Ale kiedyś tam pewnie sie ożenię i będę miał dzieci. Może nawet wytrzymam z tą żoną czterdzieści lat, jak babcia z dziadkiem.

– Coś ty powiedział?

– Czterdzieści lat, jak babcia z dziadkiem – powtórzyło radiowe dziecko, przyzwyczajone do zapamiętywania końcówek wypowiedzi dla celów montażowych.

– Rany boskie! Czy dzisiaj jest dwudziesty dziewiąty października?!

– Dokładnie. Ciocia zapomniała o rodzinnej uroczystości?

– Niestety. Na śmierć. Boże, jak to dobrze, że przyszedłeś. À propos, przyszedłeś tak tylko pogadać, czy z interesem? Bo muszę lecieć do kwiaciarni.

– Tak tylko przyszedłem. Bo ciocia jakoś się ostatnio nie udziela rodzinnie. Rzadko się ciocię widuje.

– Może się i rzadko udzielam... Widzisz, ja trochę uczestniczę w tym wyścigu szczurów. Ale to raczej z konieczności niż z zamiłowania.

– Mnie się wydaje, że wszyscy dziennikarze tak mają – powiedział mój doświadczony życiem radiowy siostrzeniec. – Dlatego nie bardzo chciałbym zostać dziennikarzem.

– No właśnie, a ja już jestem. I, niestety, już mnie wessało na dobre. Telewizja to jest narkotyk, jak się raz spróbuje, to może zostać w organizmie. A teraz jest duża konkurencja, pracy coraz mniej. Muszę doginać, żeby się utrzymać. Rozumiesz?

– Rozumiem. Ciocia idzie do tej kwiaciarni, bo już pierwsza, a ten obiad jubileuszowy o trzeciej. A może ja skoczę?

– Dziękuję ci, lubię kupować kwiaty.

No i mam taką znajomą kwiaciarnię, gdzie mi zrobią piękny bukiet na kredyt. Bartkowi trudno byłoby tam wytłumaczyć, że to dla ciotki. A moja śladowa pensja musi mi wystarczyć do honorariów, czyli gdzieś do dwunastego, bo zanim to przyjdzie na konto, zanim w banku zaksięgują, będzie co najmniej dwunasty, a może i trzynasty.

Pojechałam do tej kwiaciarni, usytuowanej koło cmentarza, więc zapchanej wieńcami żałobnymi i wiązankami z napisem „ostatnie pożegnanie". Oczywiście nie tylko. Jak zawsze mieli tam przepięknej urody róże i mnóstwo innego wytwornego kwiecia. Na szczęście był mąż pani kwiaciarki, nie ona sama, bo jakoś przyjemniej mi było z nim pertraktować. Właśnie zajęty był klientką, więc tylko kiwnęłam mu głową i zajęłam się obserwacją oraz intensywnym wąchaniem stojących wszędzie bukietów. Do moich uszu dobiegały dźwięki rozmowy.

– Więc stanowczo pan doradza irysy? Nie lilie? Na pewno?

– Zdecydowanie. Mówi pani, że to była młoda osoba, a lilie są takie okazałe, no i tak silnie pachną. A jeżeli wśród gości znajdzie się ktoś uczulony na zapachy?

– Panie, cała rodzina alergiczna. Ma pan rację. Niech będą irysy. A może by jednak dodać róże?

– Róże niezbyt pasują do irysów. Jeżeli się już zdecydujemy na te irysy – radziłbym białe i jasnofioletowe – to róże psułyby harmonię.

– Harmonię by psuły, powiada pan – zastanawiała się klientka, osoba wybredna. – Bo wie pan, my chcemy, żeby ich było bardzo dużo. I koniecznie do trumny włożyć. Ja myślałam, że gdyby tak jednak róże, takie jasnoróżowe albo łososiowe... można by ułożyć na poduszce, tak dookoła głowy. To by ją ożywiło, rozumie pan.

– Ja bym nie był za ożywianiem – powiedział pan Janek z powagą eksperta. – Ja bym został przy irysach. Chyba, że państwo wolą róże, ale to już tylko róże wtedy, bez żadnych innych kwiatów. Róże nie potrzebują towarzystwa.

– A co jest tańsze? – zainteresowała się rzeczowo dama.

– Ceny są mniej więcej jednakowe. Wszystko mamy szklarniowe, róże nasze, a irysy sprowadzamy z Holandii. Z tej samej firmy, która dostarcza kwiaty na noworoczne koncerty Filharmoników Wiedeńskich, na pewno pani ogląda pierwszego stycznia... Ten snobistyczny argument przeważył szalę na korzyść irysów. Dama złożyła zamówienie i wyszła. Mogłam pogadać z kwiaciarzem.

– Dzień dobry, panie Janeczku, jak tam interesy?

– Jak to na jesieni, pani redaktor. Niby nieźle idzie, bo więcej pogrzebów – odpowiedział konkretny z natury pan Janek. – Z drugiej strony ludzie nie mają pieniędzy na jakieś wystawne zamówienia. Tacy klienci jak ta pani zdarzają się dosyć rzadko. A czym mogę pani redaktor dzisiaj służyć?

– Kredytem, panie Janeczku. Nie mam forsy, a potrzebuję ładny bukiet. Zapłacę panu po honorariach, koło dwunastego. Możemy tak zrobić?

– Dla pani zawsze. – Pan Janek był szarmancki. – Domyślam się, że bukiet okazjonalny?

– Jak najbardziej. Moi rodzice obchodzą dzisiaj czterdziestą rocznicę ślubu, a ja o tym kompletnie zapomniałam. Łaska boska, zdążyłam sobie przypomnieć w porę. Doradzi mi pan?

– Oczywiście, pani redaktor. Ale tym razem myślę, że jednak róże i to te najokazalsze, purpurowe. Tradycja. Chyba że w rodzinie jest jakaś inna tradycja, może na przykład mama pani zawsze dostawała białe bzy albo coś w tym rodzaju. Bo tych nowoczesnych mutantów – tu pan Janek machnął ręką lekceważąco w stronę olbrzymich anturiów, strelicji i innych egzotów – nie polecałbym przy takiej okazji. No, ewentualnie storczyki, jeśli ktoś lubi. Ale generalnie jestem za prostotą.

– Ja też – mruknęłam. – Nie ma to jak proste upodobania. Róże, złoto i brylanty. No to biorę czerwone róże. Czterdzieści sztuk, ma pan tyle?

– Powinienem mieć, chociaż to już końcówka tych najładniejszych. – Pan Janek ułożył mi artystyczną wiąchę wspaniałych, olbrzymich, aksamitnych pąków. Ale nie poprzestał na tym. – Jeszcze chwileczkę, proszę poczekać.

Rzucił się na zaplecze i po chwili wyleciał stamtąd z bukietem kolorowych irysów i tulipanów, przewiązanym pozornie byle jak workowatą tkaniną. Bukiet był przecudny i wyglądał jak skrzyżowanie maja z czerwcem. Spostrzegłam, że pan kwiaciarz staje na baczność i szykuje się do przemowy.

– Pani redaktor – zaczął uroczyście – proszę oba te bukiety przyjąć ode mnie i zapomnieć o płaceniu. Ja niedawno widziałem taki jeden pani reportaż, o pani... nie pamiętam, jak się nazywała... taka mocno starsza pani ze wsi pod Słupskiem...

No proszę, znowu komuś podobała się babcia Felcia! Swoją drogą już trzeci raz leciała w paśmie powtórkowym.

– I chciałbym pani podziękować za ten reportaż. Za to, że pani znalazła taką kobietę i pokazała ją nam wszystkim. Proszę wręczyć szanownym rodzicom te róże, a to dla pani ode mnie, takie trochę wiosny jesienią, w podziękowaniu za film o tej starszej pani.

– Panie Janeczku kochany! Dziękuję najserdeczniej, cudne są te kwiatki... ale za róże panu zapłacę.

– Absolutnie, mowy nie ma, nie przyjmę, a jeśli pani doniesie mojej żonie, to koniec z naszą przyjaźnią! Ja tak żartuję, oczywiście, ale proszę mi zrobić przyjemność!

No to mu zrobiłam przyjemność. Uścisnęliśmy sobie dłonie i obładowana kwiatami wyszłam z kwiaciarni.

Ta babcia Felcia... Robiłam reportaż półtora roku temu, a ciągle ktoś mi o niej mówi. Rzeczywiście, babcia jest rewelacyjna, a pies z kulawą nogą by o niej nie wiedział, gdyby nie media. Tak naprawdę opowiedział mi o niej jeden gazeciarz.

„Zrób o niej film – powiedział – bo ja mogę ją tysiąc razy sfotografować, a to nie będzie to".

Babcia podbiła nasze serca. Lekko po osiemdziesiątce, w pełni sprawna umysłowo, fizycznie też, nieduża, wiekiem zgięta, sama prowadzi swoje spore gospodarstwo – do tej pory, o ile wiem. Wtedy pokazywała nam, jak pracuje: przerzucała gnój, biorąc na widły jego ilość, która przerażała naszych wysportowanych kolegów, biegała jak fryga, a kiedy trzeba było przejść z jednego boksu ze świnkami do drugiego, zadarła po prostu spódnicę i pokazując światu koślawe nóżki z żylakami, przeskoczyła metrowy murek. Paweł szalał ze szczęścia, bo kiedy poprosił o dubel, babcia ochoczo powtórzyła numer. Opowiadała nam też o swojej przeszłości, o tym, jak płakała, kiedy przyjechała z mężem pięćdziesiąt lat temu na Pomorze – pod Hrubieszowem tak pięknie, mówiła, ziemia płaska jak stół – a tu góry i doły, jak też to się uprawiać będzie? Ale przeżyła tutaj pięćdziesiąt lat, pochowała męża. Tylko dzieci nie bardzo jej się udały.

– Nie zostawię gospodarki wnukom – powiedziała stanowczo, wygrażając sękatą rączką do mikrofonu. – Nie zostawię, bo zmarnują, pijaki jedne. Sama będę robić, póki życia. A potem zostawię komuś, kto doceni. Jeszcze nie wiem komu, ale już sobie coś myślę...

Pokazywała nam swoje, nader skromne, mieszkanie.

– Telewizji mało oglądam. Tylko wiadomości muszę zobaczyć codziennie. Polityka mnie interesuje. Za to ja czytam, widzą państwo – pochwaliła się, pokazując nam kilka książek i czasopism na stoliczku koło łóżka.

Babcia nie uznawała romansów. Książki historyczne to co innego.

Sama miała udział w historii.

– Ja byłam w AK łączniczką. Miałam takie grube warkocze, w warkoczach przenosiłam meldunki.

W ramach pokazywania swoich skarbów babcia zaprowadziła nas przed staroświeckie tremo.

– Państwo zobaczą, to mi przyjaciele podarowali. To się nakręca, o tak, i gra!

Pozytywka. Mała pozytywka, plastykowa i dosyć zwyczajna, z tancerką na wieczku.

Babcia była zachwycona zwłaszcza tą tancerką, która obracała się w takt wiedeńskiego walca.

– Pawełku – szepnęłam do operatora – zrób mi to, ja cię proszę, błagam, zrób mi to! Patrz, jakie ona ma te ręce...

– Dobrze, wszystko wiem, zrobię ci, spokojnie. Beret, chodź tu z kijem. Marek, światło, tu postaw, w kontrze, tutaj daj blendę.

Babcia cierpliwie czekała na rezultaty naszych posunięć. To była najpiękniejsza sekwencja. Paweł ją bardzo czule wypieścił, a przy jej nagrywaniu ściskało mnie za gardło. Było coś niesłychanie wzruszającego w tej starej kobiecinie – nie, nie kobiecinie, babcia Felcia nie potrzebowała protekcjonalności – w tej wspaniałej, starej kobiecie, kiedy brała w swoje duże dłonie czarne puzderko, przekręcała kluczyk i demonstrowała nam z dziecięcym uśmiechem dumy na pomarszczonej twarzyczce, okolonej porządnie zawiązaną chustką, ten grający drobiazg. Oczywiście Paweł dojechał do zbliżenia pozytywki w babcinej ręce i to był niesamowity kontrast: ta ręka, taka żylasta, męska, zaniedbana, spracowana – i małe bawidełko, plastykowa tancereczka, pomalowana na złoto, tańcząca walca na wieczku pudełka.

Babci szalenie się spodobała praca na planie. Bo tak w ogóle to babcia jest światowa. Ma wielu przyjaciół z miasta, oni do niej przyjeżdżają, ona urządza na przykład dożynki, piecze ciasto, siedzą i gwarzą o życiu...

Dla nas też upiekła ciasto. Sernik. Pyszny. I zapraszała nas do siebie.

Bardzośmy ją wszyscy pokochali, ale wątpię, czy jeszcze kiedykolwiek się zobaczymy. Bo to już tak jest – kiedy robię reportaż o kimś, kto mi się podoba, zaprzyjaźniam się z nim, staram się jak najwięcej dowiedzieć; wszystko po to, żeby to moje kino było jak najciekawsze, jak najprawdziwsze. Potem robimy zdjęcia, montujemy – przez cały czas żyję życiem moich bohaterów. Potem materiał idzie, a ja zapominam. No, może nie o wszystkich, niektórzy mi zostają na całe życie, jak na przykład babcia Felcia właśnie, albo, jak przewiduję, kamieniarka. Ale o większości – zwłaszcza jeśli to są jakieś okazjonalne materiały, bo coś się akurat stało – zapominam.

– Przeżuwasz i wypluwasz – powiedział kiedyś mój ojciec.

– Bardzo nieapetyczne skojarzenie, tato – powiedziałam – i kompletnie bez sensu. Zawsze mi coś zostaje. Jakaś suma doświadczeń i wiedzy o życiu.

– Ale ty ich oszukujesz – kontynuował ojciec. – Oni myślą, że zyskali w tobie przyjaciela, a tobie chodzi tylko o jak najlepszy efekt antenowy.

– Bo ja pracuję dla anteny. A przyjacielem jestem, jak najbardziej. Na czas kręcenia materiału, a niekiedy nawet na zawsze. Zrozum, tato, ja nie mogę utrzymywać przyjacielskich kontaktów ze wszystkimi, o których robiłam programy, bo by mi nie starczyło czasu na życie.

– Przecież ty nie masz żadnego życia – powiedział bezlitośnie ojciec – Żyjesz cudzym. Żerujesz na cudzym. Przeżuwasz i wypluwasz.

Kontakty z moim ojcem nie kończą się awanturą wyłącznie kiedy poświęcamy się grze w szachy. Staram się zresztą unikać jakichkolwiek rozmów z nim na tematy pozaszachowe, ale czasem zahaczamy o sprawy egzystencjalne. Awanturę zazwyczaj wywołuję ja, kiedy mam dość poglądów mojego tatunia na swoją młodszą córkę. Starsza nie budzi jego dezaprobaty, przynajmniej w takim stopniu jak ja. Aczkolwiek też daje jej popalić. Ale Amelia ma w domu generalnie lepiej. Wyszła za mąż w stosownym czasie, a ponieważ złapała męża uroczego i z dużym poczuciem humoru, więc wsparta na jego silnym ramieniu radzi sobie jakoś z naszym apodyktycznym rodzicielem. Raz tylko, przed laty, straciła cierpliwość, kiedy ojciec stanowczo domagał się wnuczki. Tłumaczyła mu, że po urodzeniu Bartka miała poważne komplikacje, że lekarze nie radzą jej ryzykować, ale ojciec wiedział swoje.

– Co to za dom bez córeczki? Co to za rodzina z jedynakiem? – powtarzał do znudzenia. – Powinniście jeszcze mieć córkę. Ostatecznie medycyna poszła naprzód.

W końcu zeźlona Mela huknęła:

– Jak tato tak koniecznie chce mieć w domu małą dziewczynkę, to może niech ją tato sam zrobi! Ostatecznie medycyna poszła naprzód, a późne rodzicielstwo jest dzisiaj w modzie! A jakby się tak od razu nie udało, to można in vitro!

Po czym wykorzystała chwilowe zatchnięcie się ojca i wyszła, trzaskając drzwiami. Dał jej spokój, przerzucając się na mnie, niestety.

No więc dostanie dzisiaj pożywkę do kolejnych dyskusji o niczym.

Czerwone róże od pana Janeczka zapewniły mi efektowne entrée.

– Coś takiego, a ja myślałam, że zapomniałaś – zdumiała się mama z ledwie dostrzegalnym odcieniem żalu w głosie (nie będzie mi można wypominać). – Nic nie dałaś po sobie poznać, kiedy u ciebie byłam rano.

– Jak mogłabym zapomnieć – powiedziałam bezczelnie. Kątem oka dostrzegłam podniesione brwi mojego ulubionego siostrzeńca. – To co, rozumiem, że siadamy do stołu?

Obiadzik był stosowny do okoliczności. Żadna tam fasolka po bretońsku. Same smakołyki, ukochane przez rodzinę. A ponieważ rodzina miała gusta urozmaicone, toteż obiad wyglądał nieco nietypowo.

Na przystawkę były grzybki leśne zapiekane w kokilkach. Mama uwielbia grzybki. Tatuś z kolei kocha pomidorówkę z makaronem świderki. Była. Amelia przepada za smażonym łososiem. Mama usmażyła łososia. Krzyś – choć przyżeniony, jednak też już rodzina – uhonorowany został jarzynką w postaci kalafiora z masełkiem i tartą bułką. Na moją cześć były lody, a na cześć Bartłomieja solidne ciasto drożdżowe z kruszonką.

Żaden porządny kuchmajster nie ośmieliłby się tak skomponować menu jubileuszowego, było nie było, obiadu. My jednak byliśmy zachwyceni.

Przy tym cieście, kawie i tokaju zdecydowałam się wygłosić swoją rewelację. Ponieważ tokaj zawsze dobrze wpływał na moje samopoczucie, nadałam komunikat w tonacji dość beztroskiej.

– Kochana rodzino – powiedziałam, podnosząc w górę kieliszek węgrzyna. – Piliśmy już zdrowie czcigodnych jubilatów i zdrowie progenitury, ale nie wiem, czy w tych toastach za progeniturę uwzględnialiśmy progeniturę potencjalną. A właściwie nie potencjalną, ale jeszcze niedokładnie znaną, bo nie wiem, czy to będzie córka czy syn. Możemy?

I chlupnęłam sobie łyczek. Twoje zdrowie, dzidzia, obojętne jakiej płci.

Rodzina, zamiast pójść w moje ślady, zastygła nad resztkami jubileuszowej uczty. Pierwszy odblokował się Krzysio.

– Co ja słyszę, szwagierko! Będziesz miała dziecko, jak wnioskuję z twojego toastu! No to wszystkiego najlepszego, gratuluję, zdrowie dzidziusia!

I też sobie chlupnął.

Bartek był drugi.

– Ciociu, świetnie! To ja będę wujkiem?

– Niestety, nie. Kuzynem albo czymś w tym rodzaju. Wujkiem będzie twój tato, a mama ciocią.

W tym momencie odblokowało resztę i trzy pytania padły jednocześnie.

– Wychodzisz za mąż? – Ojciec.

– Który miesiąc?! – Mama.

– Z kim?! – Siostra.

– Po kolei proszę – powiedziałam z godnością. – Najpierw odpowiem mamie, bo to najłatwiejsze pytanie. Trzeci miesiąc. Ciąża przebiega prawidłowo, dziękuję bardzo. Teraz tobie, tato. Nie wiem, czy wychodzę, ale raczej nie. Raczej zdecydowanie nie. Meluś, nie powiem ci z kim. Wam zresztą też nie powiem, bo skoro za niego nie wyjdę, a są przesłanki do tego, by sądzić, że również on się ze mną nie ożeni, ta sprawa wydaje się pozbawiona znaczenia. Jeżeli rozumiesz, co mam na myśli.

Amelii iskrzyły się oczka.

– Znamy go? – próbowała drążyć.

– Raczej nie. Ale jest sympatyczny, więc dziecko też może być sympatyczne. Zwłaszcza zważywszy na anielski charakter mamusi.

Mama była wyraźnie zatroskana.

– Ale jeśli za niego nie wyjdziesz, to on ci chyba będzie płacił na to dziecko? A czy da mu nazwisko?

– Sądzę, że wątpię. W obydwu wypadkach, mamciu. Ani forsy, ani nazwiska. Zresztą nasze jest dużo ładniejsze. Sokołowski. Czuję, że to chłopak.

Siostrzyczka dołożyła swoje:

– On cię nie chce, czy ty jego nie chcesz? On nie chce – domyśliła się od razu. – Ciekawe czemu? Żonaty?

Wreszcie i ojciec odzyskał na dobre trzeźwość umysłu i natychmiast wsiadł na swojego ulubionego konia.

– Moja droga, jak ty to sobie wyobrażasz? Może w twoim środowisku takie historie są normalne, ale przecież musisz sobie zdawać sprawę z tego, że dziecku potrzebny jest ojciec.

– Moje będzie musiało zadowolić się mamusią. Oraz ciocią, wujkiem, dziadkami i ukochanym kuzynkiem Bartkiem. To jest całkiem duża rodzina. I mam nadzieję, że będzie kochająca.

Krzysio, człowiek życzliwy i spontaniczny, jak zwykle wyrwał się przed orkiestrę.

– Jak możesz podawać to w wątpliwość! Będziemy szczeniaka uwielbiać. Ja mu sprawdzę bioderka, chcesz? Za darmo!

Krzyś jako ortopeda miał doświadczenie w sprawie niemowlęcych bioderek, dorabiał sobie bowiem w przychodni spondyliatrycznej.

Bartek poszedł za ojcem jak w dym.

– Ja z nim będę grał w nogę – obiecał. – I nauczę go jeździć na rowerze, deskorolce, hulajnodze, wrotkach oraz samochodem tatusia. Mojego – dodał uściślająco.

– A jeśli to będzie dziewczynka? – zapytałam.

– Ciocia mówiła, że czuje chłopaka. Ale jeżeli dziewczynka... To nie wiem. Ale coś wymyślę. Bycie starszym kuzynem zobowiązuje.

– No widzicie – powiedziałam nieopatrznie do rodziców. – Tatuś jest zbędny. Mężczyźni są w naszej rodzinie.

Tym niewinnym żarcikiem rozwścieczyłam własnego pryncypialnego tatusia.

– Moja droga! Ja ciebie zupełnie nie rozumiem! Dziecko to jest Obowiązek – powiedział to wielką literą – a nie przyjemność. Nie rozrywka. To jest Odpowiedzialność. Nie poradzisz sobie sama. Nie wychowasz go właściwie. Żądam od ciebie, żebyś mi powiedziała, kto jest ojcem twojego dziecka, a ja z nim porozmawiam. Nie będzie się wymigiwał od odpowiedzialności. Nawet jeżeli moja własna córka nie ma jej w ilości wystarczającej.

Odechciało mi się żartów.

– Tato – powiedziałam miękko – nie musisz się tak denerwować od razu. Wybacz, ale ci nie powiem, kto to taki. To moja sprawa, jego i naszego dziecka, a właściwie mojego dziecka. W każdym razie na pewno nie twoja. Tobie musi wystarczyć, że być może będziesz miał wnuczkę...

– Wnuczkę to ja bym chciał mieć, ale nie od niezamężnej córki! – ryknął tato. – To jest szczyt cynizmu, postarać się o dziecko, żeby mieć je bez ojca! Jak zabawkę! A kiedy ci się zabaweczka znudzi, to co z nią zrobisz? Oddasz do domu dziecka? No, na to nie pozwolimy! Ale twoim obowiązkiem jest zapewnić mu normalną rodzinę!!!

Zesztywniałam mniej więcej w połowie przemówienia.

– Przeholowałeś, tato. – Starałam się, żeby mój głos brzmiał spokojnie i chłodno. – Twoje stwierdzenia są nieuprawnione; tak to się mówi w twoim prawniczym slangu? Nie postarałam się o dziecko dla zabawy. Nie spodziewałam się, że ono się pojawi. Ale skoro już jest, nie będę uganiać się za jego ojcem tylko po to, żeby miało pełną rodzinę. Wolę, żeby miało niepełną, za to kochającą. Ja sobie poradzę z utrzymaniem nas dwojga. A na pewno nie będę prowadziła żadnych wojen w jego imieniu. Na razie chyba was pożegnam, bo zaczynam się źle czuć. Nic poważnego, Krzysiu, boli mnie trochę głowa. Przedyskutujcie sobie wszystko beze mnie, tylko pamiętajcie, że ja zdania nie zmienię. Przepraszam was za zmarnowanie takiego pięknego jubileuszu, ale myślałam, że się po prostu ucieszycie.

– Odprowadzę cię na górę – oznajmił stanowczo Krzyś i mimo moich protestów poszedł za mną. Rodzina zabierała się właśnie do dyskusji.

– Krzysiu drogi – powiedziałam słabo. – To miło z twojej strony, ale chyba sam rozumiesz, że ja się teraz muszę po prostu wypłakać. I wcale nie chcę, żebyś patrzył, jak mi puchną oczka. Więc idź sobie...

– Zaraz pójdę. Tylko chcę ci powiedzieć, że masz absolutną rację. Nie wiem, co na to powie moja żona i cała wasza rodzina, ale na mnie możesz liczyć. Myślę zresztą, że oni się też zreformują z czasem. W końcu jesteś już duża. Wiesz, co robisz.

– Ale ojciec myśli, że ja specjalnie chciałam mieć dziecko... Cholera, jestem cyniczna, ale przecież nie do tego stopnia! Przecież mnie teraz będzie trudniej niż kiedykolwiek. Czy on tego nie rozumie? Ja tak naprawdę nie wiem, co ze mną będzie, czy uda mi się utrzymać pracę... Kurza twarz ścierką nakryta! Idź już, Krzysiu!

– No dobrze, ja już idę, ty sobie popłacz, a potem weź prysznic i porządnie się wyśpij. Najlepiej zapuść sobie do spania jakieś łagodne szkockie balladki. No, pa.

Szkockie balladki! Trafił w dziesiątkę. Rozryczałam sie jak szalona. Co za koszmarna rodzina! Jeden szwagier przytomny człowiek. Aha, siostrzeniec też. Czemu ten Krzysiek ożenił się z Melą, nie ze mną? No tak, miałam trzynaście lat, a ona dziewiętnaście. Boże! Wyprowadzę się i będę miała spokój. Albo zamknę – nie, zamuruję – wewnętrzne przejście między górą i dołem naszego domu. Nie będę z nimi utrzymywała kontaktów! Może z Krzysiem i Bartkiem. Reszta może się wypchać. Jak to mówił Bartuś? Na drzewo, banany prostować. Dam sobie radę, choćbym miała pęknąć.

Ulżyło mi. Zrobiłam sobie prysznic. Okłady ze świetlika na oczy – ledwo mi te oczy było widać, zawsze puchnę przy płaczu, to nie w porządku. Amelia płacze bez dodatkowych efektów i cały czas wygląda estetycznie. Starsza siostra. Piekniejsza. Mądrzejsza. Prawniczka, jak ojciec, dlatego się dogadują. Nałożyłam na twarz moje kosztowne francuskie kremy. Oraz popsikałam się ulubionym zapachem Givenchy III. Ostatnio przeczytałam, że oni ten zapach robią od lat dwudziestych! I tyle lat przetrwał, żeby mi sprawić przyjemność... Włączyłam sobie te szkockie ballady. Piękne, bardzo piękne. Przeważnie smutne. Ale nie takie smutne do płaczu, tylko łagodnie melancholijne. Uśpiły mnie.

Poniedziałek, 30 października

Normalnie nie wstaję z własnej woli o siódmej rano, ale dzięki wczorajszej awanturze położyłam się spać przed Wiadomościami.

I od razu przypomniał mi się Wojtyński z jego szprotkami. Dzisiaj już musi być w gazetach.

Ubrałam się ze szczególną starannością, wykonałam makijaż klasy światowej i zaczęłam wyglądać jak lala. Z wyjątkiem może drobnych śladów opuchnięć przy powiekach. Ale tusz Bourgeois (dobrze, swoją drogą, że go wczoraj zmyłam, jak tylko zaczęłam ryczeć) zrobił mi rzęsy na pół kilometra. Za to go lubię. Lancome mi się też tak podobał, nawet może nieco bardziej, tylko żeby nie był taki drogi.

Śniadanko. Pani profesor mówiła, że mam się starać regularnie odżywiać. Pożywiłam się dwoma tostami. Jeden z serkiem Radamer, a drugi z dżemem produkcji mojej mamuni. Lekkie i smaczne. Kawka. Też smaczna.

W ogóle jakoś lepiej dziś świat wygląda.

A ten bukiet pana Janka na stoliku – pycha. Różnokolorowe irysy i tulipany, wesołe i wiosenne.

– Tak, kochanie – powiedziałam głośno i bezosobowo, bo cały czas brałam pod uwagę możliwość, że to jednak będzie córeczka. – Życie generalnie jest w porządku. Ludzie też, chociaż czasami trudno z niektórymi wytrzymać. Ale poradzimy sobie, kotek. Poradzimy sobie!

Do pracy wychodziłam o ósmej trzydzieści, co zdarza mi się tylko wówczas, gdy mam umówione zdjęcia albo montaż.

Mój samochód stał pod drzewem, obsypany kolorowymi liśćmi. Słońce świeciło mu w same szyby. Będzie w środku ciepło.

Swoją drogą ślicznie dziś wygląda moja dzielnica w tych kolorowych liściach!

No po prostu same przody!

Zajechałam do firmy, postawiłam auto na wewnętrznym parkingu i natychmiast poleciałam kupować gazety. Kupiłam wszystkie dzienniki. Było. Wszędzie było. Najbardziej ekspresyjny artykuł napisał taki jeden hunwejbin, niejaki Trapiec Leszek, którego zdecydowanie nie lubię, bo mi się już kiedyś naraził jednostronnym podejściem do problemów. Jak złapał temat za nogi, to trzymał kurczowo, na wszelki wypadek nie próbując porządniej dokumentować, bo jeszcze by się mogło okazać, że problemu tak naprawdę nie ma i wierszówka może przepaść.

Tytuły były przepiękne, co jeden to lepszy: *Duńskie kutry na naszych łowiskach! Rybacy zablokują porty* i *Kto jest wrogiem polskich rybaków?* oraz najlepszy, cholernego Trapca: *Biznesmen czy gangster?*

Z pisaniny kolegów prasowców wynikało, że niejaki Tymon Wojtyński, mąż córki jednego z byłych dygnitarzy wojewódzkich, właściciel prywatnego przedsiębiorstwa rybackiego, wyczarterował duńskie kutry, które podstępnie wpłynęły na nasze wody i łowią szprotki w ramach naszych polskich limitów połowowych. A potem odstawiają je do duńskiej mączkarni. Szprotki są duże i piękne, do puszki, a nie na mączkę. Duńskie kutry są duże i pazerne, a polscy rybacy niedługo nie znajdą w Bałtyku ani jednej rybki, przez co zginą z głodu już niebawem, oni i ich rodziny. A ten łobuz i gangster Wojtyński powinien dać pracę polskim rybakom, jak już jest taki kapitalista wyżarty. Tu następowały ekspresyjne opisy willi Wojtyńskiego i jego ekskluzywnych samochodów. Oraz zapowiedź, że jeżeli po Wszystkich Świętych nadal będzie grabił nasze łowiska, to rybacy zablokują wejścia do portów w Świnoujściu, Kołobrzegu i Ustce...

Artykuły zdobiły kiepskie fotografie kutrów na morzu i kilka byle jakich zdjęć gangstera w towarzystwie miejscowej elity (pewnie miało to dać do myślenia ludziom, że niby trzyma z VIP-ami, to w razie czego będą go kryć).

No, faktycznie, po co on czarterował duńskie kutry, kiedy miał pod nosem pełno naszych? Nie mógł to dać zarobić naszym chłopcom? I dlaczego łowi takie ładne, duże szprotki? Osobiście bardzo lubię wędzone szprotki i jestem przeciw temu, żeby jacyś Duńczycy przerabiali je na mączkę.

Coś to za prosto wygląda. Trzeba będzie pogadać z facetem, dziś przecież ma się u mnie zjawić. Chociaż może niekoniecznie. Lepiej będzie dzisiaj go łagodnie spławić i jak najszybciej pojechać do niego, do Świnoujścia. Przy okazji zobaczę, jak wyglądają te jego skarby sezamu.

Wyprztykałam jego numer na komórce.

– Panie Tymonie, bardzo pana przepraszam, nie mogę się z panem dzisiaj spotkać. Niespodziewane przeszkody natury prywatnej. Ale nie chciałabym zostawić sprawy odłogiem ani chwili dłużej, niż muszę. Jutro i pojutrze w zasadzie święta. Czy w czwartek będzie pan uchwytny w Świnoujściu? Powinnam tam jechać jeszcze w innej sprawie, to sobie połączę dwa wyjazdy.

– Czytała pani?

– Czytałam. Bardzo efektowne. Może trochę za efektowne. Musimy porozmawiać, potrzebuję więcej informacji.

– Dobrze. Będę na panią czekał. Gdzie pani sobie życzy przyjechać? Firmę mam w zasadzie w domu, ale możemy się spotkać gdziekolwiek.

W domu ma firmę! Doskonale, nie muszę kombinować, jak by tu zobaczyć ten jego dom.

– Przyjadę do pana do domu. Proszę mi podać adres.

Umówiliśmy się na dwunastą. Zdążę spokojnie zasięgnąć o nim języka u paru znajomych osób. Takie nieoficjalne drogi są czasem bardzo pożyteczne.

Zresztą mogę języka zacząć zasięgać już, za pomocą telefonu. Zadzwoniłam przede wszystkim do jednego takiego rybaka, bardzo porządnego człowieka, ale go nie zastałam. Więc spróbowałam do Emanuela, w końcu na jego wernisażu poznałam pana W.

Najpierw pogadaliśmy sobie trochę o bunkrach – mają się świetnie, remont idzie do przodu jak przeciąg, wiosną będzie otwarcie, dostali papiery na te bunkry na dwadzieścia lat. Rewelacja.

Potem zapytałam go po prostu o gangstera.

– Bzdura, Wikuś, straszna bzdura. Czytałem dzisiaj w gazetach. Słuchaj, ja ci wiele nie powiem, bo się na rybołówstwie nie znam, ale powiem ci o Tymonie: to jest świetny człowiek. Nie wyobrażam sobie, żeby mógł robić jakieś machloje kosztem kolegów. Nie on! Przecież jeszcze niedawno był prezesem tego ich stowarzyszenia armatorskiego! Tu coś śmierdzi, ty to sprawdź.

– A te jego powiązania? Mafia rodzinna?

– Nie wydaje mi się. Żonaty jest rzeczywiście z córką byłego wojewody, ale to jeszcze z czasów PRL. Poza tym będzie się z nią rozwodził, coś słyszałem, od lat są w separacji. Ale więcej nic konkretnego ci nie powiem. Słuchaj, zadzwoń do Józefka Śpiewaka, to jest taki rybak, oni kiedyś łowili w parze, Józefek Wojtyńskiego dobrze zna, a to przy okazji mój przyjaciel, powołaj się na mnie.

– Masz do niego numer?

– Notuj...

Ale rybaka Józefka w domu nie było. Może poszedł na cmentarz, sprzątać groby.

Wszystkich Świętych na karku. Zawsze szliśmy na groby dziadków całą rodziną. Muszę przemyśleć, co zrobię z tym fantem.

LISTOPAD

Piątek, 3 listopada

Święto Zmarłych jakoś przeszło. Głównie dzięki Krzysiowi, oczywiście, i małolatowi rodzinnemu. Przyszli z komunikatem, że jedziemy na cmentarz w dwa samochody, mogę się zabrać z nimi, a rodzice pojadą swoim. Nie wspominaliśmy w ogóle o newralgicznej sprawie. Ojciec jeszcze pewnie przeżuwa, mama też, Amelia została spacyfikowana przez męża i syna. Było coś w rodzaju zawieszenia broni.

Cały czas nosiła mnie ta historia z Wojtyńskim. Z dwóch powodów. Po pierwsze, jeżeli okaże się, że sprawa jest poważna, to mam reportaż. I to niezależnie od tego, kto tu mieszka, czy klasa robotnicza, czy podły kapitalista, wyzyskiwacz, aferał. Niewykluczone, że taki reportaż, podbudowany ładnymi obrazkami i nieco udramatyzowany kupią mi w Warszawie i dostanę za niego jakieś uczciwe pieniądze.

Po drugie, on mnie interesuje. Wojtyński, znaczy. Coś w nim jest takiego, że wolałabym, żeby nie był świnią.

No więc wczoraj pojechałam o poranku do (nomen omen?) Świnoujścia. Umówiłam się nie tylko z Józefkiem, ale jeszcze z dwoma facetami znającymi się na rzeczy. Wszyscy stwierdzili zgodnie, że Wojtyński jest w porządku, na pewno nie zrobiłby nikomu świństwa i nie złamałby przepisów. Wynajmuje sobie Duńczyków, wolno mu, odstawia ryby do Danii, też mu wolno, a że naszych nie zatrudnia, to coś w tym musi być. Różne domysły mi przedstawili i hipotezy, pozostawało mi więc tylko porozmawiać z gangsterem.

Pokrążyłam trochę po Świnoujściu, bo willę upchnął pod samym lasem, już na granicy miasta. Przy okazji napatrzyłam się na różne cuda architektoniczne stawiane przez miejscowych nowobogackich. Szczególnie wzruszył mnie miniaturowy zamek średniowieczny z wieżami obronnymi, blankami, strzelnicami, lwami (wyglądały na betonowe) u bramy i ogródkiem japońskim w środku. Mostek tam był nawet nad sadzawką trochę większą od chustki do nosa. Inne domy nie były tak wykwintne, ale widać, że właściciele też robili co mogli w celu upiększenia posiadłości.

Na tle tych wytwornych rezydencji willa Wojtyńskiego przedstawiała się stosunkowo skromnie. Ładnie odremontowany poniemiecki domek, ani mały, ani duży, ogródek niewielki, głównie trawa i krzewy – ogrodnik widać postawił na to, że mu samo będzie rosło. Od tyłu posiadłość przylegała do sosnowego lasu i to było w niej najlepsze. Gangster miał dobry gust. Albo ta jego żona, wojewodzianka.

Czekał na mnie. Wyszedł się przywitać do furtki, pewnie zobaczył samochód. Uprzejmy człowiek. Albo się podlizuje. Wprowadził mnie do domu, do tej części biurowej. Nie była przesadnie obszerna i wyposażenie też miała takie sobie. Komputer, telefon, faks, parę szafek, biurko, fotele. Jako ozdoba ścian mapy nawigacyjne w antyramach. Lubię mapy nawigacyjne!

– Kawy, herbaty, może koniaku – zimno już jest...

– Kawy poproszę, dużo, jeśli można. Koniaku nie mogę, bo jestem samochodem. Cóż to, dzisiaj nic w gazetach nie było, a miała być blokada.

– Dali mi jeszcze trochę czasu. Mam się wynieść z łowiska do dziesiątego listopada. Zapowiadają, że nasyłają na mnie jakieś kontrole. Proszę bardzo, sam to chciałem zaproponować.

– W sprawie wielkości tych rybek?

– Nie tylko. Będą sprawdzać oczka sieci, kwity wszystkie, umowy, zezwolenia, całą biurokrację. Nie wiem, co wymyślą. Dlaczego pani nie przyjechała od razu z kamerą, miałaby pani bardzo ładny materiał. Pani koledzy już byli.

– No byli, byli i nakręcili rozwścieczonych rybaków, którzy zapowiadają blokadę portów. To dobre dla informacji. A ja chcę zrobić publicystykę, mam taki magazyn, to mi akurat pasuje. Nie muszę mieć materiału na wczoraj. Ale muszę najpierw porozmawiać z panem. Bo może przypadkiem pan jest w porządku.

– A jeżeli nie jestem? – zaciekawił się gangster.

– To panu dołożę – powiedziałam pogodnie.

Zamiast się zmartwić, zaczął się śmiać.

– Proszę wybaczyć – rzekł, uspokoiwszy się nieco. – To z nerwów. Niech pani pyta... o wszystko.

Najchętniej spytałabym go, gdzie podział żonę, bo coś jej tu nie stwierdzam, ale zaczęłam od innej strony.

– Najpierw powiedzmy sobie, co w tych prasowych artykułach jest prawdą, nawet dla pana – zaproponowałam. – Żeby nie wyważać otwartych drzwi. Grabi pan to nasze morze bez litości?

– A gdzie tam.

– Pańscy koledzy twierdzą, że niedługo nie będzie w Bałtyku ani jednej szprotki.

– Czytałem. A wie pani, że jest coś takiego jak limity połowów przyznawane przez Komisję Bałtycką?

– Pewnie, że wiem.

– No. I Polska swoich limitów nie wykorzystywała. A dlaczego? Bo polscy rybacy nie chcieli łowić szprota. Dopiero jak ja zacząłem na dużą skalę – ale wszystko w ramach tych limitów! – to się zdenerwowali.

– Duńczyków pan zatrudnia?

– Zatrudniam.

– A czemu nie naszych rybaków? Przecież oni nie mają z czego żyć?

– Proszę pani, ja chciałem zatrudnić naszych rybaków. Ale oni nie lubią podpisywać umów. Bo jeśli przypadkiem znajdą w morzu coś lepszego niż szprotka, to mnie oleją... och, najmocniej przepraszam...

– Ależ proszę. I co?

– I będą łowili na przykład dorsza, bo mogą go drożej sprzedać. Komu innemu. A ja zostanę z ręką w nocniku... och, przepraszam...

– Niech pan już nie przeprasza, tylko opowiada.

– I nie wywiążę się oczywiście z moich umów z przetwórnią, dla której te szprotki łowimy. Wtedy zapłacę karę. A Duńczycy, jeśli już się do czegoś zobowiążą, dotrzymają umowy, choćby pioruny biły.

– Rozumiem. A może pan to udowodnić? Te swoje propozycje.

– Pani jest jak prokurator. Mogę. Wysyłałem takie kwity do ich stowarzyszenia, że mam dla nich pracę. Podziękowali. Nie opłaca im się.

– Może mają za małe kutry?

– No pewnie. Mają o połowę mniejsze ładownie niż Duńczycy. Chciałem im umożliwić zdawanie ryby w morzu, żeby nie musieli wracać z łowiska. Też podziękowali. Chciałem budować mączkarnię u nas, ale sprzeciwili się ochroniarze środowiska z bożej łaski. To teraz łowię Duńczykami i sprzedaję do duńskiej mączkarni. I przestrzegam przepisów, proszę pani, bo nie chcę mieć żadnych pierepałów z żadnymi kontrolami. Bo nie lubię się podkładać. Bo nie jestem kretyn!

– Kretyn nie, ale podobno gangster.

Znowu zachichotał.

– Gangster? Dlaczego?

– No, gangster. Mafioso. Rodzinna mafia, wykańcza pan konkurentów, wyciska krwawy pot z czoła klasy robotniczej, a sam siedzi w willi, jeździ mercedesem, żonę ma dygnitarską...

Chichot się wzmógł.

– Ach, żona dygnitarska... Nawiasem mówiąc, widzi tu pani jakąś żonę?

– Nie i właśnie chciałam pana spytać, gdzie ją pan zadołował?

– Kupiłem jej ładne mieszkanie w centrum Szczecina i tam ją wysłałem.

– Żeby mieć przedstawicielstwo w Szczecinie?

– Nie, żeby mieć spokój... Och, ja panią jeszcze raz przepraszam, robię się zbyt frywolny, ale to pani mnie rozśmiesza.

– No tak, to ja pana przepraszam, rozmawiamy o poważnych sprawach, a ja się wygłupiam.

– Boże, jak to dobrze rozmawiać z kimś ludzkim językiem. Niech się pani dalej wygłupia, bardzo proszę, pani redaktor. To o czym mam teraz mówić? Może skończymy temat dygnitarskiej żony?

– Tak. Kończmy żonę, proszę, niech pan mówi dalej.

– Z żoną jesteśmy od dwóch lat w separacji, nie rozwiedliśmy się jeszcze, bo oboje jesteśmy leniwi i nie chce nam się latać po sądach. Nadal pozostajemy w przyjaźni, pod warunkiem, że jesteśmy daleko od siebie. Razem nam już do tego stopnia nie wychodziło, że nie mogliśmy wytrzymać dnia bez kłótni. A ponieważ ona przez cały czas naszego małżeństwa tęskniła za dużym miastem, więc kupiłem jej to mieszkanie. Mówi, że jest szczęśliwa, ja też nie narzekam, kontaktujemy się przez telefon.

– A skąd pan miał forsę na mieszkanie tak z nagła?

– To wcale nie było z nagła. Żarliśmy się... och, przepraszam... z pięć lat. Więc od jakiegoś czasu zarabiałem jej na to mieszkanie.

– Ona nie miała własnej forsy?

– Nie, nie miała. Tatuś rzeczywiście był swego czasu szychą, ale nie wyposażyła go Bozia w zmysł praktyczny, nie pomyślał o zabezpieczeniu sobie i rodzinie przyszłości. Więc jak go już odsunęli, został z kolekcją medali państwowych, którymi dzisiaj może się wypchać. A ja początkowo pracowałem u jednego takiego rybaka, potem kupiłem sobie kuter i zatrudniłem pomocnika, potem zarobiłem na następny i zatrudniłem kolejnych ludzi. Mam skończony Wydział Rybactwa Morskiego. A w międzyczasie, kiedy tak sobie pływałem i łowiłem, kończyłem różne kursy, nawet na trochę pojechałem do Anglii, na kurs zarządzania w rybołówstwie. No więc jestem, proszę pani redaktor, kompetentnym armatorem rybackim.

– Ale sam pan już nie pływa?

– A mnie się już nie chce samemu pływać po Bałtyku i nabawiać się reumatyzmu. Robiłem za szypra ładnych parę lat i wystarczy. Teraz jestem krwiopijcą, jak to byli uprzejmi określić pani koledzy z prasy. I wyciskam ten krwawy pot... i tak dalej.

– Czegoś tu nie rozumiem. Pływał pan u kogoś, teraz u siebie, blablabla, ci inni rybacy robią to samo. Pan się dorobił, a oni nie. Pan ma firmę, a oni dalej łowią jednym byle jakim kuterkiem. No to coś mi tu nie gra. Skąd pan brał forsę na to wszystko?

– Chyba pani nie myśli, że ja tak wszystko kupowałem za gotówkę? Wyciągałem ze skarpety i ciach! nowy kuterek? Brałem kredyty, proszę pani.

– Brał pan kredyty? A oni nie mogli?

– Oni też brali. Nie w Polsce, oczywiście. U nas są za wysokie procenty. Na Bornholmie braliśmy wszyscy. Tylko że ja spłacałem w terminie, a oni nie. I teraz ja tam mogę wziąć kredyt dowolnej wielkości, a niektórzy moi koledzy boją się płynąć na wyspę. I biorę te kredyty nadal, proszę pani redaktor, i inwestuję. A niektórzy moi przeciwnicy chlają wódeczkę zamiast pracować, czego, niestety, już nie mogę pani udowodnić.

On nie mógł udowodnić, ale ja mogłam uwierzyć. W końcu robię te programy od paru lat. Wywiady z rybakami też robiłam, często na kei, na kutrach, w bazach. No i naprawdę niektórzy z nich zawsze byli na bani. Nie przeszkadzało mi to na ogół, bo taki na bani bywał bardziej kontaktowy, a dzięki temu bardziej malowniczy, ale fakt pozostaje faktem.

Zadzwonił telefon. Gangster przeprosił i odebrał, po czym wdał się w dłuższą rozmowę po angielsku. Oczywiście podsłuchiwałam. Rozmawiał chyba z szyprem duńskiego kutra, a w każdym razie z kimś z tych Duńczyków. Przyjmował do wiadomości, że prawdopodobnie sami zejdą z łowiska.

Ależ... on mi się podoba! Okrutnie męski typ. Sama energia. Oczy ciskają błyskawice. Pewnie dlatego, że jest wściekły. Och, a jakie ma ładne ręce. Gdzie takie ręce u rybaka! Prawda, przecież mówił, że od kilku lat już sam nie pływa. Miał czas na wypielęgnowanie rączek kremami. Oraz na manikiur.

Czego ta jego żona od niego chciała? Czy tylko mieszkanie na prowincji jej nie odpowiadało? A może on jest na przykład ukryty smutas? Nie, smutas – niemożliwe. Wykazuje poczucie humoru i łatwo się śmieje, chociaż okoliczności są nie do śmiechu. Więc może kryptosadysta?

Też nie wygląda, chociaż tego nie można wiedzieć na pewno, zanim się z nim nie pójdzie do łóżka.

– O czym pani tak intensywnie myśli? – Pytanie trzasnęło we mnie jak grom z jasnego nieba. Przestał już rozmawiać przez telefon i patrzył na mnie ciekawie. – Bo najpierw pani słuchała, o czym mówię z moim duńskim szyprem, a potem pani gdzieś odleciała.

Niebieskie oczy. Ciemnoniebieskie. Rzadko spotykane. I kurze łapki. O, znowu ma ochotę się śmiać.

Przecież mu nie powiem, o czym naprawdę myślałam, na Boga!

– Przepraszam – powiedziałam z godnością. – Mam takie swoje całkiem prywatne problemy, czasami trochę mi przeszkadzają w pracy. Możemy wrócić do tematu?

Wróciliśmy. I rozmawialiśmy jeszcze bite półtorej godziny na temat szprotek, połowów, limitów, mączki rybnej, pojemności kutrów i innych podobnie fascynujących rzeczy.

Oraz godzinę na tematy ogólne.

Poza tym wydusiłam z niego te wszystkie dyplomy, świadectwa, umowy, propozycje, podstawy prawne i wyliczenia ekonomiczne.

Wyszło na to, że mówił z sensem.

Na pewno zrobię ten reportaż. Zajmie mi z połowę magazynu. Prawdopodobnie potwierdzi się, że facet jest w porządku. Byłby to wcale nietypowy reportaż – zamiast stanąć po stronie prostych rybaków, co na pewno byłoby lepiej przyjęte i bardziej efektowne, będę bronić takiego glancusia, co ma zrobiony manikiur na łapkach.

Patrzcie państwo, do czego to doszło! Kiedyś to mężczyźni stawali w obronie dam. Dzisiaj dama zastanawia się, czy nie rzucić się na pomoc facetowi.

Ale bo też facet wydaje się sensowny, porządny, no i tak naprawdę nie jest wcale glancusiem. I nie jeździ mercedesem, tylko vectrą. Mercedeska oddał żonie.

Ach, czego się jeszcze dowiedziałam z tematów zasadniczych: nie mieli dzieci. Jakoś nie dążyli do prokreacji – tak powiedział. To znaczy, on dążył do kapuchy, zmieniając te kutry jak rękawiczki i biorąc kredyty w bankach na Bornholmie, a ona bałwaniła się w willi pod lasem. I nawet jej się nie chciało kwiatków w ogródku zaprowadzić. Tylko krzewy i trawa, a trawę na pewno przychodził regularnie kosić jakiś wynajęty człowiek. Ale może mu za to gotowała uczciwe obiady. Nie temu od koszenia, tylko mężowi.

Albo była wegetarianką i kazała mu jeść same rośliny. Podobno to służy figurze, a on ma znakomitą.

Ale może właśnie dlatego się pokłócili?

Swoją drogą ciekawe, kto mu teraz odkurza chałupę i obiadki gotuje? Bo on nie wygląda na takiego, co by się odżywiał w fast foodach.

No, kochana! Jeżeli chcesz zrobić uczciwy program, to się lepiej weź za dokumentację i daj spokój całkowicie prywatnym dywagacjom. Jeszcze, nie daj Boże, przywiążesz się do faceta i obiektywizm diabli wezmą.

Krysia otworzyła dzisiaj produkcję. W poniedziałek jedziemy z Pawełkiem i ekipą na Wybrzeże. Szkoda, że nie stać mnie na przejażdżkę na łowisko. Inna rzecz, że jesienny Bałtyk to podobno nic przyjemnego, a te kuterki są cholernie małe.

Jutro montuję kamieniarkę z Mateuszem. Trzeba się będzie przestawić umysłowo.

Niedziela, 5 listopada

Zmontowaliśmy. Bardzo ładnie nam wyszło. Jeżeli w Warszawie zażądają poprawek, to mnie szlag trafi, bo bardzo porządnie przemyśleliśmy z Mateuszem każdą sklejkę. Nawet muzykę podłożyliśmy od razu i mamy gotowca.

Jarek zadzwonił.

Oświadczył, że postanowił skorzystać z mojej propozycji (!) i uznać incydent za niebyły. Incydent! A dzwoni, bo uważa, że sytuacja powinna być jasna. To znaczy pewnie, żebym nie wiązała z nim żadnych nadziei.

A kto by tam wiązał z nim nadzieje!

Zawiadomił mnie też, że w święta Bożego Narodzenia żeni się z Fryderyką. Daj im Boże zdrowie i dużo dzieci. Najlepiej, żeby też miały takie wytworne imiona jak mamunia. Widziałabym w pierwszej klasie na przykład Krochmal Serafinę. Albo Krochmal Inezę. Oraz koniecznie Krochmala Flawiusza.

No to mamy jasność, moje drogie dziecko. Incydentalne.

Wpadł do mnie Bartek, pogadać. Właściwie to strasznie się chwalił cały czas, bo mu coś tam bardzo ładnie w radiu wyszło. Przyniósł mi do posłuchania zajawki programu, przy którym pracuje, ale nie mam dziś zdrowia do słuchania muzyki z audycji pod tytułem „Łomot".

Wychodząc, powiedział jeszcze w drzwiach:

– Fajną rzecz podsłuchałem w autobusie, ciocia. Taka wytworna mamunia jechała i miała syneczka, całkiem małego. I mówiła do niego Denis.

– No, Denis. Ładne imię. Francuskie. A bo co?

– Ciociu, czy ona sobie nie zdaje sprawy, jak na niego będą mówili w przedszkolu? A najdalej w zerówce... Biedne dziecko!

Wygłosił tę kasandryczną przepowiednię i odmaszerował, podśpiewując pod nosem jakąś młodzieżową pieśń masową.

Denis Krochmal też by ładnie brzmiało.

No dobrze, wiem, że nieładnie kpić z nazwisk. Więcej nie będę.

Poniedziałek, 6 listopada

Zaczynam tyć.

No i chyba już czas.

Ale również szybciej się męczę.

Ten wyjazd na Wybrzeże wykończył mnie całkowicie. Za to zdobyłam trochę ładnych materiałów.

Wojtyński na tle swojego armatorskiego biura w jednym pokoju zeznał, co miał zeznać, rzeczowo i krótko, bo go prosiłam, żeby się nie rozdrabniał. Fotogeniczny gość, swoją drogą. Dokumenty też sfilmowaliśmy pieczołowicie.

Nieźle nam wypadł taki dyżurny obrońca uciśnionych, nazwiskiem August Kratky, co to z ogniem w oczach udowadniał mi, że ten bezwzględny człowiek doprowadzi niebawem do zniknięcia szprotek z Bałtyku. A w każdym razie z naszej strefy połowowej. Narybek on bowiem poławia, maliznę, która nie trzyma żadnej normy europejskiej, a już na pewno naszej.

A poza tym łapie dorsza i łososia, jak leci, chociaż teoretycznie to tylko tego szprota! I to wykończy, wykończy, pani redaktor, naszych rybaków!

Facet wygląda mi na takiego, co wystartuje w najbliższych wyborach. Już jest szefem komitetu protestacyjnego rybaków. Ani chybi w końcu na tych szprotach wjedzie do parlamentu.

Naprawdę jest sugestywny. Rybacy idą za nim jak za panią matką, niezależnie od tego, jaką ciemnotę im wciska. A że wciska, to już wiem, bo się przez weekend trochę podciągnęłam w problematyce rybołówczej. Ma się w końcu przyjaciół na WSM-ce. I nie mam tu na myśli niejakiego Krochmala. Marcin zarzucił mnie materiałami, spod których nosa mi nie było widać. Teraz mogę robić doktorat z połowów dalekomorskich.

Jeszcze lepszy od pana przewodniczącego był taki jeden działacz związkowy, który świetnie znał się na rybołówstwie, bo dwadzieścia lat pływał na rybakach. Jako kucharz. Prezencję też miał lepszą jak na moje potrzeby, bo starszy, twarz poorana zmarszczkami, odzienie niedbałe. To nie taki, co chodzi w marynarce pozapinanej na wszystkie guziki.

Fachowym gestem zabrał zdumionemu nieco Beretowi czips, który ten właśnie miał mu wpiąć w sweter.

– Znam się na tym, sam sobie przypnę. Już nieraz się wywiadów udzielało – powiedział światowo i wczepił mikrofonik w sam przód swetra z norweskim wzorkiem. Czarny kabel dyndał mu malowniczo i opadał w dół, ale dalej go już nie było widać, bo Paweł skadrował faceta do pasa.

Już chciałam interweniować, bo nie lubię kuchni na wierzchu i proszę zazwyczaj dźwiękowców, żeby jakoś maskowali czipsy, skoro już muszą ich używać, ale powstrzymał mnie zachwycony wzrok Pawła i jego cichy syk:

– Zostaw, zostaw...

– Jakie pretensje mają panowie do pana Wojtyńskiego? – zadałam dyżurne pytanie, do wycięcia zresztą.

– Pani redaktor! – zaczął uroczyście działacz związkowy. – To się tylko tak wydaje, że to jest interes pana Wojtyńskiego. To jest interes nas wszystkich. To jest interes narodowy. I ten interes narodowy jest zagrożony!

Tu spojrzał głęboko w oczy telewidza, to znaczy w obiektyw. W ogóle od początku, skubany, nie chciał rozmawiać ze mną, choć go prosiłam, tylko przemawiał prościutko do narodu.

– A dlaczego od razu narodowy? – wtrąciłam. – I dlaczego zagrożony?

Zignorował mnie. Przed kamerą czuł się jak ryba w wodzie.

– W Afryce, proszę państwa – przemówił znowu do całego narodu – w czarnej Afryce, gdyby ktoś zrobił taki przekręt jak pan Tymon Wojtyński, to nawet małpy wiedziałyby, o co chodzi. A u nas nic. Nic! Facet latami uprawia swój proceder!

– Jaki proceder?

– No jak to jaki? Wykorzystuje luki w prawie! Jest u nas paru takich cwaniaków, co to robią notorycznie. Dać takiemu licencję na połowy, a on od razu ściągnie obce kutry.

– Wynajął je legalnie.

– Pani mówi: legalnie! Te kutry łapią polskie szprotki i wywożą do siebie! A cwaniaczek w domu siedzi, łyskaczyka popija i bierze osiem procent od każdego połowu!

– Na tym polega kapitalizm, proszę pana. A państwu polskiemu płaci podatki.

– Jaki kapitalizm? Jaki kapitalizm? Osiem procent! Jakie podatki?! To zwyczajne łapówkarstwo. Łapówa, proszę państwa! Cwaniaczek nic nie robi, a pieniążki lecą!

Próbowałam skierować kucharza na drogę konkretów, ale mi nie wyszło.

Jeżeli chodzi o czysty folklor, przebili działacza związkowego rybacy, sami siebie określający mianem armatorów, co oznaczało, że każdy z nich jest właścicielem co najmniej połowy kutra. Pojechałam do nich specjalnie jeszcze ze trzydzieści kilometrów, bo ci właśnie panowie stanowili szczególnie zajadłą grupę protestującą. Mogłam się z nimi umówić w Świnoujściu, ale chciałam mieć zdjęcia ich jednostek. Były, rzeczywiście, stały przy kei, wyglądały dosyć nędznie.

Rybacy za to wyglądali zawodowo. Niedźwiedzie mięso.

Nie znosili tego Wojtyńskiego jak zarazy.

– Pani redaktor go zna? – zapytał mnie podchwytliwie tęgi rybak o wspaniałej, filmowej aparycji, ogorzałej cerze i potężnej brodzie. Nazywał się Kołodziejczyk. – Przystojny człowiek z niego, co?

– Pan mi się bardziej podoba – odpowiedziałam zgodnie

z prawdą (oczywiście – prawdą zawodową, nie prywatną – był o wiele bardziej malowniczą postacią, z tymi błękitnymi oczami, twarzą całą w drobniutkich zmarszczkach i rękami jak bochenki chleba o zwiększonej gramaturze).

– A, dziękuję – zagrzmiał i dwornie ucałował moją dłoń, tę bez mikrofonu. – Pani redaktor ma dobry gust, hehehe. Pani potrafi rozpoznać przyzwoitego człowieka pracy, człowieka ciężkiej pracy!

– A Wojtyński nie jest człowiekiem pracy?

– Pani redaktor raczy sobie żartować. To cwaniak. On kiedyś był przyzwoitym człowiekiem i naszym kolegą, pływał tak samo jak my, przez jeden sezon nawet ze mną w tukę chodził.

– To znaczy? – wtrąciłam. Ja tam wiem, co to znaczy, ale trzeba telewidza uświadomić.

– A to znaczy, żeśmy razem chodzili w morze i łowili jedną siatką, pani redaktor. A potem coś się z nim porobiło. Za granicę zaczął jeździć, jakieś dyplomy poprzywoził, szypra sobie zatrudnił na ten kuter, potem nagle cóż widzimy: jest i drugi kuter, i drugi szyper, a potem to już tylko patrzył, jak ludzi wycyckać, za przeproszeniem pani redaktor za ekspresję wypowiedzi.

Tu obecni na kei rybacy zaczęli gromadnie przyświadczać, że Wojtyński świnia i wyzyskiwacz, każdy by tak chciał jak on, tylko że uczciwie pracujących na to nie stać, żeby sobie w domu siedzieć, łyskaczyka popijać i kwity przewracać!

Co oni mają wszyscy z tym łyskaczykiem?

– Panie Sałata – spytałam takiego najbardziej zaciętego – ale podobno Wojtyński proponował wam pracę?

– Pani redaktor – odpowiedział uroczyście zacięty Sałata – pan Wojtyński proponował nam, żebyśmy z nim podpisali umowę na dostarczanie szprota. A taka umowa to mnie, za przeproszeniem, drzwi zamyka przed nosem. Bo jak ja znajdę na ten przykład dorsze, to co, zostawię je w morzu, żeby sobie pływały? Albo takie łososie? A wie pani, ile kosztuje dorsz i łosoś, a ile szprotka? I ja będę szprota łapał, bo tak chce pan Wojtyński? Tak nie będzie, pani redaktor! To już nie takie czasy, to się skończyło, żebym ja robił, co mi każe jakiś pan Wojtyński!

– No ale miałby pan stałą umowę...

– Pani widzi te kutry? – Sałata dramatycznym gestem wskazał na niebieskie rzęchy za swoimi plecami.

111

– Widzę, proszę pana. To pana?
– Moje i kolegów. One są duże, według pani?
– Nie znam się, ale duże to chyba nie...
– No właśnie. I jak pani myśli, ile ja ryby do ładowni zmieszczę? I za każdym razem tak będę latał do Danii i z powrotem? Ja na sól nie zarobię, pani redaktor. A pan Wojtyński za paliwo mi nie wróci!
– A ja coś słyszałam o jakimś statku-bazie...
– No tak. Mówił Wojtyński, że nam podstawi bazę, żebyśmy rybę zdawali w morzu...
– To może by wam się opłacało, nie musielibyście w ogóle wracać z łowiska.
– No, niby tak, pani redaktor. Ale kto by mu tam wierzył... To cwaniak.

Zabił mnie tym argumentem, więc tylko poprosiłam Pawła, żeby jak najuczciwiej pokazał te obrzępane kutry i pojechaliśmy do domu.

Teraz czekamy na rozwój wypadków.

Jak dla mnie, dobrze by było, żeby rybacy zdecydowali się na tę blokadę, tak niegroźnie, na godzinkę lub dwie – miałabym fajne obrazki. Ostatecznie muszę z tego zrobić story, żeby ludzie obejrzeli.

Wtorek, 7 listopada

Ależ to się robią jaja jak hełmy żołnierzy radzieckich!

Gazety znowu były pełne szprotek, bo ministerstwo przestraszyło się rybaków i zakazało połowu Duńczykom, czyli w praktyce Wojtyńskiemu.

To znaczy, że nie będzie blokady.

Jestem obłożona materiałami naukowymi o łowieniu ryb w morzu, które przeczą jedne drugim. Muszę się w tym wszystkim rozeznać, bo przestanę odróżniać światło od ciemności.

Środa, 8 listopada

To już nie są jaja jak hełmy, tylko dużo gorzej.

Duńczyki jednak się zaparły i zostały na łowisku, na co jeden urzędowy kacyk zapowiedział, że pośle na nich okręty straży granicznej!

Imperium Brytyjskie też zawsze posyłało kanonierki na zbuntowanych tubylców w tym czy innym egzotycznym kraju. Facet naczytał się Kiplinga?

Ale w takim razie ja też tam muszę jechać! Musimy mieć zdjęcia, jak dzielni polscy marynarze pogranicznicy aresztują duńskie kutry. A może nawet któryś utopią dla przykładu? Rany boskie, bez żartów!

Krysia już załatwia formalności, a ja dzwonię do Wojtyńskiego, bo jakoś się trzeba na to łowisko dostać.

Rozmowa była krótka.

– Jeśli pani chce, mogę zabrać ekipę. Popłyniemy tam jutro rano naszym kutrem – powiedział Wojtyński, rozwścieczony pewnie do białości, ale opanowany. – Uprzedzam, że to może nie być żadna przyjemność. Wieje czwórka, potem może być gorzej. I proszę ciepło się ubrać.

Krysia załatwiła wszystko i uparła się, że płynie z nami. Zastąpi Bereta, który odmówił wejścia na pokład czegokolwiek, co jest mniejsze niż prom pełnomorski albo i oceaniczny, jeżeli istnieją promy oceaniczne. Wariatka. Chyba strasznie ją ciągnie do mocnych przeżyć.

Wieczorem niespodzianka. Puk, puk do drzwi. Zewnętrznych, więc myślałam, że ktoś ze znajomych.

Ale to był ojciec. Przyszedł porozmawiać z niesforną córką, która w wieku lat trzydziestu trzech wymyka się spod kontroli.

– Napijesz się kawy, tato, albo herbaty, albo koniaczku?

– Sam będę pił ten koniaczek? – westchnął i od razu zrobiło się jakoś normalniej.

– Czemu sam? Chętnie ci potowarzyszę. Mały łyk kotusiowi nie zaszkodzi.

Wzdrygnął się. Nie wiem, czy na kotusia, czy na to, że nie zaszkodzi. Ale nalałam tego koniaku – sobie malutko, jemu więcej, więc wziął kieliszek, siadł w fotelu i widać było, że zaraz się zacznie.

Ale jakoś nie mógł zacząć. Siedział bardzo niewygodnie, bo fotel był z gatunku rozłożystych, a on, biedaczek, usiłował trzymać pion. Nie tylko w sensie moralnym, ale również dosłownie, co w takim fotelu jest prawie niemożliwe.

Zlitowałam się nad nim.

– Tato, siądź, proszę, jak człowiek, bo patrzeć nie mogę, jak ci niewygodnie. Tam się nie da siedzieć przyzwoicie. Nie krępuj się własnej córki. Wyciągnij te nogi, zdejmij buty, czuj się u siebie. Westchnął i poszedł za moją radą, choć butów nie zdjął. Chlapnął sobie i przemówił. Niestety, nie ludzkim głosem, na co, prawdę mówiąc, liczyłam po tym koniaczkowym wstępie.

– Przyszedłem cię spytać, Wiktorio, czy twoje plany na przyszłość nie wykrystalizowały się jakoś?

– Owszem, tato. Ale nie ciesz się przedwcześnie. Wykrystalizowały się, bowiem autor mojego dziecka, a twojego wnuka – tu tata znowu się wzdrygnął – podjął męską decyzję...

– Tak – podchwycił ojciec, który wyraźnie chwytał się brzytwy.

– Podjął decyzję, taką, mianowicie, że nie życzy sobie wracać do tej sprawy.

– I co ty na to?

– Co ja na to mogę? Nic. Mnie też na nim nie zależy.

– Jak to jest możliwe? Czy ty sobie nie zdajesz sprawy...

– Tato – przerwałam – to ty sobie nie zdajesz sprawy, że ja już jestem dorosła. Od dość dawna. Mogłabym ci wyjaśnić motywy moich decyzji, bo wszystko to sobie gruntownie przemyślałam, gdybyś ze mną rozmawiał, jak z przyjacielem, a nie jak z gówniarą...

– Zachowujesz się jak gówniara i będę z tobą rozmawiał jak z gówniarą!

– No to dużo się nie narozmawiasz. A w każdym razie nie będę ci tutaj przytaczała moich racji, bo ich zapewne nie uznasz. Szkoda moich nerwów. Pani doktorka zabroniła mi się denerwować ze względu na dziecko.

– Ze względu na dziecko! Ty nie masz żadnego względu na to dziecko!

– Mam bardzo duży. Jest moje i ja je kocham. I jeśli mogę cię prosić, nie unoś się tak. Na sali sądowej chyba potrafisz utrzymać nerwy na wodzy?

Łyknął koniaku i uspokoił się. Popatrzał na kieliszek pod światło. Złocisty. Szlachetny.

– Stać cię na niezłe koniaki – powiedział, a ja nie wiedziałam, czy to uznanie, czy drwina. Może to miała być gałązka oliwna, ale już mi się nie chciało zgadywać.

– Na takie mnie nie stać. To Krzysia. Dowód wdzięczności
któregoś z pacjentów. Wygrałam go od Krzysia w pokera. Koniak, nie pacjenta.

– Ze mną grywałaś zawsze w szachy...

– No właśnie. Bo ty w pokera nie grywasz. A Krzysiek grywa.

– We dwójkę tak gracie? Na fanty?

– Na co się da. Ale nie we dwójkę. Bartek grywa z nami.

– I od Bartka też dostajesz koniaki?

– Nie, tato, Bartek płaci w naturze. Przeważnie sprząta mój
kawałek ogrodu. Albo myje mi samochód.

– A ty? – zaciekawił się tato.

– Bartkowi piszę wypracowania z polskiego, a Krzysio jeszcze
ze mną nie wygrał...

– A dużo do ciebie przegrał?

– Trochę. Wyposażyłam sobie barek w każdym razie.

Czy długo jeszcze będziemy rozmawiać o niewinnych, rodzin-
nych rozrywkach?

Nie, ojciec najwyraźniej zbierał siły do kolejnej rundy. Odstawił kieliszek i przemówił:

– Posłuchaj mnie, córeczko.

Zaparło go znowu. Trochę mnie wzruszył tą córeczką, ale czekałam na ciąg dalszy. I ciąg dalszy nastąpił.

– Powinnaś dać ogłoszenie matrymonialne.

– Coś ty powiedział?!

– To, co słyszałaś. Dziecko powinno mieć ojca. Skoro mówisz,
że je kochasz, powinnaś mu tego ojca zapewnić.

– Tato, nie jest możliwe, żebyś mówił poważnie...

– Jak najpoważniej. Powinnaś zapewnić dziecku ojca.

– Rany boskie. Ale nie tą metodą. Czy to jest też mamy zdanie?

– Nie pytałem jej. To znaczy o metodę. Ale ona też uważa, że
powinnaś wyjść za mąż. Metoda nie jest gorsza od innych metod.
W ciąży trudno ci będzie kogoś skutecznie uwieść. Nie jesteś już
tak atrakcyjna jako kobieta. Ogłoszenie będzie lepsze.

Boże mocny, ojciec to mówił jak najpoważniej.

– Tato, ale przecież z ogłoszenia może się trafić jakiś męt.

– Rozpoznam męta. Mam doświadczenie.

Ja chyba śnię.

– Tato, więc ty uważasz, że mam wyjść za pierwszego lepszego faceta, do którego nic nie czuję, którego właściwie nie znam i który jest mi najzupełniej obojętny tylko po to, żeby mieć tatusia do dziecka?

– Tak. Tak będzie najwłaściwiej. Jeżeli masz choć odrobinę odpowiedzialności, pójdziesz za moją radą. Ja ci pomogę. Dam to ogłoszenie w twoim imieniu.

– Ani się waż tato! Nie życzę sobie, żebyś cokolwiek robił w moim imieniu. Od piętnastu lat mam dowód osobisty i odpowiadam za siebie. I nie będziesz decydował o moim życiu. Ani o życiu mojego dziecka. Proszę, uważaj dyskusję za nieodwołalnie skończoną.

Wstał. Zważywszy na charakter fotela, udało mu się to zrobić nadspodziewanie majestatycznie.

– Taka jest twoja decyzja, Wiktorio?

– Taka. Nie wracajmy już do tego tematu.

– Dobrze. Jeżeli odrzucasz moją pomoc, odrzucasz również mnie i rodzinę. Będziesz musiała radzić sobie sama i sama wypić piwo, którego nawarzyłaś.

– Czy mówisz w imieniu całej rodziny? Mamy, Meli, Krzyśka?

– Mówię w imieniu rodziny, której jestem głową – odpowiedział uroczyście i enigmatycznie, z czego wywnioskowałam, że jeśli nawet mama wie o jego misji dziejowej, to na pewno nie wiedzą Krzysiowie. Tak czy siak, dolne rejony domu raczej mogę uważać za niedostępne dla siebie.

– Przykro mi to słyszeć – powiedziałam. – Liczyłam raczej na waszą pomoc, niż na takie dictum. Ale skoro tak, to będę musiała poradzić sobie sama. Nie wyobrażaj sobie, że przyjdę do ciebie prosić o łaskę. Mam jeszcze przyjaciół.

– Ale żadnego, który by cię chciał – dobił mnie kochany tatunio, odwrócił się, odstawił kieliszek z niedopitym koniakiem i poszedł sobie.

Wiedziałam od dawna, że kiedyś pożrę się z ojcem na dobre. Jakoś sobie poradzę.

Mam nadzieję, że mama i Mela nie odwrócą się ode mnie zadkiem jak troskliwy tatunio. No a Krzysia i Bartka jestem pewna.

Tak czy inaczej – jutro płyniemy. Liczę na to, że kotusiowi odrobina Bałtyku nie zaszkodzi. Ostatecznie on cały czas sobie pływa. Wolałabym tylko, żeby ta czwórka, która wieje, nie zamieniała się w nic poważniejszego. Czwórki też już nie lubię.

Czwartek, 9 listopada

Musieliśmy wystartować spod telewizji o szóstej rano. Było dość przyjemne powietrze jak na listopad, ale co innego osiemdziesiąt kilometrów od morza, a co innego na pełnym morzu, osiemdziesiąt kilometrów od lądu. Może nie aż tyle, ale zawsze na pełnym morzu...

Poubieraliśmy się jak na biegun północny. Paweł, stary narciarz, miał na sobie rozmaite ambitne gore- i inne texy i wyglądał jak członek reprezentacji narodowej. Krysia i Marek prezentowali się niewiele gorzej, a ja wbiłam się – już z pewnym trudem – w moje żeglarskie nieprzemakałki.

Krysia była szalenie podekscytowana, ponieważ nigdy jeszcze nie pływała na kutrze rybackim.

– Taka łupinka, takie maleństwo – wydziwiała. – I toto nam zapewni bezpieczeństwo?

– Kryśka, sama chciałaś – przypomniał jej Paweł. – Sama się zapierałaś, że zrobisz dźwięk za Bereta, byleby tylko płynąć. To teraz nie gadaj.

– Muszę sobie chociaż pogadać – jęknęła Krysia. – Strasznie się boję!

– To po co jedziesz? – Marek nie mógł zrozumieć tak rażącego braku konsekwencji.

– Żeby spróbować.

No, rzeczywiście. To jest motywacja.

A po co ja się tam pcham, w czwartym miesiącu ciąży, kretynka?

Jak to po co? Chcę mieć dobry materiał. Te kanonierki wyłaniające sie z mgły. Te dramatyczne rozmowy przez radio. Pycha. Pawełkowi też oczy się świecą. Jeżeli nie umrzemy tam z choroby morskiej, to będziemy mieli obrazki marzenie wariata.

Jedyne, czego się boję naprawdę, to choroba morska. Zatonięcia kutra z załogą i gośćmi nie przewiduję, oni wychodzą w gorszą pogodę, ci rybacy, ci wspaniali mężczyźni na swoich pływających gruchotach. A Wojtyński prawdopodobnie ma kutry o jakiej takiej sprawności technicznej. Ciekawe, czy sam stanie za sterem. Jeżeli nie, to może da się nam namówić? I zagra?

Uśpiły mnie te myśli. Ekipa już chrapała.

Obudziliśmy się jakoś tak synchronicznie, wszyscy razem, koło Międzyzdrojów. Krysia stwierdziła, że jej strach się pogłębia, zarządziła więc po łyku dla kurażu i wyciągnęła z torby wolnocłowego ballantine'a.

– Wicia nie powinna, Marek nie może, chlapniemy sobie, Pawełku, po małym. Kupiłam to jeszcze latem, na specjalną okazję; uważam, że dzisiaj jest specjalna okazja, jeszcze nigdy nie odważyłam się na takie wariactwo. Boże, pływać czymś takim! Nasze zdrowie, kochani.

Chlapnęli sobie z Pawełkiem, po czym Krysia butelkę schowała. Dojeżdżaliśmy do promu, Marek, zamiast na prom dla obcych, pojechał na miejską przeprawę, bo czas nam się kurczył, a Krysia zobowiązywała się załatwić z żeglugą, że nas przepuszczą.

Jak ona robi te rzeczy, nie wiem. Ale jako kierownik produkcji umie załatwić wszystko. Powinna nosić na pleckach taki nadruk: „Rzeczy niemożliwe załatwiam natychmiast, na cuda trzeba dwie godziny poczekać".

Teraz też – dopadła faceta przy trapie i zaczęła coś gadać, rękami czyniąc dramatyczne gesty. Facet, który najpierw kręcił głową, w miarę przemowy naszej kierowniczki przestawał nią kręcić, a zaczynał kiwać. Potem zagadał coś do swojego walkie-talkie i z gestów obojga Marek wywnioskował, że możemy wjeżdżać.

Wjechaliśmy. Krysia wsiadła. Zadzwoniło. „Bielik III" ruszył. Nad Świnoujściem wstawał ścierkowaty dzień.

– Kręć, Pawełku – powiedziałam. – Parę obrazków z góry, miasto, basen rybacki, jeżeli złapiesz...

Paweł skinął głową, wziął kamerę, statyw i Marka i poszedł na pomost przy sterówce.

– Słuchaj, Wicia – zapytała mnie znienacka Krysia – a ty się naprawdę nie boisz?

– Trochę się boję. Ale widzisz, ja wierzę w człowieka. To tak samo, jak latałam samolotami albo śmigłowcem. Wychodzę z założenia, że pilot nie samobójca, będzie chciał wylądować. Rybak tak samo. Najwyżej puścimy pawia.

– Ale czy to dziecku nie zaszkodzi?

– Nie miałam czasu się zastanawiać, mam nadzieję, że nie, bo co się może stać? Za to mam teraz inne zmartwienie.

– Powiesz?

– Powiem, czemu nie. Tatunio mnie wypisał z rodziny. Powiedział, że mam sobie sama radzić, ponieważ nie przyjęłam jego propozycji pomocy.

– Nie przyjęłaś propozycji pomocy? Zwariowałaś?

– Wiesz, na czym miała polegać ta pomoc? – Niespodziewanie dla siebie samej zaczęłam się śmiać. – Ojciec zaofiarował się, że w moim imieniu da ogłoszenie matrymonialne do gazet, żeby moja dzidzia miała jednak tatusia.

Oczy Krysi powiększyły się znacznie.

– Poważnie? To jak to miało brzmieć?

– Przystojna trzydziestka w stanie błogosławionym pozna odpowiedniego pana...

Obie wpadłyśmy w chichot.

– Koniecznie dobrze sytuowanego...

– I z dobrym charakterem...

– Żeby lubił dzieci...

– I żonę...

– A nie, o lubieniu żony mowy nie było. Chodziło tylko o tego tatusia, bo kobieta sama dziecka nie wychowa, co najwyżej degenerata.

– O Jezu. I co, odstawili cię od rodzinnej piersi?

– W pewnym stopniu. Jakoś sobie będę musiała poradzić, mam jeszcze pięć miesięcy na myślenie. A na razie duży debet na koncie.

– Masz jedno konto?

– No, jedno, a ile powinnam mieć?

– Dwa – odpowiedziała ze znawstwem Krysia finansistka. – Zakładasz konto w drugim banku i kiedy przychodzą honoraria, przelewasz je z tego nowego banku do tego starego banku. Tylko trzeba uważać, żeby tym razem nie przewalić. Kartę masz?

– Miałam, ale ostatnio bankomat mi zeżarł.

– Ale bank oddaje...

– Nie przypuszczam, żeby tym razem oddał. Maszyna powiedziała: „Przykro mi, ale muszę zatrzymać twoją kartę, zgłoś się do swojego oddziału".

– Rozumiem. I tam ci powiedzieli, że już za długo masz debet?

– Tak powiedzieli, niestety...

– No to koniecznie musisz założyć nowe konto. I nie w żadnym starym banku z takim socjalistycznym, od lat ugruntowanym przekonaniem, że jesteś ich własnością, tylko w którymś z dużych nowych. One są bardziej tolerancyjne. Ja stosuję tę metodę od roku plus kasa zapomogowo-pożyczkowa i jakoś leci. No, gdzie oni są, przecież już dobijamy.

– Są, są – powiedział Paweł, wskakując do samochodu. – Krysia, a ty pogodę na dzisiaj załatwiłaś? Bo na razie to cienko wygląda...

Do obowiązków kierownika produkcji, jak wiadomo, należy również załatwianie dobrej pogody na transmisje i zdjęcia. Krysia miała i to opanowane.

– Oczywiście – prychnęła. – Będzie ładnie. Trochę powieje na początku, żebyś miał ładne falki, a potem to już nawet tej czwórki nie będzie. Dwójeczka, góra trójka...

Rekordem świata Krysi była kiedyś pogoda przy pewnej transmisji w środku zimy, a dokładniej w drugie święto Bożego Narodzenia. Graliśmy na statku, przy Wałach Chrobrego, więc Maciek, który realizował wizję, potrzebował ładnych obrazków z Wałów, Trasy Zamkowej, Zamku i okolic. Niestety, zanosiło się na to, że nie będziemy mieli nic poza wnętrzami sterówki, maszyny i salonu kapitana. A w każdym razie żadnych plenerów. Od dwóch dni panowała typowa szczecińska pogoda, przy małym mroziku lało jak z cebra, wszystko zamarzało w oczach i było ohydnie. Krysia jedna nie podzielała naszych katastroficznych nastrojów.

– Będzie ładnie, mówię przecież.

W dniu transmisji nie wierzyliśmy własnym oczom. Nad Szczecinem świeciło wspaniałe słońce, nasze plenery nabrały blasku i urody. Tylko na nabrzeżu była ślizgawka, którą Krysia zlikwidowała w pół godziny, wyrywając miejskie służby porządkowe z zimowego snu. Maciek szalał z radości w wozie za konsoletą, operatorzy za kamerami. Mieliśmy piękny program, z cudownymi obrazkami!

Po transmisji poszliśmy do pana kapitana na kawę. Minęła nam godzina na tej kawie i miłych pogaduszkach.

Zeszliśmy ze statku – znowu lało, a świat zasnuwały ciężkie chmury.

No więc skoro Krysia mówi, że będzie ładnie, to będzie ładnie.

A jednak kuter Wojtyńskiego wydał się nam strasznie malutki, zwłaszcza kiedy wyobraziliśmy go sobie na środku morza...

Kiedy tylko znaleźliśmy się na pokładzie, odbił od kei. Zanim zeszliśmy na dół, gdzie nas zapraszał gościnny właściciel (nie stał przy sterze, niestety, ale postanowiłam, że go do tego namówię), Paweł nakręcił trochę obrazków z wyjścia w morze. Potem zaczęło nas trochę kiwać.

Zainstalowaliśmy się wygodnie w pomieszczeniu na dole, śmierdzącym ostro rybami, ale za to ciepłym i przytulnym. Dostaliśmy nawet kawy.

– Proszę pana – powiedziałam do ponurego Wojtyńskiego – ja się pcham na to morze, bo robię o panu reportaż, ale po co pan tam właściwie płynie? Przecież może pan się z nimi skontaktować przez radio...

– Ja, proszę pani – odpowiedział ponury Wojtyński i prawie się uśmiechnął – płynę, bo pani chciała zobaczyć te duńskie kutry.

– Żartuje pan!

– Nie, nie żartuję. Dla mnie to, że pani robi taki materiał, jest bardzo ważne. Jeżeli ci idioci ze straży granicznej naprawdę będą chcieli aresztować Duńczyków albo zmusić ich do odpłynięcia, to ja chcę, żeby pani miała możliwość sfilmowania tego. Duńczycy to spokojni ludzie i mają z nami umowy. Nam ministerstwo jeszcze umów nie cofnęło oficjalnie, ja dostałem tylko jakiś dziwny faks w tej sprawie, a dla mnie faks nie jest dokumentem. Jak dostanę do ręki pismo, przestaniemy łowić. Natomiast dowiedziałem się ze źródeł nieoficjalnych, że jeżeli Duńczycy nie odpłyną, to o dwunastej w południe zostaną aresztowani.

– Rozumiem. A niech pan mi powie, czy te pańskie nieoficjalne źródła coś wiedzą na temat wylania dyrektora departamentu z ministerstwa?

– Wiedzą. Facet poleci, ponieważ powiedział dziennikarzom,

że decyzja o odwołaniu naszych kutrów z łowiska – to, co dostałem faksem – podjęta została pochopnie.

– To znaczy przyznał, że ministerstwo zadziałało pod naciskiem tych protestujących rybaków? Bez względu na to, kto miał rację?

– To znaczy, że powiedział prawdę. No i wyleci. Dziś, jutro. Pani Wiktorio, czy pani dobrze się czuje?

– W zasadzie dobrze – zełgałam, bo jednak robiło mi się ciut słabo. – No, może troszkę... tutaj jest ten zapach...

I odjechałam. To znaczy zemdlałam regularnie, zupełnie jak wtedy na zdjęciach.

Kiedy się ocknęłam, wisieli nade mną wszyscy, to znaczy Wojtyński, Krysia, Paweł i Marek, z bardzo przerażonymi minami. Gdzieś za nimi mignęła mi jeszcze brodata gęba szypra. I to szyper był najprzytomniejszy.

– Odsuńcie się od pani – poradził. – Pani potrzeba świeżego powietrza. Najlepiej wyprowadzić panią stąd do sterówki. Jak sobie popatrzy na niebo i chmurki, to jej się zrobi lepiej.

– Ja strasznie przepraszam – jęknęłam, bo mi było głupio. – Mnie to zaraz przejdzie...

– Wicia, ty sobie jednak chlapnij kielicha, to dobrze robi – zakomenderowała Krysia, odzyskując stanowczość. – No, wstawaj. Pan kapitan mi tu da jakiś pojemniczek, zreanimujemy redaktorkę. Temu twojemu dziecku mała ilość alkoholu nie zaszkodzi, zresztą niech się wprawia.

Zauważyłam, że oczy Wojtyńskiego zrobiły się duże jak oczy tego psa w „Krzesiwie", które widziałam, dzieckiem będąc, w teatrze Pleciuga. Nic jednak nie powiedział, wyciągnął z szafki szklaneczkę i butelkę koniaku.

– Krysiowego poproszę – zagrymasiłam, widząc, że mam wybór. Chorym się nie odmawia, więc Krysia nalała mi solidnego łyka.

– Dzidzia, ty się nie denerwuj, mamusia musi – powiedziała, podając mi lekarstwo.

Wypiłam i zakąsiłam kawą.

– To może naprawdę wyjdźmy na powietrze – poprosiłam – może od razu coś sfilmujemy, pana kapitana przy sterze, potem nie będzie na to czasu.

Wyleźliśmy na górę. Ta Kryśka jest czarownicą i kiedyś, dawno temu, spalono by ją na stosie. Słońca wprawdzie nie było widać, ale zrobiło się całkiem jasno, chyba warstwa chmur była cienka. No i wiatr zdecydowanie się zmniejszył.

– Dwójeczka – cieszyła się Krysia. – Prawda, panie kapitanie? Góra dwójeczka!

Szyper potwierdził, ku radości naszej genialnej kierowniczki produkcji.

– Nie martw się, Wicia – powiedział Paweł. – Ja ci z tego zrobię dziesięć w skali Beauforta...

– Pawełku – poczułam się nagle w pracy – rób klimaty. Dziesiątki nie musisz, ósemka wystarczy. Panie Tymonie, my tak żartujemy, nie będziemy robić picu. Morze bezkresne, chmury, kilwater, pan za sterem, przyrządy, takie sprawy. Potem spotkamy Duńczyków i w zależności od rozwoju sytuacji nagramy sobie z panem armatorem setkę.

– Co nagramy? – spytał Wojtyński.

Wyjaśniłam. Kiwnął głową, że rozumie.

Staliśmy sobie na powietrzu świeżym i pachnącym, w miejscu osłoniętym nieco przez sterówkę od wiatru. Zaczynało mi się to wszystko podobać. Już mnie nie mdliło. Ależ człowiek jest zależny od własnego żołądka...

– Pani Wiko – zapytał cicho Wojtyński – pani jest w ciąży?

– Jestem – potwierdziłam. – Czwarty miesiąc. Ale niech pan się nie martwi. Już nie będę się wygłupiać. Naprawdę, wszystko jest w najlepszym porządku.

– I mąż panią tak puścił? Przepraszam, to nie moja sprawa...

– Może pan sobie darować przepraszanie. Mąż nic do gadania nie miał, bowiem męża nie mam. Ani też nikogo mężopodobnego. Nie ma o czym mówić.

– Boże, strzeliłem gafę. To ja jednak jeszcze raz przepraszam, nie powinienem się wtrącać...

– Jeśli pan mnie jeszcze raz przeprosi, to wyskoczę za burtę, proszę pana. Rozumiem, że czysta życzliwość przez pana przemawia... no, chyba że pan się po prostu przestraszył, że narobię kłopotów. Nie narobię, słowo harcerza.

– Gdyby miało się pani coś stać przeze mnie, przez te głupie szprotki, nigdy bym sobie tego nie wybaczył.

– Po pierwsze, nic się nie stanie. Po drugie, gdyby nawet, odpukać, to przecież nie przez pana. Ja jestem reporterem i wykonuję swój zawód. Nikt mi się tu pchać nie kazał. A teraz jestem bardzo zadowolona z przejażdżki – pomijając już nawet to, że robię materiał. Widzi pan, ja lubię pływać. Nawet trochę żegluję, chociaż wyłącznie amatorsko i towarzysko. I zawsze staram się znaleźć w takiej załodze, która umie o wiele więcej ode mnie. Ale lubię wodę, małą i dużą. Na dużej rzadko bywam, więc teraz mam prywatną przyjemność.

– Twarda z pani dziewczyna – powiedział i wreszcie się uśmiechnął. Od tego uśmiechu zrobiło mi się zdecydowanie cieplej na duszy. Nagle zachciało mi się do niego przytulić...

Ale przecież jestem twarda dziewczyna.

– Nie przesadzajmy – powiedziałam lekko. – Taką mam pracę.

Pocałował mnie w rękę! I tak się ustawił, żeby mnie osłonić lepiej od wiatru, który prawie zupełnie już zdechł.

Dwadzieścia minut później zobaczyliśmy Duńczyków. Płynęli spokojnie – cztery duże kutry, ale nie widać było, żeby coś łowili. Paweł natychmiast wykonał im kilka gustownych portretów długim obiektywem. Podeszliśmy bliżej, tak żeby można było sportretować również osoby w sterówkach.

Byliśmy już całkiem niedaleko, kiedy z drugiej strony pojawiły się dwie jednostki straży granicznej. Zbliżały się bardzo powoli. Pawełek im również zrobił trochę zdjęć. Były jednak dosyć daleko i grymasił, że mu się obraz będzie trząsł.

– No i co teraz? – spytałam Wojtyńskiego.

– Teraz porozmawiam z nimi przez radio – powiedział.

Weszliśmy do sterówki. Paweł z kamerą za nami, a za nim przypięta doń kablem Krysia. Umiała zrobić dźwięk, bo kiedyś, dawno temu, zaczynała w telewizji jako dźwiękowiec. Potem coś jej się odkręciło, poszła na studia do Katowic i zdobyła patent kierownika produkcji.

– Wika, teraz już gram jak leci – szepnął do mnie Paweł. Potwierdziłam skinieniem głowy.

Radio znienacka rozgadało się samo. Po angielsku, z jakimś dziwnym akcentem, pewnie duńskim. Wojtyński odpowiadał oksfordzką angielszczyzną, ale nie słyszałam rozmowy, bo w końcu wycofałam się na pokład, żeby Pawłowi nie włazić w kadr. On zaś czynił dziwne sztuki, żeby sfilmować i gadającego Wojtyńskiego, i Duńczyka, z którym ten rozmawiał, na drugim kutrze. Celował do niego przez okienko sterówki.

Po chwili rozmowa się skończyła, Paweł odpiął się od Krysi i wyleciał na pokład.

– Co się stało? – zapytałam.

– Będą odjeżdżać – odpowiedział lakonicznie.

– Ale dlaczego? I kto, Duńczycy czy te kanonierki?

Paweł mi już nie odpowiedział, bo kombinował artystyczne ujęcie przez jakieś szpeja pokładowe. Wyminęłam go i weszłam do sterówki. Miałam wrażenie, że kręcę się idiotycznie, ale chciałam zapytać Wojtyńskiego, o czym rozmawiał i kto odjeżdża.

– Duńczycy dostali polecenie swojego rządu, żeby opuścić łowisko. To z powodu interwencji naszej straży granicznej – powiedział strapiony. – No więc nie uda mi się już tego wszystkiego odwrócić.

– Dużo pan na tym traci?

– Dużo. Muszę to jeszcze dokładnie policzyć, w każdym razie kilka milionów. I coś znacznie cenniejszego: twarz.

– Panie Tymonie – przerwałam, bo wolałam sobie to nagrać, wiedziałam, co powie, a za drugim razem nie wyszłoby mu tak szczerze i od serca. – Wolę, żeby pan mi to powiedział od razu do kamery. Oni będą zaraz odpływać?

– Zaraz. Może pani nakręcić duńskie kutry wycofujące się z polskiego morza – powiedział smętnie. – Cholera jasna. Przepraszam panią.

Znowu wyleciałam na pokład.

– Paweł, chodź tu! – wrzasnęłam, żeby mnie usłyszał na dziobie, gdzie manewrował niebezpiecznie, wykręcając się jak zwariowana baletnica, bo chciał sfilmować faceta za sterem, widocznego przez okno. – Chodź tu zaraz, zrobimy setkę.

– Teraz?

– Teraz. Na tle tych Duńczyków, co zaraz odpłyną. No chodź, potem będziesz robił te sztuki!

Poprosiliśmy Tymona, żeby stanął częściowo na tle sterówki, a częściowo na tle morza, gdzie Duńczycy właśnie robili w tył zwrot. Krysia błyskawicznie podpięła się do Pawła i dała mi do ręki mikrofon.

– Moja twoja – powiedziała. – Inaczej tu się nie da.

Kiwnęłam głową i zaczęliśmy nagranie.

– Proszę pana – zaczęłam. – Co tu się dzieje w tej chwili?

– W tej chwili duńskie kutry, które miały z nami umowę jeszcze na trzy miesiące połowów, wycofują się z łowiska. Duńscy szyprowie dostali takie polecenie od swojego rządu, który nie chciał ryzykować większych zadrażnień.

Tu z zachwytem zauważyłam, że w tejże chwili jednostki straży granicznej wpływają Pawełkowi w kadr – a przynajmniej tak to wygląda. Posłałam mu pytające spojrzenie, zrozumiał, o co mi chodzi i radośnie pokiwał głową. Wojtyński ciągnął dalej:

– Nie chciano ich także narażać nawet na cień niebezpieczeństwa. Nie chciano dopuścić do aresztowania kutrów w polskim porcie ani na polskim łowisku.

– Co to oznacza dla pana?

– Dla mnie to oznacza duże straty finansowe, kilka milionów złotych, jeszcze nie oszacowałem tej kwoty, ale dużo ważniejsza jest dla mnie utrata twarzy wobec moich duńskich kontrahentów. Dotychczas byłem dla nich wiarygodnym partnerem, zarówno dla kapitanów tych jednostek, jak i dla fabryki, której dostarczaliśmy rybę.

Widać było, że zaczyna go nosić.

– Duńczycy nie rozumieją, co tu się tak naprawdę dzieje, nie rozumieją, dlaczego zrywamy z nimi umowy, chociaż oni trzymają się ich ściśle, a nie było po drodze żadnej katastrofy. To nie tylko ja tracę twarz, proszę pani. To nasz rząd traci wiarygodność na międzynarodowym rynku. Rząd, któremu wystarczy pomachać przed nosem byle protestem, żeby pan minister wystraszył się i zrobił z siebie durnia!

– Pan sobie życzy, żebym to puściła, czy żebym to raczej wycięła?

Powietrze z niego zeszło.

– Ale jeśli pani to wytnie, to przepadnie pani taki emocjonalny kawałek – zaśmiał się, ale jego oczy nadal miały posępny wyraz.

– Nie chciałabym wykorzystywać cynicznie tego, że pan stracił panowanie nad sobą.

– Dziękuję, to miło z pani strony. Ale niech pani nie wycina, jeżeli to się pani przyda. Ja już nie mam zdrowia do tych ludzi. Oni naprawdę robią z siebie idiotów; jak my będziemy wyglądali w Europie? Co to za minister, który rozwala umowy, bo się przestraszył garstki krzykaczy? Szkoda gadać, pani Wiko. Sam smutek. No nic, będzie pani miała w każdym razie materiał i wycieczkę po wodzie, skoro pani lubi wodę.

Zaczynałam właśnie na dobre lubić jego także. Żal mi się go też zrobiło, bo niezależnie od tego, co on powie i jak głośno, ministerstwo akurat ma w nosie, że się skompromitowało. A on traci i forsę, i tę dobrą markę, na którą długo i starannie pracował. Naprawdę sam smutek.

Więcej rozmów nie graliśmy, bo jednak warunki były takie sobie i ten dźwięk nie byłby najlepszej jakości. Zresztą powiedział, co najważniejsze i co wiązało się z tymi obrazkami, komentarze dogramy post factum, kiedy już wszystko się skończy, a wiatr – nawet tylko dwójeczka – nie będzie Krysi gwizdał w mikrofonach.

Zanim wygramoliłam się z pokładu kutra na keję w Świnoujściu, Wojtyński mocno uścisnął moją rękę.

– Chciałbym wiedzieć, czy pani ten reportaż robi wyłącznie z umiłowania dla prawdy, czy też może trochę wiedziona sympatią do biednego wykiwanego, pożal się Boże, biznesmena...

Jako twarda dziewczyna mogłam odpowiedzieć tylko jedno:

– Reportaż robię, oczywiście, wyłącznie z umiłowania dla prawdy...

Uśmiechnął się krzywo i wypuścił moją dłoń.

Dokończyłam:

– ...co nie wyklucza prywatnej sympatii dla bohatera tego reportażu. Ale chyba nie pożal się Boże?

– Gangsterowi pewnie nie wypada uściskać pani redaktor na oczach tłumów?

– A co to za tłumy, paru żurnalistów. Ale chyba rzeczywiście lepiej nie.

Na nabrzeżu w istocie kłębił się tłumek dziennikarzy z prasy, radia i lokalnej telewizji. Rzucili się na Wojtyńskiego jak sępy na padlinę.

A my pojechaliśmy do domu co koń wyskoczy, bo jeden mój kolega z informacji czekał na materiały. Założyliśmy bowiem małą spółeczkę: on mi dawał swoje informacyjne archiwalia, a ja jemu – moje publicystyczne bieżączki. W ten sposób on sobie robił wszystkie Wiadomości, Panoramy i Teleekspresy, a ja w razie potrzeby miałam całe jego bogate archiwum zdjęciowe z różnych okresów do wykorzystania w moim magazynie.

Piątek, 10 listopada

Tym razem to właśnie kolega z informacji był pierwszy. Zadzwonił do mnie o świcie, czyli koło dziewiątej rano. Właśnie jechałam do roboty i byłam na trasie szybkiego ruchu.

– Mów szybko, bo muszę biegi zmieniać!

– Słuchaj, mam wiadomość od protestujących rybaków! Oskarżają Wojtyńskiego o to, że łowił za małe szprotki, niewymiarowe! Oraz dużo dorsza i łososia przy okazji. Że te kutry popłynęły do Danii, żeby nie można ich było skontrolować.

– O, skunksy! A co na to Wojtyński?

– Nie mogłem się do niego dodzwonić, telefon mu się prawdopodobnie urywa.

– W gazetach jeszcze nie było? Zauważyłabym!

– Nie, nie było, będzie dzisiaj w radiu i u nas. Gazety dadzą jutro, pewnie razem z jego komentarzem. Ale i tak jest na razie jeden zero dla nich.

– Więcej, niestety. Czekaj, za dziesięć minut będę w firmie, to spróbuję zadzwonić.

Przerwałam rozmowę i udało mi się nie rozjechać jadącego przede mną lewym pasem seicento. Wyło, rzęziło, ale pruło jak na Rajdzie Monte Carlo. Ambitne maleństwo.

Jeszcze na parkingu zaczęłam wydzwaniać Wojtyńskiego z komórki. Rzeczywiście, była zajęta i już. Ponawianie połączenia nic nie dawało.

Wściekła, dotarłam do redakcji. Otwierałam drzwi, kiedy mój telefon odezwał się ochoczą irlandzką melodyjką.

– Wojtyński.

– Panie Tymonie, czy pan już słyszał o nowym pomyśle swoich kolegów rybaków?

– Że łowiłem za małe szprotki? Wiem, przeciekło. Teraz będę łobuzem, który doprowadza stado szprota do wyginięcia, niszczy młodzież. Bezwzględna świnia. Nieźle.

– I co pan na to?

– Właśnie myślę. Oni to dzisiaj na pewno podadzą w radiu i telewizji; jutro w gazetach, tych, które wychodzą w sobotę, powinna być moja odpowiedź. Niech mi pani powie: czy dziennikarze zgodziliby się jechać do Danii – na mój koszt – i uczestniczyć w kontroli na duńskim nabrzeżu, tam gdzie te szprotki odstawiamy? Chyba nikt nie posądzi duńskiej fiszkontroli o stronniczość. Zresztą mógłbym zabrać też polskich inspektorów.

– Dziennikarze mogliby się zgodzić. Ale lepiej chyba na koszt redakcji. Bo natychmiast byłoby, że pan ich przekupuje wycieczką do Danii. Nie wiem, jak z polskimi inspektorami, bo dla nich delegacji na pewno nie będzie, ale ich może mógłby pan zabrać. I najlepiej przedstawiciela tych protestantów. Może pan Kratky by pojechał?

– Kratky... Wątpię, on nie lubi konkretnych argumentów, zwłaszcza na swoją niekorzyść. Przecież on doskonale wie, że ja nie łowię niewymiarowych ryb. Pani by pojechała?

– Jeżeli tylko Krysia znajdzie forsę w budżecie. Pojechalibyśmy, oczywiście. A nie może pan ogłosić konferencji prasowej dla polskich dziennikarzy w Danii? To daleko? Z której strony?

– Daleko, niestety. Nie od Kopenhagi, tylko wręcz przeciwnie, nad samym Morzem Północnym. Na zachodnim wybrzeżu Jutlandii.

– No dobrze, ale i tak trąbią o panu wszystkie najpoważniejsze media. Przynajmniej niektóre powinny mieć forsę albo może korespondentów. Nie wiem. Przecież pan zna tych dziennikarzy, którzy o panu piszą, niech pan do nich zadzwoni i powie, co jest na rzeczy, to pan się zorientuje, czy chcieliby pojechać.

– A pani sprawdzi ten swój budżet...

– Sprawdzę i natychmiast dam panu znać. Kiedy by to było?

– W poniedziałek chyba, wcześnie rano, trzeba by już tam być przy kontroli. No więc w niedzielę warto się przespać w hotelu, tam jest taki mały hotelik, to już bym wszystkim miejsca pozamawiał.

– No dobrze, to działajmy.

– Boże, nie pomyślałem...

– O czym?

– W pani stanie... Ależ ze mnie bezwzględny idiota! Pani Wiko, pani jednak nie powinna jechać. To kawał drogi. Wymęczy się pani.

– O nie, kochany! Takiej przyjemności sobie nie odmówię! A czuję się bardzo dobrze i nic mi sie nie stanie. Samochód mamy wygodny, prom też, jak sądzę. Nie mówmy o tym więcej. Jadę i już.

– A jeśli poczuje się pani gorzej?

– To mnie będziecie ratować. Jacyś lekarze w tej Danii chyba są, odpukać...

– Podobno są. Pani Wiko, jest pani cudowna, mówiłem to pani może?

– Niestety, zaniedbał pan. Proszę mi to mówić jak najczęściej. Do usłyszenia.

– Jeżeli pani się do mnie nie dodzwoni, proszę nie próbować. Oddzwonię po pani pierwszym telefonie.

– Powodzenia.

– Dziękuję.

– No to na razie, bo nigdy się nie rozłączymy... Podrywa mnie, czy co?

– Może to by nie był zły pomysł...

– Panie Tymonie, szprotki czekają!

Wyłączyłam komórkę pierwsza. I natychmiast zadzwoniłam do kolegi z informacji.

– Filip, słuchaj! Wojtyński woła dziennikarzy do Danii, żeby się sami przekonali, że szprotki w ładowniach są w porządku. Dziennikarzy, naszych inspektorów – żeby nie było mowy, że duńska kontrola oszukuje, i kogoś z protestujących. Niech on ci to wszystko powie przez telefon, obrazki przecież masz. Ja prawdopodobnie pojadę tam z ekipą, więc dostaniesz korespondencję. A jak wrócę, masz pierwszeństwo do moich obrazków. Jakbyś się nie mógł do niego dodzwonić, zgłoś się do mnie!

Potem poleciałam do Krysi, która natychmiast postanowiła, że teraz też pojedzie robić dźwięk za Bereta.

– Bał się kutra, to powinien też bać się promu – powiedziała stanowczo. – Prom też kiwa! „Heweliusz" się utopił.

– Krysia, a my mamy pieniądze?

– Mamy, nie mamy, ty się nie martw. Coś mi tam zostało z poprzednich odcinków, braliśmy dużo archiwaliów, zaoszczędziłam na ekipie. Kiedy jedziemy?

– Trzeba by w sobotę, najlepiej promem do Kopenhagi, a potem i tak musimy przejechać całą Danię, bo to jest gdzieś nad Morzem Północnym. Albo odwrotnie: jechać przez Niemcy i przeprawić się niemieckim promem.

– Nie, lepiej naszym, zaoszczędzimy dzień. Dobra, to ja zamawiam bilety, a ty potwierdź, że jedziemy. A jak z hotelem?

– Wojtyński zamówi.

– Bardzo dobrze. Szefów zawiadomisz?

– Tak, oczywiście. – Kurczę blade, jeszcze się muszę wytłumaczyć przed kierownictwem!

Kierownictwo na szczęście nie zgłaszało sprzeciwów. Program mój, informacji dostarczę, do Warszawy też pójdzie. Mogę sobie jechać. Jeżeli nie przekroczę budżetu.

No dobrze, to już Krysiowy łeb.

Komórka dzwoni. Wojtyński.

– No i jak, pani Wiko?

– Jedziemy! A jak inni?

– Nie wie pani nawet, jak się cieszę...

– Ja też się cieszę... A jak inni?

– A, inni... Też jadą. Będzie facet z RMF i troje prasowców. Teraz jeszcze spróbuję załatwić inspektorów. Pani Wiko, to miasteczko nazywa się Thyboron, będę na was czekał w hotelu. Ten sam skład, co u mnie na kutrze?

– Ten sam.

– I kiedy spodziewacie się dojechać?

– W niedzielę wczesnym wieczorem. Gdybyśmy zabłądzili, będziemy do pana dzwonić na komórkę. No to pozdrawiam.

– Do zobaczenia nad Morzem Północnym...

Ten gangster, niestety, wywołuje we mnie coraz cieplejsze uczucia. To nie jest dobrze, ponieważ...

Ponieważ co właściwie? Czy samotna trzydziestotrzyletnia dziennikarka w ciąży nie może się zakochać?

W zasadzie może, ale nie powinna na nic liczyć, nawet przygoda nie wchodzi w grę, po co komu baba w ciąży! Żeby chociaż z odchowanym dzieckiem.

Ale on też robi wrażenie, jakby...

Jakby co? Jakby co?! No to co, że robi wrażenie. Najprawdopodobniej mu zależy na dobrych stosunkach z telewizją, bo jest w trudnej sytuacji, a telewizja może mu bardzo pomóc, jeżeli go przedstawi we właściwym świetle. To znaczy w korzystnym dla niego świetle.

No a w jakim, do ciężkiej armaty, mam go przedstawić?! Nie zrobię z niego świni, bo nią nie jest. Ani hochsztaplera, bo też nim nie jest. Ani cwaniaka, ani łapówkarza, jak chce ten idiota ze związków zawodowych, ani bezwzględnego wykorzystywacza masy pracującej, bo sama widziałam tę masę na własne oczy i widziałam jej przemożną chęć do pracy.

Facet jest porządny, wykształcił się i pracuje, jak potrafi. Nie po to robił te dyplomy, żeby teraz uganiać się po Bałtyku osobiście. Poza tym wszystko mi udowadnia! Papiery ma, umowy, kwity! A ci jego przeciwnicy jeszcze mi nie dali żadnego konkretu do ręki!

Troszczy się o mnie. To chyba nie jest poza ani oszustwo.

Oczywiście. Na diabła mu chora, albo nie daj Boże nieżywa dziennikarka na garbie! Wiktorio, bądź przytomna. Popatrz w lustro. Żadna rewelacja. A tu facet przystojny, dobrze sytuowany, bo jeśli może stracić kilka milionów, to znaczy, że ma kilka milionów, a na dodatek jeszcze niebanalny.

No właśnie. Niebanalny. Ma poczucie humoru. I jest sympatyczny.

I ciągnie mnie do niego!

No to niech cię ciągnie, nie musisz mu od razu tego komunikować. Opanuj się, głupia kobieto! Lecisz na niego, bo w ogóle przydałaby ci się męska ręka w twojej sytuacji, co?

Tak, do diabła! Męska ręka i męskie ramię, na którym mogłabym popłakać nad swoim ciężkim losem! I nie tylko to! Kto powiedział, że baba w ciąży musi stracić zainteresowanie mężczyznami? Jestem normalną, młodą kobietą! Może są piękniejsze ode mnie, ale co z tego wynika? Że powinnam się utopić?

No, jeżeli ostatecznie dojdę do takiego wniosku, to będę miała okazję jutro. Jakoś tam do burty tego promu chyba można dojść?

Zaczęłam się zastanawiać nad zabezpieczeniami dla pasażerów promów pełnomorskich i jakoś przestałam użalać się nad sobą. Swoją drogą to ciekawe. Kilka razy już płynęłam promem, robiliśmy zdjęcia z różnych napowietrznych galeryjek, ale czy stamtąd dałoby się wyskoczyć za burtę? Do wachy?

Bo rozplackania się na jakimś pokładzie pod spodem wolałabym raczej nie brać pod uwagę. Chociażby ze względów estetycznych.

Sobota, 11 listopada

Na wszelki wypadek zadzwoniłam do pani profesor. Opowiedziałam jej o moich ostatnich wyczynach i zapytałam, czy mogę kontynuować.

– Kiedy pani miała do mnie się zgłosić?

– Umówiłyśmy się na przyszły czwartek.

– Aha... to znaczy jeszcze pani nie zawaliła terminu. A jak się pani czuje? Zwłaszcza po tym rejsie?

– A co to za rejs, zaraz rejs. Wycieczka w morze na parę godzin. Bardzo dobrze się czuję! Pani profesor, ja tylko uprawiam normalne życie zawodowe, przecież stale gdzieś jeżdżę.

– Żadnych sensacji nie było? Na pewno?

– No... tylko na tym kutrze zemdlałam na chwilę, ale tam strasznie śmierdziało i kiwało. Zdrowego by obaliło. Wie pani, pod pokładem zawsze gorzej. Jak wyszłam na górę, poczułam się doskonale.

– Pani Wiko, niech pani jedzie, skoro pani musi. À propos, czy pani na pewno musi?

– Może i nie muszę tak dosłownie. Ale proszę mnie zrozumieć: robię dobry, dynamiczny reportaż i przy okazji bronię porządnego człowieka, na którego jest nagonka. Sama pani wie, telewizja ma największą siłę przebicia. Jeśli my udowodnimy, że on jest w porządku, to będzie miało duże znaczenie.

– Rozumiem pani motywację. Tylko proszę nie szarżować. Jest pani zdrowa i nie powinno się nic stać, ale jak tylko pani wróci, proszę przyjść do mnie.

– No to akurat będzie ten czwartek.

– Proszę dbać o siebie, odpoczywać w tej podróży, ile się da, na promie spać, a nie siedzieć w barze do późnej nocy. Niech pani pamięta, jeśli pani o siebie nie zadba, to nikt o panią nie zadba. A pani dziecku będzie potrzebna mamusia w kondycji!

Taktowna kobieta. Nie dodała: z braku tatusia. Ale oczywiście ma rację.

Będziemy uważać, dzidzia. A teraz bierzemy się za pakowanie, bo nasz prom odpływa za kilka godzin, a jeszcze trzeba przecież dojechać do Świnoujścia.

Niedziela, 12 listopada

Właściwie to nie lubię promów. Takie pływające miasteczka, strasznie ciasne. Bary nigdy mnie właściwie nie interesowały, jeżeli płynę nocą, to od razu kładę się do łóżeczka. Tym razem było podobnie, tylko jeszcze nieco bardziej niż zwykle denerwowała mnie potwornie ciasna łazienka.

– Nie grymaś, Wicia – powiedziała Krysia, z którą dzieliłam kabinę. – Ta afera mogłaby się wydarzyć, jak byś już była w dziewiątym miesiącu. I wtedy w ogóle byś pod prysznic nie wlazła. A jakbyś chciała posiedzieć na kibelku, to musiałabym wychodzić z kabiny, bo nie zamknęłyby się drzwi!

Fakt.

O poranku, kiedy zbliżaliśmy się już do cudownej Kopenhagi, wysłałyśmy Pawła na pokład spacerowy, żeby machnął kilka obrazków – jeżeli nawet nie do tego materiału, to przydadzą się na zaś – a my popędziłyśmy do sklepu wolnocłowego, popatrzeć na kosmetyki.

– Nic jeszcze nie kupuj – nakazała Krysia, jak zwykle przytomna. – Nie wiadomo, czy nie trafimy jeszcze jakiegoś wolnego cła po drodze, coś tam było mówione o powrocie przez Ystad, to byśmy płynęli z Danii do Szwecji; może na tych skandynawskich promach będą lepsze ceny...

Nic jednak nie stało na przeszkodzie, żebyśmy sobie trochę powąchały i popsikały się próbkami; wygląda zresztą na to, że wszystkie niewiasty obecne na promie zrobiły to samo, bo kiedy opuszczaliśmy prom, wokół nas woniało jak w paryskiej perfumerii.

Stary Goethe miałby swoją „wieczną kobiecość"!

Zjechaliśmy z promu, Pawełek mimochodem trzepnął jeszcze parę ujęć i – siłą woli powstrzymawszy się przed obejrzeniem sobie Kopenhagi – ruszyliśmy na zachód. W Kalundborgu mieliśmy przeprawę przez Bełt do Arhus. Z tym jednak promem nie wiązałyśmy – Krysia i ja – żadnych perfumeryjnych nadziei, bo to była przeprawa duńsko-duńska, a nam potrzebne były wody między-narodowe. Przepłynęliśmy Bełt bez przeszkód i bez atrakcji, a potem musieliśmy jeszcze przejechać w poprzek praktycznie całą Jutlandię. W poprzek i lekko w górę, bo to całe Thyboron jest dosyć daleko na północ. Jakieś trzy stopnie szerokości geograficznej wyżej od Szczecina, nawiasem mówiąc. Miało prawo być zimniej.

Ale jakoś nie było. Mizerne, bo mizerne, ale jednak słonko świeciło.

Marek się nie spieszył, bo nie lubił się spieszyć w obcym kraju. Spodobała mi się Dania. Coś w niej jest spokojnego. Nigdy nie ciągnęło mnie do tropików, a teraz te chłodne krajobrazy sprawiały mi przyjemność. No i dużo wody mają, wodę też lubię, jak się rzekło.

Jedynym elementem wprowadzającym niepokój były powtarzane od jakiejś piętnastej co kwadrans mniej więcej telefony Filipa, który żądał korespondencji.

– Filip, przestań dzwonić – prosiłam. – Co ja ci powiem, że jedziemy? Jak zajedziemy, to do ciebie zadzwonię.

Ale Filip nie wierzył i dalej dzwonił.

Do Thyboron dotarliśmy już dobrze po zmierzchu. Hotel znaleźliśmy bez trudu, bo po drodze były reklamy.

Oczywiście pierwszym człowiekiem, którego tam zobaczyliśmy, był Tymon Wojtyński. Flirtował sobie spokojnie z przeraźliwej urody Dunką w recepcji. Na nasz widok porzucił Dunkę i przyleciał się witać.

– Jak to miło, że już jesteście. Pokoje czekają. Cztery pojedyncze, dobrze zamówiłem?

– Genialnie, panie Tymonie. A reszta żurnalistów jest już?

– Są wszyscy, nawet inspektora rybołówstwa przywiozłem, przyjechaliśmy wspólnie, ja zabrałem inspektora i dwóch panów z prasy, a dziewczyna przyjechała z człowiekiem z RMF. Dobrze, że już jesteście, bo planowałem wspólną kolację. Czy to też będzie potraktowane jak łapówka?

– A to zależy od tego, co będzie na kolację – powiedziała Krysia. – Jeżeli wyłącznie kawior i szampan, to owszem.

– No to nie zaryzykuję – powiedział Tymon prawie pogodnie. – Zadysponuję skakane pyry i syfon... albo coś w tym rodzaju.

Proszę się teraz rozgościć, odświeżyć, odsapnąć. Spotkamy się za pół godziny?

– Może za czterdzieści minut – poprosiłam. – Obiecałam kolegom, że im nadam telefonem korespondencję. Chciałabym, żeby pan mi powiedział szybciutko, jaka jest sytuacja.

– To siądźmy tu na chwilkę – wskazał stolik z paroma fotelami w kącie holu.

Koleżeństwo poszło sobie na górę, a my usiedliśmy naprzeciwko siebie w tym kącie.

– Jak to dobrze widzieć tu panią, pani Wiko. Zaczynam mieć nadzieję, że to wszystko jednak się dobrze skończy. To dlatego, że pani tu jest.

– Ale ci gazeciarze też panu sprzyjają. I kolega z RMF na pewno też, który to? Pawłowicz?

– Tak, chyba tak. Taki młody, sympatyczny.

– Oni wszyscy tam są młodzi. Zresztą teraz pan udowodni, że jest pan w porządku. Przecież nie będą pisać nieprawdy.

– Obawiam się, że to niewiele da. Moi przeciwnicy wymyślą kolejne oskarżenia.

– Ale jakie, na Boga?

– Jeszcze nie wiem. Ja nie mam tak rozwiniętej fantazji jak oni. No i pieniędzy też nie odzyskam. Co straciłem, to straciłem.

Uśmiechnął się niespodziewanie. Jaki on ma miły uśmiech... I te oczy, pogodne, jakby nic się nie stało. I te sympatyczne kurze łapki wokół oczu...

– Ale może i coś zyskałem dzięki tej aferze.

Nie odważyłam się zapytać, co mianowicie. Mógłby powiedzieć nie to, co ja chciałam, żeby powiedział. Zresztą właśnie zadzwonił niezawodny w praniu Filip.

– No, masz już coś? Bo ja chcę dać do głównego wydania o osiemnastej i Warszawka od nas bierze! A ja to jeszcze będę musiał zmontować z obrazkami!

– Co się tak gorączkujesz? Możesz nagrywać?

– O Jezu, przecież nie tu – przestraszył się Filip. – Jestem w redakcji, poczekaj, przejdę do reżyserki!

Wiedziałam, że będzie musiał tam przejść, dlatego mogłam mu powiedzieć, że jestem gotowa. A nie całkiem byłam.

– Panie Tymonie, szybciutko: co jest grane?

– Wszystko zgodnie z planem. Kutry już są, wszystkie cztery, jeszcze w nocy zacznie się rozładunek, a od rana będą przeprowadzane równolegle dwie kontrole: nasza i duńska.

– Czemu nie przyjechali żadni protestanci?

– Nie wiem, zapraszałem.

– Ten rozładunek to gdzie?

– Bezpośrednio do przetwórni. Zobaczy pani rano, to idzie rurą z ładowni prosto do mączkarni.

– Duńczycy co mówią?

– Są wściekli. Już wiedzą, że mają z głowy umowę ze mną. Ja im, naturalnie, zapłacę odszkodowanie, ale łowiąc, zarobiliby więcej. Poza tym wstrząsnęło nimi to, że jednak wysłaliśmy na nich te pływające armaty. Zapowiedzieli, że polskie kutry będą w Danii bojkotowane.

– Czego pan się spodziewa po tej kontroli?

– Tylko potwierdzenia, że jestem uczciwy. Poza satysfakcją moralną nic mi to już dać nie może.

– To po co pan robi tę zadymę?

– Bo mi zależy na dobrej opinii. Nie lubię uchodzić za łobuza i chachmęta.

Telefon zagrał irlandzki tanuszek.

– To ty, Filipku?

– Powiedz parę słów na próbę...

– Tu Wiktoria Sokołowska, specjalny korespondent wojenny z ramienia Filipa Lewańczyka, mówi do was z Thybo... coś tam, w każdym razie z Danii... Filip, jak rozumiem, ty sobie wstęp ideolo sam zrobisz, a ja ci daję tylko konkrety?

– Oczywiście! Dobra, możesz mówić.

Sprężyłam się, wysiłkiem woli oderwałam myśli od wpatrzonego we mnie Tymona i poleciałam jak przeciąg:

– Do duńskiego portu Thyboron nad Morzem Północnym zawinęły już cztery duńskie kutry czarterowane przez polskiego armatora, Tymona Wojtyńskiego. Jutro wczesnym rankiem rozpocznie się tutaj kontrolowany wyładunek szprota z tychże kutrów. Kontrolę przeprowadzą inspektorzy duńscy i polscy. Chodzi o stwierdzenie, czy rzeczywiście – o co oskarżają Tymona Wojtyńskiego polscy rybacy – łowił on ryby za małe, niemieszczące się w normatywie, co mogłoby prowadzić do wytrzebienia

szprota w Bałtyku. Kontrolerzy będą również szukać nielegalnie
złowionych dorszy i łososi. Niestety, nie ma tu z nami żadnego
przedstawiciela protestujących rybaków, którzy doprowadzili do
tej sytuacji. Zarówno Wojtyński, jak i duńscy szyprowie, którzy
dla niego pracowali, są pewni, iż kontrola potwierdzi ich niewin-
ność w tym względzie. Duńscy szyprowie są oburzeni wypędze-
niem ich z łowiska przez jednostki polskiej straży granicznej i zapowiadają bojkot polskich kutrów rybackich zawijających do
portów Danii. Z Thyboron w Danii – Wiktoria Sokołowska.

– Koniec?
– Koniec. Nagrało się?
– Czekaj, sprawdzimy. Okay, możesz iść na kolację.
– Skąd wiesz, Filipku? Właśnie idziemy na zasłużoną kolację.
Buziaczki.
– No, pa, Wikuś, dziekuję. Jutro o której mi coś dasz?
– Nawet całkiem rano – powiedziałam lekko i zwróciłam się
do Wojtyńskiego: – O której zaczynamy?
– Możemy już od piątej...
– Filip, dzwoń dowolnie wcześnie. Cześć.
– No, no – powiedział z podziwem Wojtyński. – Ależ pani ma
gadane.
– Lata pracy. To ja bym może poszła jakiś prysznic, te rzeczy.
Mam jeszcze pół godziny, może też położę się na dziesięć minut.
– Pani Wiko, a może chce się pani przespać? Może wolałaby
pani nigdzie nie chodzić, ja bym załatwił pani jakąś kolację do
pokoju? Jak pani się czuje?
– Trochę jestem zmęczona, ale nie przesadzajmy. Każdy by
był. Chętnie pójdę z wami. To nie w hotelu?
– Nie, dwie ulice dalej. Podjechać samochodem?
– A długie te ulice?
– Nie bardzo...
– To chętnie się przejdę, w końcu siedziałam cały dzień w sa-
mochodzie.
Zaniósł mi torbę pod drzwi. Wziął mnie za rękę i powiedział
ciepło:
– Pani Wiko, kochana, niech pani spokojnie się położy i od-
pocznie, ja ich spróbuję zająć przez jakiś czas, będzie pani miała
dodatkowe pół godziny relaksu. Chce pani?

– No pewnie.

– Dobrze, to jak już będą wyć z głodu, przyjdę po panią. Na razie.

Nieźle się musiał nimi zajmować, bo długo nie wyli. Dał mi bitą godzinę na odpoczynek. Przydała mi się, bo czułam, że jestem stara, chora, brzydka, brudna, w ciąży i zaraz urodzę. Kiedy po mnie przyszedł, byłam już w jakiej takiej formie. Nawet makijaż zdążyłam sobie odświeżyć. Oraz umyć włosy. Oraz popsikać się moją ukochaną trójką Givenchy.

No i niestety natychmiast, gdy go zobaczyłam, zapragnęłam rzucić mu się w objęcia i pozostać tam na dłużej.

Z wielu przyczyn nie wchodziło to w grę.

A on też wyglądał, jakby chciał mnie wziąć w ramiona czy coś takiego.

Wydaje ci się, Wiktorio! Masz halucynacje ze zmęczenia!

Tak czy inaczej, poprzestaliśmy na wymianie komplementów.

– Ależ pani ślicznie wygląda. Jak to dobrze, że mogła pani trochę odetchnąć. A co za piękny zapach... Nigdy go nie spotkałem.

– Zapachu? Bo to staroświeckie perfumy, dawno niemodne. Cieszę sie, że się panu podobają, to moje ulubione.

– Od dzisiaj moje także.

– Pan też elegancki szaleńczo wprost. Nie uprzedzał pan, że będą potrzebne stroje wieczorowe.

– No i nie są! Chodźmy, bo oni naprawdę zaczynają już wyć.

Oczywiście nie był w stroju wieczorowym, ale wyglądał znakomicie w jakichś takich miękkich tweedach, dobranych w kilku odcieniach szarości podkreślających kolor jego oczu. Sam sobie to wykombinował, czy ta jego odseparowana żona go tak dopracowała kolorystycznie? Chciałabym to wiedzieć. No i nie powtarzałam już numeru z chwaleniem perfum, ale pachniał nadzwyczajnie. Też nie wiedziałam co to, ale postanowiłam, że zapytam kiedy indziej.

Dziennikarze okazali się, oczywiście, sami znajomi. Inspektor był obcy, ale dość kontaktowy. Miał chyba przeczucie, że przyjechał tu zrobić z siebie idiotę i to go wprawiało we frustrację. Dawał temu wyraz co jakiś czas.

Poszliśmy do małej restauracyjki, przytulnej i sympatycznej. Kolacja była bardzo dobra, chociaż nie składała się z kawioru i szampana. Jakieś ryby, sałatki, takie tam proste rzeczy. Tymon, który nas zapraszał, nie chciał widocznie żadnej ostentacji. Żeby nieco pocieszyć inspektora, zamówiliśmy koniak na wspólny koszt. Oczywiście nie piłam, bo mi tego rozsądek zabraniał, a poza tym nie miałam ochoty.

Zauważyłam, że Tymon też nie pije. W ogóle gdzieś tak od połowy biesiady wyglądał, jakby znowu zaczynał się denerwować.

A niesłusznie, bowiem wszyscy żurnaliści, a i inspektor chyba także, mieli już wyrobione zdanie w tej sprawie.

Dał temu wyraz najstarszy z nas, kolega z lokalnego dziennika, niejaki Włodek, proponując totalnego brudzia.

– Kochani – powiedział – przyjechaliśmy tu wszyscy w tym samym celu. Żeby dać świadectwo prawdzie. Jak znam życie, prawda będzie po naszej stronie. To nas łączy. Wypijmy ten szlachetny trunek i od tej chwili mówmy sobie „ty"!

Nagrodziliśmy wystąpienie oklaskami. Podnieśliśmy kielichy (ja z mineralną), ale jeszcze kolega z radia wniósł poprawkę płynącą z rozsądku:

– Z jednym wyjątkiem, kochani – rzekł stanowczo. – Kolegów prasowców to nie dotyczy, ale pani Wiktoria, to znaczy Wiktoria mnie chyba wyczuwa?

– Z wyjątkiem anteny – powiedziałam. – Na antenie pozostajemy z panem Tymonem i panem inspektorem na pan!

– Zgadza się – powiedział radiowiec. – Panowie rozumieją? Na antenie nam nie wypada; nam, to znaczy wam też.

– Absolutnie rozumiemy – oświadczył inspektor, również w imieniu Tymona. – Nie możemy ryzykować, że ktoś uzna nas za towarzystwo wzajemnej adoracji.

Nic już nie stało na przeszkodzie i wypiliśmy toast, powtórnie wzniesiony przez Włodka. Przez chwilę napotkałam wzrok Tymona. Uśmiechnął się.

– A gdyby jednak okazało się, że jestem hochsztaplerem? – powtórzył pytanie, które zadał mi przy pierwszym spotkaniu.

Odpowiedział mu chóralny śmiech.

– To byśmy to pracowicie opisali! – zawołała radośnie Hanka ze świnoujskiej gazety.

– I mielibyśmy większą oglądalność – zauważyła Krysia. – U nas lepiej się sprzedaje hochsztaplerstwo i aferalność prawdziwa od pomówionej.

Posypały się kolejne domniemania. Wszystko to razem wzbudziło w nas ogromną wesołość. Prawie zapomnieliśmy, że jesteśmy tu w jakiejś sprawie.

Tymon nie zapomniał. Śmiał się razem z nami, ale nie była to wesołość do końca autentyczna. Może myślał o tym, że niezależnie od tego, czy jest hochsztaplerem czy przyzwoitym człowiekiem, już go w jakimś sensie wykończono.

Odechciało mi się śmiać. Znów poczułam zmęczenie. Towarzystwo bawiło się świetnie i nikt nie myślał o tym, że trzeba będzie wstać w środku nocy, ale żadne z nich nie było przecież w ciąży! Chętnie wymknęłabym się po angielsku, ale siedziałam w środku, upchnięta między Pawła i Włodka.

– Przepraszam was, kochani. Ja wiem, że jest idiotycznie wcześnie, ale nie czuję się dobrze i idę spać. Spotkamy się na nabrzeżu. Bawcie się cudnie, pa, pa, dobranoc.

I zaczęłam się wygrzebywać spomiędzy kolegów. Nie doceniłam jednak życzliwości mojej ekipy.

– Wicia, co ci jest? – spytał gwałtownie Paweł, przytrzymując mnie za ramię. Krysia zerwała się na równe nogi. Marek znieruchomiał.

– Mam lecieć po samochód? – spytał niepewnie.

Przy stole zrobiło się cicho i wszyscy spojrzeli na mnie. Tymon był zaniepokojony. Musiałam wyjaśnić sprawę.

– Nic mi nie jest! Zmęczyłam się tą podróżą. Chcę się położyć.

– Aaaa, to nie przeszkoda! Wszyscy jesteśmy zmęczeni podróżą! – zawołał Włodek, a reszta nieuświadomionych natychmiast zawtórowała mu zgodnie:

– Siadaj, Wicia! Nie rób nam przykrości!

– Spanie o tej porze szkodzi.

– Telewizja musi napić się z prasą!

Nie wytrzymałam i trzepnęłam Pawła przez rudy łeb.

– Widzisz, coś narobił, histeryku?

Reakcja była błyskawiczna. Paweł zerwał się i powiadomił wszystkich obecnych:

– Proszę państwa! Wicia rzeczywiście musi iść odpocząć. Wicia jest w ciąży! Nie można jej tak eksploatować! Bo jeszcze dzidziusiowi zaszkodzi i będziemy mieli zbiorowe wyrzuty sumienia!

Towarzystwo zaakceptowało tłumaczenie. Rozległy się przychylne okrzyki i przepuszczono mnie do drzwi. Widziałam, że z drugiej strony przepycha się Tymon.

– Odprowadzę tylko Wikę do hotelu i wrócę do was – powiedział do najbliżej siedzącej Krysi.

Włodek już wznosił kolejny toast:

– Koleżanki i koledzy: zdrowie dzidziusia!

– Zdrowie! Jak będzie chłopiec, nazwij go Hamlet! Na cześć gościnnej Danii!

– A jak dziewczynka, Szprotka!

Wydostałam się wreszcie i dotarłam do szatni, a właściwie przedpokoju, gdzie na hakach wisiała nasza garderoba. Bez dozoru, ale Duńczycy nie kradną, więc nie trzeba tam pilnować ubrań. Tymon odprowadził mnie do hotelu, przy czym miałam wrażenie, że po drodze cały czas oboje powstrzymujemy się dzielnie od rzucenia się sobie w objęcia.

Na pewno mi się tak tylko zdawało. To znaczy, jeżeli o niego chodzi, bo moje własne uczucia już mi się chyba wyklarowały. Ale nie miałam już sił na ich precyzowanie. Runęłam spać z wizją nieco ponurego, ale jednak uśmiechniętego Tymona pod powiekami.

Poniedziałek, 13 listopada

Morderczy dzień. Zaczął się w środku nocy.

Troskliwy Pawełek przyleciał pod drzwi słuchać, czy się ruszam, już o wpół do piątej. Wygrzebaliśmy się i średnio przytomni zjedliśmy, co nam zaspane Dunki przygotowały. Oczywiście, Tymon załatwił to wcześniej, bo nam by do głowy nie przyszło i pojechalibyśmy do roboty na głodniaka.

Potem Marek poszedł na parking po samochód i wrócił, używając wielu wyrażeń nigdy niestosowanych w dyplomacji. Z jego kwiecistej przemowy wynikało, że wczorajszą pogodną skandynawską jesień zastąpiła zajadła skandynawska zima.

Pozakładaliśmy na siebie wszystko, cośmy przewidująco pozabierali i wyszliśmy z hotelu. Natychmiast cofnęło nas z powrotem. Zaangażowaliśmy maksimum siły charakteru i wyszliśmy jeszcze raz.

Zawieja. Po prostu. Krysi po raz pierwszy w karierze nie udało się załatwić dobrej pogody na zdjęciach.

Marek robił, co mógł, żebyśmy dojechali w całości i nawet dojechaliśmy, ale co przeżył, to jego.

Droga była po prostu upiorna, więc spodziewaliśmy się wszystkiego najgorszego po dotarciu do portu. A tymczasem tam właśnie wicher jakoś złagodniał, tylko ta śnieżna zawierucha hulała sobie malowniczo.

Z daleka dostrzegliśmy stojące przy kei kutry, przy których kręcili się ludzie. Podjechaliśmy i od razu wyciągnęliśmy sprzęt, bo ta zawieja może i była wredna, ale za to fajnie wyglądała. Nabrzeże oświetlone było silnymi lampami, tak że nawet Paweł nie pyskował, że mu za ciemno. Wyjął kamerę, zabezpieczył przed wilgocią przezroczystym pokrowcem, zwyczajowo acz nieprzyzwoicie zwanym kondonikiem i ruszyliśmy do boju.

Dopiero w bezpośredniej bliskości kutra poczułam smrodek ryby. Ciekawostka. U nas w kraju, jak już jest przetwórnia, to rybi cuch leci na trzy kilometry dookoła. Okazało się, że to z powodu sposobu, w jaki rybka dostarczana była do mączkarni. Żadnego przenoszenia skrzynek i sypania rybim śmieciem po drodze. Ogromna rura wyłażąca nie wiadomo skąd sięgała głęboko do ładowni. Jednostajny łomot świadczył o tym, że rura pracuje i zasysa kontrowersyjne szprotki, przenosząc je bezpośrednio do przetwórni.

Paweł z miejsca przejął się atmosferą pracy, wziął kamerę na ramię i poszedł filmować to wszystko – te kutry w zamieci, pracujących ludzi, krążące mewy, oświetlone niesamowitym blaskiem reflektorów na tle czarnej wody. Obrazki!

Poczułam, że ktoś obejmuje mnie z tyłu za ramiona. Tymon, oczywiście... bo któż by?

– Jak samopoczucie? Nie wiem, czy to już pora na „dzień dobry"...

– Witaj, aferzysto. Jakie dzień dobry, środek nocy polarnej!

– Fatalnie wyszło z tą pogodą, a tak było ładnie! Wprawdzie jakieś tam prognozy niepomyślne były, ale miałem nadzieję, że się omsknie. Jak spałaś?

– Dobrze, tylko krótko! – Zaśmiałam się. – Cieszę się, że cię widzę – wymknęło mi się kompletnie bez sensu.

– Nie masz pojęcia, jak ja się cieszę, że ciebie tutaj widzę.

Oprzytomniałam.

– A właśnie. Gdzie reszta?

– Dziennikarze poszli na kawę, tu jest taki mały barek. A kontroler kontroluje!

– Nie żartuj, naprawdę?

– Naprawdę. Wygląda to dosyć śmiesznie, pamiętasz, jak on wczoraj płakał, że przyjechał w celu zrobienia z siebie idioty? No i właśnie go robi.

– Co, mierzy rybki centymetrem krawieckim?

– Nie, linijką szkolną...

– No nie, ja cię proszę!

– Słowo honoru.

– Jak to linijką?

– On nam jeszcze wczoraj opowiadał, już po twoim wyjściu, że ten jego cały dyrektor przysłał go tu z marszu. Nawet nie zdążył wziąć żadnych pieniędzy, ja go wożę i ja mu pożyczam na jedzenie oraz hotel. Dowiedział się przez telefon, godzinę później już jechał. A wiesz, tu się jednocześnie odbywa duńska kontrola, bardzo drobiazgowa, przy użyciu różnych sprzętów do ważenia, mierzenia i tak dalej. Oni tu przecież mają całe wysoko wyspecjalizowane laboratorium. Jedno pomieszczenie w tym laboratorium mu wypożyczyli, boby nie miał się gdzie podziać. Przecież o tym jego dyrektorzy też nie pomyśleli. No i biedak teraz nosi wiaderkiem ryby z kutra, mierzy tą linijką i wyniki pomiarów zapisuje w zeszycie do matematyki swojej córki, bo jeszcze jej go zdążył zwinąć w ostatniej chwili przed wyjazdem z Polski.

– O mój Boże – powiedziałam, pełna współczucia dla sympatycznego skądinąd inspektora. Moje współczucie pogłębiała świadomość, że za chwilę sfilmujemy go razem z jego linijką i zeszytem do matematyki. Swoją drogą ciekawe, jak się dziecko wytłumaczyło w szkole. Ale może nie ma dzisiaj matematyki, jutro coś nakłamie, a pojutrze tatuś odda jej kajecik. – To chyba ja naprawdę pójdę po Pawła, bo jeszcze gość skończy pracę i przepadnie mi taka ładna sekwencja.

Tymon zaśmiał się.

– Ale z ciebie kotek. Miła, urocza dziewczyna wieczorem przy kolacji, a rano nie waha się pokazać jak przyzwoity człowiek robi z siebie głupka.

– On tu nie jest jako przyzwoity człowiek, tylko jako przedstawiciel państwowej instytucji kontrolnej. I nie robi z siebie głupka prywatnie, tylko służbowo. Może jak go zobaczy w telewizji ten jego dyrektor, to wykona jakąś pracę myślową, może nawet dojdzie do jakichś wniosków. Powiedz, na moim miejscu miałbyś skrupuły?

– Skrupuły pewnie miałbym, ale swoje bym zrobił...

– No widzisz. Ja tak samo. Przykro mi, że to na niego padło, ale na drugi raz niech się nie zgadza na takie szalone eskapady; jeżeli oczywiście kocha swoją firmę.

Owinęłam się porządnie wiatrówką i poleciałam do Pawła, który właśnie ćwiczył pochłanianie szprotek przez rurę. Jak tylko go dopadłam i zaczęłam namawiać do wyjścia z kutra, z budynku na nabrzeży wyszedł nasz ulubiony inspektor z wiaderkiem i skierował się prosto w naszą stronę.

– Paweł, patrz, on chyba idzie po następną partię rybek do kontroli. Ty kręć jak leci. A jak już pokażesz go przy pomiarach, to ja go odpytam, co mu wyszło.

Paweł niechętnie oderwał się od swojej ulubionej rury ze szprotkami i skierował obiektyw w stronę inspektora. Ten zaś – jak na zamówienie – podszedł do naszego kutra, dostał od Duńczyka pojemnik z rybami, przesypał je do swojego wiaderka i odmaszerował, a my za nim.

W tym kawałku laboratorium, które uprzejmi Duńczycy użyczyli mu do pracy, poczekaliśmy chwilkę, aby obiektyw odparował (zawsze zaparowuje, kiedy przechodzi się z zimnego do ciepłego), po czym sfilmowaliśmy przedstawiciela polskiej kontroli, jak z całą powagą bierze z wiaderka po jednej rybce, przykłada ją do szkolnej linijki, wrzuca do drugiego wiaderka – pewnie też pożyczonego od Duńczyków – z pomierzonym już rybim pogłowiem, a wynik pomiaru zapisuje w zeszyciku.

Wreszcie uznałam, że mam dosyć tej ponurej zabawy. Krysia podpięła się do Pawła, a ja stanęłam frontem do kamery i zaraportowałam:

– Oprócz duńskiej instytucji, którą protestujący przeciw poczynaniom Tymona Wojtyńskiego rybacy mogliby uznać za niewiarygodną, kontrolę zawartości ładowni duńskich kutrów przeprowadza również delegowany przez polski Urząd Morski inspektor. Obserwowaliśmy tę kontrolę i teraz chyba możemy już pana inspektora zapytać o wyniki.

Tu artystycznie odwróciłam się ku inspektorowi i podetknęłam mu mikrofon pod nos.

– Czy te szprotki, które pan tu mierzył, odbiegają swymi rozmiarami od normy?

Trochę z drżeniem serca zadawałam to pytanie. A jeśli facet powie, że są za małe, że to bandyctwo łapać takie rybie niemowlaki? No, no, czyżbym się jednak zaangażowała osobiście? Zawodowcy tego nie robią!

– Nie, proszę pani – odpowiedział mi uczciwy inspektor. – Ponad dziewięćdziesiąt procent złowionej ryby według mnie odpowiada całkowicie normom.

– Dziewięćdziesiąt procent; czy to wystarczy dla obalenia zarzutów?

– W zupełności. Zawsze przecież trzeba się liczyć z pewną ilością ryb niewymiarowych.

– Można więc wysuwać przypuszczenie, że połowy prowadzone przez duńskie kutry czarterowane przez pana Wojtyńskiego zagrażają zasobom Bałtyku?

– Absolutnie nie.

Cudny człowiek. Miałam ochotę rzucić mu się na szyję, ale zachowałam pokerowe oblicze i ponownie spojrzałam zimnym wzrokiem w obiektyw.

– Pozostaje nam tylko czekać, czy wyniki duńskiej kontroli państwowej będą podobne.

Zdecydowanie miałam szczęście tego dnia! Bo zanim Paweł zdążył wyłączyć kamerę, podbiegł do nas Wojtyński, wlokąc za sobą jakiegoś faceta. Na wszelki wypadek podstawiłam mu od razu mikrofon. I słusznie! Powiedział bowiem, lekko zdyszanym głosem, przytomnie nie zwracając się do mnie po imieniu:

– Pani redaktor, mamy już duńskie wyniki, to jest pan inspektor... – tu wymienił nazwisko bardzo duńskie, ale nie zapamiętałam. Jakiś Jens Jansen, albo Jan Jensen, coś takiego.

Poprosiłam Duńczyka o podanie mi ichnich wyników, przy czym ja mówiłam po polsku, na cześć polskiego telewidza, a Tymon jednocześnie tłumaczył Duńczykowi na angielski.

– Dziewięćdziesiąt cztery procent ryb w granicach normy – powiedział facet nosowym głosem.

– Czy stwierdzili panowie obecność w ładowniach innych ryb,

na przykład dorsza lub łososia? – zapytałam jeszcze, bo przypomniałam sobie, że tego też się nasi rybacy czepiali.

– Jak zwykle, trochę tego było – odrzekł Duńczyk tonem znamionującym głębokie lekceważenie. – Bardzo niewiele. Pojedyncze sztuki. Nie ma o czym mówić.

Podziękowałam.

Po czym to Tymon rzucił mi się na szyję. Ale ponieważ wszyscy natychmiast poszli w nasze ślady, nawet Krysia wycałowała spłoszonego nieco (choć raczej zadowolonego) Duńczyka, więc nikt chyba nie zauważył, że Tymon zrobił to z nadzwyczajną ekspresją i nie puszczał mnie jakiś czas z objęć.

Po niekontrolowanym wybuchu radości wróciliśmy do pracy. Pawełek sfilmował tę całą duńską kwitologię – na specjalnych blankietach, a jakże, z rubryczkami ładnie wypełnionymi za pomocą komputera, a potem poszliśmy zdokumentować port za dnia. Leniwe i niemrawe słońce bowiem zaczęło robić swoje, choć zza gęstej warstwy chmur. Ale jednak pojaśniało. O dziewiątej! A zawieje pojawiały się już tylko co jakiś czas.

W sumie o dwunastej mieliśmy już wszystko, z figurami. Jeszcze nas nawiedziła duńska telewizja, zawiadomiona o aferze przez rozwścieczonych szyprów. Z ochotą powiedzieliśmy do duńskiej kamery, co nas przywiodło do Danii i co mamy w materiale. Jeszcze porozmawialiśmy sobie z tymi szyprami, którzy rzeczywiście odgrażali się bojkotem polskich kutrów w duńskich portach, pytali też, kto zwróci panu Wojtyńskiemu tę całą forsę, którą on straci, kiedy im wypłaci odszkodowania za zerwane umowy, jak również tę forsę, którą straci, nie łowiąc dalej. Jeszcze narobiliśmy masę obrazków na zaś i na wszelki wypadek. No i jeszcze wykonałam telefoniczną korespondencję dla kolegi Filipa, bardzo zachwyconego rezultatami afery.

O pierwszej jedliśmy już obiad w tej samej restauracji, co wczoraj kolację.

I tu stanęła sprawa powrotu do Polski.

Marek, który wyraźnie miał niedosyt pracy za kierownicą, był za tym, żeby zjechać Jutlandią w dół, przekroczyć granicę z Niemcami i już do końca przez Niemcy wracać lądem.

Zakrzyczałyśmy go obie z Krysią.

– Mareczku, zwariowałeś – powiedziała Krysia z wyrzutem. – Chcesz, żeby Wicia jechała tyle czasu na siedząco?

Mareczek się zawstydził. Trochę bez sensu, bo i tak głównie trzeba było jechać, a płynąć tylko przez kawałek Bałtyku. Nie wiedział, że nam chodziło o ten prom duńsko-szwedzki i wolnocłowe perfumy.

Wyszło, że będziemy jechać na durch przez Jutlandię, mostem przejedziemy na Fionię, znowu na durch przez Fionię, zaliczymy ten cudny i potwornie długi most przez Wielki Bełt i znajdziemy się na Zelandii, też ją przejedziemy na durch, potem popłyniemy tym perfumowanym promem do Szwecji, tam już tylko z Malmö do Ystad i łapiemy nocny prom do kochanego Świnoujścia.

Tu Tymon Wojtyński dał wyraz trosce o panią redaktor.

– Wiktorio, Krysia miała rację z tą twoją jazdą, wiesz, w twoim stanie... Może byłoby lepiej, żebyś się przesiadła do mojego samochodu? Już nikt nie powie, że to przekupstwo, mam nadzieję, a jednak u mnie będzie ci wygodniej niż w mikrobusie.

Cały czas zastanawiałam się, jak mu to zaproponować. Ale on przecież kogoś tam wiózł, tego inspektora i jeszcze dziennikarzy. Co z nimi zrobi?

Okazało się, że dla swoich pasażerów przewidział miejsca w naszym busie i samochodzie RMF. Więcej, tak dyplomatycznie to zaproponował, że wszyscy uznali za wybitne szczęście, że zapewnią pani redaktor będącej w stanie błogosławionym jaki taki komfort jazdy. Coś tam było mówione o rozkładaniu siedzeń i tak dalej. Widać było od razu, że podróż w moim towarzystwie nie będzie należała do milutkich i rozrywkowych. Nie to, żeby Tymon przedstawiał mnie jako marudną babę z zachciankami, ale...

Chyba tylko Kryśka zorientowała się, o co naprawdę chodzi, ale nic nie powiedziała, tylko znacząco poprzewracała oczami w moją stronę.

W efekcie tej całej dyplomacji pół godziny później startowaliśmy spod hotelu we dwoje. Za nami ruszyła nasza mała karawana w postaci busa i astry kombi radiowca, ale bardzo szybko Tymon docisnął i vectra wyrwała do przodu.

Czytałam kiedyś – nie pamiętam gdzie, zapewne w jednym z moich ukochanych magazynów dla kobiet wytwornych – że jakim człowiek jest kierowcą, takim kochankiem. Ciekawostka, ile też w tym prawdy?

Bo kierowcą okazał się genialnym. Po prostu.

Jechał sobie bardzo spokojnie i płynnie, chociaż z dużą szybkością. Żadnej szarpaniny, oczywiście, żadnych wściekłych hamowań ani pisku opon na zakrętach.

Od czasu do czasu rzucałam okiem na jego prawy profil (na lewy, siłą rzeczy, nie mogłam) – i też mi się podobał. To był zdecydowany profil! Żadnych tam cofniętych podbródków (podobno faceci z cofniętymi podbródkami są okrutni), żadnych nosków-kurnosków! Wszystko jak model do rzeźby któregoś z tych antycznych Greków, których dzieła oglądamy na ilustracjach do „Mitologii" Parandowskiego.

Dużo włosów. To w zasadzie nie ma znaczenia, mógłby na przykład być łysy i nadal przystojny, ale sprawiało mi przyjemność, że ma takie ładne, jedwabiście rozsypujące się włosy. Nie za długie, broń Boże. Krótkie, tyle że dużo. Ciemne. Z pierwszymi siwymi kosmykami tu i tam.

Usta – nieprzesadnie zmysłowe, ale jednak, ale jednak... I cały czas leciutko i pogodnie uśmiechnięte, jakbyśmy wracali z wakacji, a nie z męczącej podróży spowodowanej posądzeniem go o różne brzydkie rzeczy.

No i te oczy wpatrzone w dal – kiedy je mrużył, powstawała wokół nich siateczka kurzych łapek, miłych zmarszczek, które powstają od śmiechu albo od wpatrywania się w dal... na małym kutrze, na pełnym morzu, w sztormowej pogodzie, kiedy trzeba zwyciężyć to morze, żeby przeżyć.

Dlaczego ja jeszcze nie piszę harlequinów?

Jechaliśmy tak i jechali, i jechali... i w ogóle nie mieliśmy ochoty rozmawiać. Silnik miło mruczał, radia nawet nie włączyliśmy, on się uśmiechał, ja prawdopodobnie też – i ani słowa przez całą szerokość (lekko na skos) Jutlandii!

Nawet nie zapytał mnie, czy mi wygodnie!

Kiedy już wjechaliśmy na Fionię, postanowiłam go o to zagadnąć.

– Powiedz mi, Tymonie, dlaczego właściwie nic nie mówimy? Nawet mnie nie zapytałeś, czy mi wygodnie?

Roześmiał się. To nie był śmiech faceta, który stracił miliony i dobrą opinię. To był śmiech jak najbardziej beztroski!

– A wygodnie ci?

– Bardzo – powiedziałam zgodnie z prawdą.

– No widzisz. – Zaśmiał się znowu tym miłym śmiechem. – Wiedziałem.

Prawdopodobnie widział na mojej twarzy wyraz całkowitego i absolutnego błogostanu.

– A dlaczego właściwie pytasz? Masz niedosyt konwersacji? Teraz ja się roześmiałam.

– Nie, nie mam. Jest mi bardzo dobrze.

Chciałam już powiedzieć: „Z tobą jest mi bardzo dobrze", ale ugryzłam się w język.

– Mnie też jest bardzo dobrze – powiedział miękko. – I wiesz, już teraz żałuję, że ta cała Dania jest taka mała. Szybko nam się skończy.

O mało nie powiedziałam, że możemy od Kopenhagi zawrócić, ale się powstrzymałam. Zresztą jakoś głupio mi się zrobiło. To co, że Dania jest nieduża. Przecież chyba jest nam dobrze nie dlatego, że w koszmarną, ścierkowatą pogodę pchamy się poprzez krajobrazy, których prawie nie widać, bo zapada zmierzch i leje tak, że wycieraczki nie nadążają zbierać. A może on mi chce delikatnie dać do zrozumienia, że Dania się skończy, potem jeszcze kawałek Szwecji, promik i do widzenia, miło, że pani się fatygowała, rozumiem, że to pani zawód, ale w tym stanie naprawdę pani nie musiała, oddała mi pani ogromną przysługę, zawsze będę zobowiązany, cieszę się, że mogliśmy się bliżej poznać.

Jasne jak słońce.

Poczułam nagle, że jestem potwornie zmęczona. Gorzej. Poczułam, że absolutnie i nieodwołalnie muszę sobie popłakać. Jeżeli nie popłaczę, to eksploduję!

– Słuchaj – powiedziałam, usiłując wydusić z siebie beztroski ton. – Czy moglibyśmy stanąć w jakiejś przydróżce? Chciałabym do toalety.

– Bardzo proszę. Zaraz powinna być taka duża stacja benzynowa, to staniemy.

Byle szybciej, bo czułam, jak mnie łzy dławią w gardle. Co ja sobie, kretynka ostatnia, nawyobrażałam? Facet jest po prostu uprzejmy i sympatyczny z natury, poza tym czuje się zobowiązany wobec mnie i to wszystko!

Dobrze, jest benzyniak. Z barem typu śmieciowe jedzenie.

Z przepraszającym mruknięciem w stronę Tymona wyleciałam z samochodu jak z procy i popędziłam szukać wychodka. Ledwo dopadłam toalety i zamknęłam się w niej na zatrzask, popłynęły ze mnie łzy jak mała, ale bardzo wydajna Niagara. Na szczęście to była taka kabinka z umywalką, więc puściłam wodę, w nadziei, że zagłuszy odgłosy szlochania, którego już nie musiałam powstrzymywać.

Stałam tak i ryczałam, a makijaż, który przetrzymał śnieżną zawieję nad Morzem Północnym, leciał ciemnymi kroplami na mój jasny sweter.

Prawdopodobnie rozpłynęłabym się na dobre, gdybym nie spojrzała w lustro.

Na widok swojej własnej twarzy zrazu ryknęłam jeszcze mocniej, ale już na krótko. Już zaczęłam tracić impet – nie żeby mi się polepszyło, ale uświadomiłam sobie konieczność pokazania się Tymonowi. Poza tym przypomniałam sobie, że troskliwy z niego miś i jeśli za długo będę przebywała w tym klopku, to on zaraz pomyśli, że coś złego się stało i przyleci mnie ratować.

Udało mi się zahamować szlochy. Makijaż zmyłam, oczywiście, ale malutkie, paskudne, zapuchnięte i czerwone oczka pozostały. Ochlapałam się zimną wodą, wysuszyłam – w torbie podręcznej nie miałam żadnego kremu, więc poprzestałam na pudrze – efekt był taki sobie, mówiąc bardzo oględnie. Nie było jednak wyjścia. To znaczy było właśnie tylko wyjście, więc wyszłam.

Te obrzydliwie jasne MacDonaldy!

Dobrze, że się ruszyłam, bo już czyhał w pobliżu wychodka, najwyraźniej zaniepokojony. Prawdopodobnie jeszcze chwila i zacząłby robić raban.

– Przepraszam, że to tyle trwało – powiedziałam, usiłując nadać głosowi ton swobodny i lekki. – Ale wiesz, zrobiło mi się trochę niedobrze... ach, nie mówmy o tym, jedźmy.

– Nie, nie, nie spiesz się, Wiktorio – był zatroskany – myślę, że dobrze ci zrobi, jeśli siądziemy tu na trochę, napijesz się kawy albo herbaty, albo jakiegoś drinka; nie wiem, na co miałabyś ochotę; odpoczniesz pół godzinki, może coś zjesz, odprężysz się. Biedactwo, ty musisz być przecież śmiertelnie zmęczona.

Popatrzył mi z niepokojem w oczy i oczywiście natychmiast zobaczył ślady mojego intensywnego ataku rozpaczy.

– Płakałaś? Co się stało? Wika, proszę, powiedz?

– Och, nieważne, nie patrz na mnie, bardzo cię proszę, nic mi nie jest! Wiesz, że baby w ciąży mają niestabilny system nerwowy. Jedźmy!

– Mowy nie ma. Za dwadzieścia minut. Teraz mamy przerwę na kawę. Twój kierowca musi się napić kawy. Chodź, tam jest taki mniej przemysłowy kącik, no chodź, bez kierowcy i tak nigdzie nie pojedziesz.

Zaciągnął mnie do stoliczka ustawionego w takim w miarę ciemnym kącie, za jakąś sztuczną rośliną. Rzeczywiście, można się tam było schować przed zgiełkiem barowym.

Upchnął mnie za tą rośliną tak, żebym nie rzucała się w oczy, i poszedł po tę kawę.

Wrócił migiem. Niewykluczone, że powiedział obsłudze, że mu baba umiera. Normalnie to się aż tak szybko nie odbywa. Postawił przede mną kawę, jakieś ciastko, frytki, stertę kurczaczych fragmentów w ogólnowojskowej panierce, colę, jakieś surówki.

– Nie musisz tego wszystkiego zjeść. Ja też będę jadł. Na razie sobie powąchaj, zobaczysz, że przyjdzie ci ochota.

Napiłam się tej coli, bo zimne dobrze robi na histerię. Rzeczywiście, zapachniało mi smakowicie, chociaż fast food nie Wierzynek, popatrzyłam sobie, jak Tymon z apetytem sprząta kurczaczki i udzieliło mi się. Jednocześnie zachciało mi się śmiać, bo wyobraziłam sobie Tymona chodzącego nerwowo pod damską toaletą i zrobiło mi się głupio, że tak pękłam. Chłopaki nie płaczą. A moi koledzy kochani zawsze mówili: ty nie jesteś żadna dama, ty jesteś kolega z pracy.

Spróbowałam kurczaczka. Ohydny. Ale bardzo dobry. Frytki jak to frytki. Kawa z aromatem styropianu, mocna i gorąca.

Spojrzeliśmy jednocześnie na siebie i jak na komendę wybuchnęliśmy śmiechem. Pomiędzy nami spoczywały ruiny Troi w postaci sterty kości i opakowań.

– Masz tu jeszcze ciasteczko z jabłkiem – wydusił z siebie Tymon, prychając do kawy.

– Nie, dziękuję uprzejmie, to ciasteczko się klei – powiedziałam, bo znałam już te ciastka z jak najgorszej strony. – Sam sobie ryzykuj.

Dziabnął deser widelcem.

– Właśnie przypomniałem sobie, że mój lekarz zabronił mi jedzenia jabłek, zwłaszcza na ciepło...

Odeszły mnie rozpacz i beznadzieja. Nie wiem, czy to pod wpływem panierowanych skrzydełek, czy raczej spokoju i stanowczości, jakie prezentował ten mój kierowca.

A jakąż wykazał intuicję: sam poleciał po następne porcje kawy.

– Słuchaj, Wikuś – powiedział przy tej deserowej kawie ze styropianem – chciałbym być pewien, że już ci lepiej...

– Lepiej, lepiej, możemy jechać dalej. Przepraszam cię za te sceny, zachowałeś się bardzo miło, powinieneś mi zrobić coś złego, a ty mnie karmisz kurczakami.

– Powiesz mi, co to było?

– Histeria albo coś w tym rodzaju.

– We wszystko uwierzę, tylko nie w to, że jesteś histeryczką – mruknął. – Coś cię gryzie, a ja dałbym wszystko, żeby wiedzieć, co to jest. I dlaczego właśnie teraz cię to dopadło.

Patrzył na mnie uważnie, bez uśmiechu; może z czułością? Jeszcze chwila, a znowu się rozrzewnię! No, no, chłopaki nie płaczą!

– Nie kombinuj – okazałam stanowczość. – Jedziemy?

– Czekaj – powiedział cicho i ujął moje ręce w swoje. Przez chwilę wahał się, jakby myślał, od czego zacząć. Zrobiło mi się gorąco. – Posłuchaj mnie...

I w tej chwili do sali wkroczyli moi kochani koledzy oraz cała reszta towarzystwa.

Wprawdzie wyprzedziliśmy ich na trasie sporo, ale teraz właśnie nas dogonili. Ucieszyli się szalenie, bo zobaczyli samochód Tymona na parkingu benzyniarni. Więc zdecydowali, że też się tu pożywią. Zaczęli zamawiać swoje kurczaki, frytki i kawy.

Gdybym mogła ich wszystkich pozabijać, to bym to zrobiła. Spojrzenie Tymona, które mi rzucił, świadczyło, że on też.

Dalej już nie było tak jak przedtem. Przeszkadzało mi to wszystko, co sobie myślałam. W ogóle myślałam za dużo i strasznie chaotycznie. Zmęczyło mnie to tak, że przysnęłam i obudziłam się, jak już wjeżdżaliśmy na ten prom duńsko-szwedzki. Rozzłościło mnie trochę, że nie widziałam mostu przez Wielki Bełt, ale Tymon mnie pocieszył, że w tej mgle i deszczu, i tych ciemnościach egipskich i tak nic bym nie zobaczyła.

Oczywiście, popędziłyśmy z Krysią popatrzeć na ceny w sklepie wolnocłowym. Trójki Givenchy'ego nie mieli, ale doszłam do wniosku, że lubię również Envy Gucciego, potem dołożyłam jeszcze tusz do rzęs Lancome'a i szlag trafił resztę pieniędzy z zaliczki na delegację, z której to zaliczki będę się musiała rozliczyć, a jak to zrobię, to jeszcze nie wiadomo. Krysia wzbogaciła się o całą serię kremów Elizabeth Arden i zbladła. A potem pogrzebała jeszcze w torebce i dokupiła butelkę Jacka Danielsa. Oraz małą buteleczkę Opium.

– To z pieniędzy na benzynę – zwierzyła mi się. – Ale tankowaliśmy dopiero co, jeszcze tylko ta Szwecja, do Szczecina wystarczy. W przyszłym miesiącu jakoś to rozliczę.

Koledzy, którzy łazili za nami i spokojnie nabywali łyskaczyki oraz koniaki, pękali ze śmiechu.

Z Malmö do Ystad to już żabi skok. Rozmawialiśmy z Tymonem dość obojętnie o programie, jaki zrobię z tych wszystkich materiałów plus rozmowy w studiu. Zastanawiałam się, czy nagrać to sobie, czy lepiej lecieć na żywo, ale chyba jednak polecimy z rozmowami na żywo.

Na promie była nas już z powrotem cała hałastra. Zresztą zaczęłam się kiepsko czuć i zaraz ległam w koi.

Wtorek, 14 listopada

Rankiem w Świnoujściu rozstaliśmy się po szybkim pożegnaniu, bo spieszyło się nam do roboty, Filip czekał na zdjęcia, a ja musiałam jak najszybciej brać się za konstruowanie programu.

Cała ta podróż, bardzo ekspresowa i męcząca, wydała mi się czymś nierzeczywistym. Jakbyśmy nie wyjeżdżali dalej niż sto kilometrów, co dla nas jest chleb codzienny i w ogóle mięta.

Wchodząc do wieżowca, kupiłam świeżą prasę. W jednej gazecie na pierwszej stronie królował tytuł: „Duńczycy czyści". Wyraźny dowód pracowitości kolegi, który był z nami w Danii.

Rzuciłam pobieżnie okiem na treść, dobrze mi w końcu znaną, potem wzięłam sie za drugi poczytny dziennik.

I omal mnie szlag nie trafił.

Wołami było tam napisane: „Kontrola kutrów była zmanipulowana".

I pod spodem, nieco mniejszymi wołami: „August Kratky mówi: Ryby zostały wysortowane".

I jeszcze nieco mniejszymi, ale wciąż sporymi: „Tymon Wojtyński funduje dziennikarzom wycieczkę do Danii".

No a w treści artykułu, jak się można domyślać, same bzdury. Ten cholerny Kratky w imieniu protestujących polskich rybaków oświadczył, że szyprowie wiedzieli o planowanej kontroli i przesortowali szprotki w morzu. Jak również podmienili sobie sprzęt połowowy na taki bardziej legalny. I tak dalej, i tak dalej.

Złapałam telefon, żeby zadzwonić do Tymona. W tej chwili sam mi zadzwonił w ręce.

– Dzień dobry raz jeszcze. Czytałaś?

– Właśnie przeczytałam. I co ty na to?

– Podam ich do sądu, ale ludzie już wiedzą, jaki ze mnie cwany łobuz. Znasz tego faceta, który to napisał? Co to znaczy „let"?

– Znam, oczywiście. Leszek Trapiec. To taki kajtuś, co nie lubi sprawdzać swoich wiadomości, bo jeszcze by się mogło okazać, że nie ma materiału i nie dostanie wierszówki. Brzydki chłopczyk, nieraz go przyłapałam na szukaniu sensacji. Myślałam, czyby go nie zaprosić do naszego programu, ale chyba nie będziemy gnojkowi robili reklamy...

– Kiedy masz ten program?

– Niestety, dopiero w przyszły poniedziałek. Zagramy go na żywo. Do tej pory będą chodziły wszelkiego rodzaju wiadomości u Filipa. Z naszej strony możesz spodziewać się uczciwego podejścia.

– Ani przez chwilę nie myślałem, że mogłoby być inaczej. Jak tylko będę ci potrzebny, dzwoń.

– Zadzwonię. Trzymaj się.

– Całuję cię mocno...

I wyłączył się. Ale tym razem nie miałam czasu na rozmyślania o ostatnim zdaniu naszej rozmowy, tonie, jakim zostało wygłoszone i związanych z tym implikacjach, bo musiałam energicznie rzucić się na robotę. Zanim jednak rzuciłam się na nią na dobre, wykonałam jeszcze jeden telefon.

– Cześć, Leszku, Wiktoria Sokołowska...

– No, witam cię serdecznie!

– Ty nie bądź taki serdeczny. Powiedz mi, co do ciężkiej cholery miałeś na myśli, pisząc, że Wojtyński zafundował nam wycieczkę?!

– Ach, ty też byłaś? Gdybym wiedział, to bym się może powstrzymał.

– Bo co, dlaczego niby miałbyś się powstrzymać? A dlaczego sam nie ruszyłeś tyłka i nie pojechałeś do tej Danii?

– Słuchaj, Wika...

– Zamknij się! I to ty słuchaj! Ta wycieczka to było trzydzieści godzin w samochodzie na tyłku, pięć godzin snu w byle jakim hoteliku plus dwie noce na naszych pięknych promach, plus osiem godzin roboty w porcie nad Morzem Północnym, gdzie diabeł mówi dobranoc, w śnieżycy, wichrze i zamieci! I płaciły za to nasze własne redakcje, zawiadamiam cię uprzejmie, że wszyscy obecni mieli delegacje służbowe! I to my zaglądaliśmy do śmierdzących ładowni i rozmawialiśmy z ludźmi, i widzieliśmy na własne oczy te szproty jak krowy! A jeżeli wydaje ci się, że można przesortować ryby w morzu, na kutrze, podczas wiejącej szóstki, kiedy się ma ładownie zapchane po brzegi, to znaczy, że w życiu na oczy nie widziałeś kutra ani szprotki, chyba że w puszce!

– No, no, moja droga, ależ ty jesteś zaangażowana osobiście. Kutry w puszce... Czyżbym jednak miał rację? Może nawet niekoniecznie w kwestii wycieczki do Danii...

– A jeżeli myślisz, że stawać po czyjejś stronie można tylko ze względów osobistych lub komercyjnych, to jesteś gorszy dupek, niż mi się do tej pory wydawało!

Przerwałam rozmowę.

Nie byłam z siebie całkiem zadowolona, bo zawsze w ramach ćwiczeń charakteru powtarzam sobie, żeby nie wdawać się w pyskówki, a zwłaszcza nie wywoływać pyskówek, ale tym razem to było silniejsze ode mnie.

Leszek to mściwe bydlę i będzie sobie teraz na mnie używał, pewnie wszyscy dookoła dowiedzą się, że Wojtyński nas przekupił, zwłaszcza mnie, ale mam to w nosie. Poszłam na przeglądarkę popatrzeć, jak też nam wyszły te dramatyczne zdjęcia. Wyszły, owszem, bardzo dobrze. Filipek był szczęśliwy jak dziecko. Zanim jeszcze rzucił okiem na materiały, zdążył je posprzedawać do wszystkich krajowych dzienników. Zdolny z niego chłopak.

A ja jeszcze tylko poprosiłam Krysię, żeby zamówiła studio, umówiłam się z Rochem na jutro na naradę bojową i pojechałam do domu. Wykąpać się porządnie i spać!

Środa, 15 listopada

Myślałam, że te wszystkie Kratkie i inne protestanty odmówią spotkania z Wojtyńskim w studiu, żeby się nie wygłupić, ale okazało się, że nie znam do końca natury ludzkiej. Z radością się zgodzili. Zamierzają dać mu łupnia. No to świetnie.

Cały dzień spędziłam na odwalaniu telefonów, aż mi ucho spuchło i zachrypłam. Jedyna pociecha, że pachniałam przy tym bardzo ładnie i rzęsy miałam jak firanki dwie... Szkoda, że mnie teraz nie widział... tylko w tej podróży, wymiąchaną, zaryczaną i ogólnie nieestetyczną.

Czwartek, 16 listopada

Pomontowałam sobie klocki do programu, napisałam szkic scenariusza i pobiegłam do pani profesor.

Jakoś ostatnie dni nie sprzyjały myśleniu o kotusiu. Ale jemu i tak jest nieźle. Buja się gdzieś w moim brzuchu, ciepło ma i bezpiecznie. Miejmy nadzieję, że mamusina huśtawka nastrojów nie bardzo go dotknęła.

Pani profesor zadowolona była za mnie średnio.

– Powinna pani trochę spauzować – powiedziała. – Nie może pani sobie zrobić tygodnia luzu?

– Wolałabym nie teraz. Od wtorku... jak pani profesor myśli?

– No dobrze, właściwie nic się takiego nie dzieje. Ale proszę pamiętać: jakiekolwiek niepokojące objawy i natychmiast dzwoni pani do mnie z meldunkiem. Bez żartów!

– Tak jest, pani profesor. To ja się kłaniam i idę spać.

Nie poszłam spać, tylko wyłożyłam się na łóżku i włączyłam taką jedną płytę, o której zrobienie specjalnie poprosiłam kiedyś Bartka. Ponagrywał mi na nią same wolne części Beethovena. Nawet adagio z IX Symfonii przycięliśmy przy końcu, żeby nie było już tego „bum". Niech sobie teraz dziecko posłucha uspokajającej muzyki.

Odwiedzili mnie Krzysio z Bartkiem. Proponowali życzliwie małego rodzinnego pokerka, ale podziękowałam. Krzyś ponadto zatroszczył się o moje zdrowie.

– Ty się nie przemęczasz, szwagierko?

– Przemęczam się – powiedziałam zgodnie z prawdą. – Ale byłam dzisiaj u mojej pani profesor i ona o tym wie. A poza tym, gdybym się nie przemęczyła, to bym teraz nie miała poczucia dobrze spełnionego obowiązku.

– Ja cię rozumiem. – Mój mądry szwagier kiwnął głową. – Ale ty uważaj. A gdybyś przypadkiem potrzebowała nagłej pomocy, to dzwoń do mnie na komórę, przylecę cię ratować o każdej porze. No to się relaksuj dalej.

Poszli.

Co oni wszyscy tak mnie ostrzegają?

Z drzemki wyrwał mnie dzwonek telefonu.

Krysia. Podekscytowana.

– Wicia, siedzisz?

– Nie, leżę.

– A to świetnie, to cię nie powali. Słuchaj: zgadnij, co zrobił Rysio Pawłowicz?

– Ten radiowy? Ten, co był z nami w Danii?

– Ten radiowy! W Danii! To znaczy nie w Danii, tutaj.

– Nie męcz, powiedz.

– Zgaduj, zgaduj!

– Ty, Kryśka, mnie nie wolno denerwować. Co zrobił?

– Dał w mordę Leszkowi!

– Trapcowi?!!

– Tak! Spotkali się w okolicznościach neutralnych, czyli w knajpie, i Rysio powiedział, co myśli o takich insynuacjach, że wiesz, ta wycieczka do Danii, sugestia, że Tymon wszystkich przekupił. Trapiec próbował coś mówić o tobie, że tak strasznie bronisz Wojtyńskiego, że coś w tym musisz mieć, i natychmiast dostał w dziób! Aż się obalił!

– Och, nie mów! To piękne! Kochany Rysio! Kiedy mu to zrobił?

– Kwadrans temu. Paweł przy tym był i natychmiast do mnie zadzwonił, bo gdzieś posiał komórkę z twoim numerem, a mój pamiętał na pamięć.

– Ajajaj... A Trapiec parszywiec co na to?

– Nic. Coś tam chciał, ale Rysio był jak lew, a poza tym stanął za nim Pawełek i też chciał go lać, więc zmienił lokal.

– Krysia! Kochana! To najpiękniejsza wiadomość ostatniego stulecia! Są jeszcze ludzie na tym świecie... Czekaj, to ja natychmiast wysyłam sms-a do Ryśka.

– No, to ja się wyłączam. Cieszę się, że sprawiłam ci przyjemność.

– Wielką jak kamienica! Pa, do jutra.

Wystukałam na komórce: „Rysiu, jesteś wielki, wspaniały i ja cię kocham!", po czym wysłałam wiadomość.

Po dwóch minutach miałam odpowiedź. „Cała przyjemność po mojej stronie. Ja ciebie też. Zawsze do usług".

Poszłam spać radosna jak świnka w deszcz.

Piątek, 17 listopada

Idąc za mądrą radą mojej Krysi, udałam się do banku – nie tego mojego dotychczasowego – i założyłam sobie konto. Teraz mam dwa, w różnych bankach. Zobaczymy, jak będzie w praktyce wyglądało to przelewanie z pustego w próżne.

Ale zrobiłam w międzyczasie sondę wśród kolegów. Mnóstwo osób tak ma i uważają to za bardzo dobry patent.

Sobota, 18 listopada

Laba totalna. Pani profesor byłaby zachwycona. Siedzę w domu, przyrządzam sobie lekkie jedzonka, słucham wyłącznie pogodnej muzyki (wszystko w dur!) i rozmawiam z kotusiem.

Bardzo sympatyczne z niego dziecko.

Muszę się poważnie zastanowić nad imieniem. To znaczy nad imieniem dla panienki, bo synek będzie miał na imię po prostu Maciuś. Chcę, żeby Maciek był jego ojcem chrzestnym i chcę, żeby mój Maciuś miał po nim charakter. Matką chrzestną będzie oczywiście Krysia, ale Krystyn w naszej rodzinie jest już straszna mnogość, więc daruję sobie jeszcze jedną.

Może Marianna? Ładne i staropolskie.

Poza tym tęsknię za Tymonem.

Dobrze, dobrze, wiem, że nawet jeśli, to nie teraz, bo będzie, że nie jestem obiektywna. A ja jestem, kurczę blade! Gdyby rzeczywiście był aferzysta, to bym palcem nie kiwnęła w jego obronie, choćbym się zakochała na śmierć i życie.
Oczywiście wolę, że nie jest.

Niedziela, 18 listopada

Ciąg dalszy laby.
Jednak już trochę nerwowo. Kontynuujemy muzyczkę, ale już więcej energicznego Mozarta. Mama zapraszała na obiad, ale podziękowałam, bo nie byłam pewna, czy chcę się spotkać z ojcem. Poza tym przecież wypisał mnie z rodziny. Ale nie mówiłam nic mamie, wyłgałam się koniecznością odpoczynku i brakiem apetytu na gołąbki z kaszą.
Zrobiłam sobie olśniewająco piękny manikiur.

Poniedziałek, 20 listopada

Rano spotkałam się z Maćkiem. Obejrzał scenariusz i zaakceptował.
– Dobrze, Wikuś, to jest w zasadzie proste. Poradzimy sobie.
– Tylko słuchaj, Maciek, tu może się tak zdarzyć, że oni będą chcieli zwekslować na jakieś sobie tylko znane tory. Jeżeli to okaże się ważne, będziemy kombinować w trakcie. W zasadzie wszystkie materiały filmowe powinny się ukazać, ale gdyby trzeba było zmienić ich kolejność, to ja się postaram podprowadzić w ten sposób, żebyście spokojnie zdążyli przewinąć kasetę.
– Tylko nie pozwól im godzinami gadać.
– Dam sobie radę.
– A Roch?
– Jeżeli mu się rozmowa wymknie spod kontroli, to będę interweniować. Na razie jesteśmy umówieni, że strzelamy na przemian, raz on, raz ja. Temat mamy opanowany oboje. Staramy się spokojnie dojść prawdy, bez zaplanowanych emocji.
– A niezaplanowane?
– Mogą się zdarzyć.
– Ale nie z waszej strony?

– No wiesz...

– No to świetnie, jesteśmy umówieni. Dobrze będzie, Wikuś. A jak się czujesz? Jak zniosłaś tę wycieczkę?

– Ja ci dam wycieczkę! Słyszałeś, co się stało jednemu takiemu, co mówił, że to była wycieczka?

– Słyszałem, słyszałem. Nie przypuszczałem, że Rysiek taki kozak. Bo że Trapiec dupek, to od dawna wiadomo.

– To samo mu powiedziałam! A czuję się dobrze, dziękuję za troskę. No dobrze, to do wieczora, Maciusiu kochany... I pamiętaj, że mam wyglądać na góra dwadzieścia pięć lat i pierwszy miesiąc!

– Masz to u nas!

– Kiedy za konsoletą siedzi Maciek, wyglądam na dziesięć lat mniej, a kiedy niektórzy inni, na dziesięć więcej...

Półtorej godziny przed anteną pojawił się mój przepiękny Rosio, jak zwykle zadowolony z życia i uśmiechnięty mile. Pani strażniczka znowu dostała zawału na jego widok. I kto by pomyślał, że Rosio potrafi krew wypić i dziurki nie zrobić.

Już właściwie wszystko było omówione, więc poszliśmy się malować.

Nasza charakteryzatorka była jedyną znaną mi kobietą, która na widok Rocha nie dostawała miękkich kolan. Zapytałam ją kiedyś dlaczego.

– A bo wiesz, Wikuniu – odpowiedziała pogodnie – ja widziałam u niego pryszcze na czółku...

– I co?!

– I nic. Zapaćkałam mu korektorem, nic nie było widać.

No tak, po czymś takim najpiękniejszy mężczyzna nie jest nas w stanie powalić na kolana.

Godzinę przed anteną zaczęli się zjeżdżać przeciwnicy. Z jednej strony był tylko Tymon w towarzystwie znanego nam już inspektora oraz paru jajogłowych od połowów i biologii morza, z drugiej zaś wielce malownicza grupa rybaków o szalenie stylowym wyglądzie. Na ich czele, oczywiście, mój faworyt, pan August Kratky, jak również działacz związkowy, niejaki Raduński (ten kucharz bywały w świecie mediów), oraz potężny Kołodziejczyk i zajadły Sałata.

Tymon wyglądał, jakby w ogóle nie spał ostatnimi czasy. Rybacy byli bardzo zadowoleni z siebie. Wpuszczaliśmy ich po kolei do charakteryzatorni, żeby Terenia mogła ich wypudrować. Genialna dziewczyna, z własnej inicjatywy zlikwidowała Tymonowi cienie pod oczami. Umalowani wchodzili do studia, gdzie dźwiękowiec przypinał im mikrofony na długich kabelkach, po czym pokazywaliśmy im, gdzie mają siadać.

– O, widzę, że pani redaktor ma już wszystko przewidziane: kto, gdzie i z kim – zagrzmiał Kołodziejczyk. – A czemu to ja nie mogę sobie usiąść koło pana Wojtyńskiego? Pan Wojtyński się boi?

– A wie pan, nie pytałam – odpowiedziałam, starając się mówić swobodnie i pogodnie. – Chcemy, żeby nasi widzowie od razu orientowali się, kto jest po której stronie. Po co mają kombinować? Niech się lepiej skupią na sprawie.

– Aha – zgodził się uprzejmie Kołodziejczyk. – Racja!

Z sufitu rozległ się wyraźny i uprzejmy głos Maćka:

– Dobry wieczór państwu, nazywam się Maciej Kochański, będę realizował ten program. Wika, Rochu, powiedzcie, w jakiej kolejności będziecie przedstawiali panów?

– Tak jak masz napisane – odpowiedziałam sufitowi. – Wszyscy są obecni i wszyscy siedzą w tej kolejności, jaką masz w kwicie.

– Dziękuję, wszystko wiem.

– Poproszę teraz państwa o próbę głosu – z sufitu przemówił z kolei realizator dźwięku. – Każdy z państwa po trzy słowa, poczynając od pana z lewej... pana w szarej marynarce.

– A co mamy mówić? – zapytał pan w szarej marynarce, docent z Wydziału Rybactwa.

– Już nic, dziękuję. Następny pan proszę.

Tymon siedział po mojej prawej ręce. Starałam się na niego nie patrzeć i nie myśleć o żadnych pozaprogramowych sprawach. Nie przyszło mi to z łatwością.

– Dwie minuty do anteny – ogłosiła Krysia.

– Krysia, przed końcem pokaż mi czas – poprosiłam. – Dziesięć minut, pięć, cztery, trzy, dwa, jeden.

– Dobrze.

– Za chwilę wchodzimy na antenę – powiedział Maciek z góry. – Pamiętajcie, na powitanie Roch mówi do jedynki. Wika do trójki.

– A potem? – zainteresował się Kołodziejczyk.

– Potem jak leci – odpowiedziałam. – Teraz już proszę nie rozmawiać.

– Uwaga, weszły reklamy – poinformował Maciek. – Minuta. Przeleciały erotyczne reklamy twarożku oraz lodów na patyku i pokazała się nasza czołówka.

– Jesteśmy na antenie – zawiadomił Maciek i wyłączył się na dobre.

W studiu panowała ta niesamowita cisza na parę sekund przed wejściem. Kocham te chwile napięcia. Adrenalina mi podskakuje i cera się poprawia od tego.

W połowie czołówki wszedł dźwięk na nasze głośniki w studiu, potem urwało się, a na kamerze numer jeden zapłonęło czerwone światełko.

– Dobry wieczór państwu – powiedział ciepło, acz bez przesady Roch. – Nasz dzisiejszy program w całości poświęcamy tematowi, który od kilku tygodni nie schodził z pierwszych stron gazet i pojawiał się we wszystkich wydaniach wiadomości telewizyjnych. Jest już chyba dobry moment na to, by przyjrzeć się całej sprawie bez emocji. Przypomnijmy na początek fakty.

Poleciał trzyminutowy materiał, w którym było wszystko o aferze, aż do momentu naszego wyjazdu do Danii. Obecni w studiu z natężeniem wpatrywali się w monitory. Zauważyłam, że jedynie Tymon się tak nie natężał, słuchał tylko dźwięku.

– Duńskie kutry otrzymały od swojego rządu polecenie natychmiastowego opuszczenia łowiska – przeczytał lektor, kutry odwróciły się zadkiem, czyli rufą i odpłynęły. W kadrze pozostała stopklatka: dwie paskudnie wyglądające jednostki straży granicznej.

Maciek wpuścił studio.

– Są z nami dzisiaj niemal wszyscy zainteresowani tematem – powiedział Roch do jedynki. – Również nasza koleżanka redakcyjna, Wiktoria Sokołowska, która zebrała cały materiał, od początku aż do dzisiaj przyglądając się sprawie.

Popatrzyłam chłodno w obiektyw trójki i zaczęłam przedstawiać panów rybaków. Najbliżej mnie siedział August Kratky. Strasznie nadęty. Miałam ochotę go kopnąć. Nie potrafił siedzieć cicho nawet przez chwilę i powiedział swoje „dzień dobry państwu", a ponieważ oczywiście nie miał włączonego mikrofonu, w efekcie zrobił karpia.

Potem poleciało. Miejscami robiła się z tego zażarta dyskusja, przy czym rybacy z moim ulubionym Kratkym, obrońcą uciśnionych, nagadali masę głupot, które jajogłowi zbijali bezlitośnie naukowymi argumentami i wynikami najnowszych badań. Nie wszyscy jednak obecni w studiu wyglądali, jakby rozumieli.

Tymon był świetny. Spokojny, rzeczowy, nie rozgadywał się, na wszystkie swoje twierdzenia miał dowody.

Roch też najwyraźniej był na fali. Właściwie pierwszy raz współprowadził program z ostrą dyskusją, zazwyczaj był po prostu prezenterem i ekspertem od niektórych rzeczy. Tu musiał kontrolować rozmówców. Przy mojej pomocy, naturalnie; gotowa byłam w każdej chwili interweniować, gdyby zaszła potrzeba, ale nie zaszła. Aczkolwiek pojawiały się tu i ówdzie inwektywy, wszystkie w jedną stronę, bo Tymon nie bawił się w wycieczki osobiste.

Doszliśmy do zarzutu o bandycką eksploatację łowiska i rabowanie zasobów Bałtyku. Jajogłowi stwierdzili spokojnie, że żadnego rabunku nie ma, a zasoby mają się nieźle. Usiłowali pokazać jakieś wykresy, aleśmy ich spacyfikowali. Nieumówione, nie pokażemy. Rybacy zaprotestowali ostro przeciw takiemu traktowaniu panów z akademii, widać wyobrazili sobie, że jajogłowi ich bronią. Wyprowadziłam ich z błędu, za co mnie nie polubili. Potem poszedł materiał z Danii. Nasz inspektor wszystko potwierdził. Ja opowiedziałam o rozmowie z duńskimi kontrolerami. Pokazaliśmy kwity, z których wynikało, że Tymon jest w porządku, a szproty wymiarowe, jak najbardziej.

I wtedy Kratky jadowicie wycedził:

– A, pani redaktor też była na tej wycieczce w Danii. To my już rozumiemy, dlaczego pani redaktor tak broni pana Wojtyńskiego!

Byłam na to przygotowana.

– Wycieczkę zafundowały nam nasze redakcje; mówię to w imieniu wszystkich dziennikarzy, którzy tam byli. I zapewniam pana i państwa, że nie była to impreza wypoczynkowa. Widzieli państwo na naszych zdjęciach, w jakich warunkach przyszło nam pracować. Proszę mi wierzyć, wybrzeże Morza Północnego w połowie listopada to nie Riviera. Poza kilkoma godzinami w porcie resztę czasu w tej dwudniowej „wycieczce" zajęła nam jazda samochodem i promami.

Jajogłowi zaśmiali się, Tymon spojrzał na mnie bez wyrazu.

Kratky wybuchnął:

– No to jak to jest, że na jedno skinienie pana Wojtyńskiego dziennikarze tak lecą w takie parszywe warunki? I pani mi chce wmówić, że to tak bez powodu?

Tymon zacisnął usta. Rzuciłam mu ostrzegawcze spojrzenie, pilnując, żeby nie weszło w kamerę i powiedziałam:

– Powodem było czyste umiłowanie prawdy, niezależnie od tego, czy pan w to wierzy, czy nie. Swoją drogą – zwróciłam się do Tymona – może pan Kratky ma rację? Dlaczego pan właściwie jeszcze nie dał nam żadnej łapówki?

– Najmocniej przepraszam – odpowiedział mi Tymon bardzo uprzejmie. – Zapomniałem zaplanować w budżecie mojej firmy. Jestem niepocieszony.

– My też jesteśmy niepocieszeni – westchnął fałszywie Roch. – Pan Kratky chyba najbardziej. A jakie wnioski z tego pan wyciągnie na przyszłość?

– Powinienem chyba wyciągnąć taki wniosek, że nie należy się wychylać, bo jeżeli u nas człowiek wykaże się inicjatywą, to jeśli podatki go nie zjedzą, zjedzą go koledzy. Ale wyciągnę inny nieco. Będę się w przyszłości jeszcze skrupulatniej zabezpieczał formalnie i będę się starał przewidzieć wszystkie, nawet najbardziej idiotyczne posunięcia moich konkurentów. W naszym kraju sama uczciwość nie wystarczy. Nawet jeśli w grę wchodzi autentyczny interes państwa, a takim były moje przedsięwzięcia, ponieważ podatki płaciłem niemałe.

– A wnioski w tej sprawie? – spytał Roch, nieco nerwowo, bo już Krysia pokazywała dwa palce.

– W tej sprawie moi prawnicy już przygotowują pozwy sądowe przeciwko ministerstwu, które spowodowało zerwanie umów i straty finansowe, jak również przeciw tym panom – tu lekceważąco skinął w stronę Kratkiego – o zniesławienie.

– O, przepraszam – uniósł się Kratky. – Widzę, że tu pan Wojtyński miał zaplanowane ostatnie słowo!

– Proszę, ma pan pół minuty – powiedziałam, bo co mi szkodzi, niech się program zakończy mocnym akcentem folklorystycznym. – Czy uważacie panowie sprawę szprotek za zakończoną?

– O nie! – zagrzmiał Kratky. – Ja widzę, że nic się w tym kraju nie zmieniło! Że nadal rządzi pieniądz i bezprawie! Wyprzedaż majątku narodowego! Marnowanie zasobów przyrody! Tak dalej nie może być...

– Proszę o konkrety i krótko, co zamierzacie. – Krysia już miała dłonie złożone w literę T: time, czas, kończ!

– Będziemy walczyć, proszę państwa, będziemy walczyć...

– Rozumiem, będą panowie walczyć, dziękuję!

– A my będziemy przyglądać się tej walce – zakończył Roch. – Dziękujemy za udział w programie – dodał, zwracając się w stronę gości – i za uwagę. – Skłonił grzywę w stronę kamery numer jeden.

Bing, bing, poszła tyłówka. Kiedy pojawiła się plansza ośrodka, weszła na nas Warszawa.

– Zawodowo – powiedziała Krysia. – Co do sekundy.

Niemrawo wychodziliśmy ze studia. W holu zaczęłam się żegnać i dziękować wszystkim za to, że byli uprzejmi się zjawić. Napięcie opadło i czułam się jak wyżęta szmatka. O ile szmatka się czuje. Nie byłam zupełnie zadowolona. Wprawdzie udowodniliśmy rację Tymona, ale cóż z tego, kiedy żaden z przeciwników tym się nie przejął.

Jajogłowi poszli sobie pierwsi, jak to oni. Żegnałam się właśnie – dość oficjalnie i na pan – z Tymonem, kiedy podszedł do nas Kratky z obstawą.

– No i co, panie Wojtyński? Z nami pan nie wygra. Nie ma takiej możliwości. Nas jest wielu, a pan nas chciał wykiszkować! Nie da pan rady, ja to panu mówię! Nawet przy pomocy pani redaktor.

– Mam wrażenie, że wyczerpaliśmy już temat – powiedział chłodno Tymon. – Życzę szczęścia na posadzie dyrektora departamentu.

– Czego, czego? – zainteresował się duży Kołodziejczyk. – Dyrektora...

– Dyrektora departamentu w Ministerstwie Transportu. Na miejsce tego, który przyznał, że niepotrzebnie wystraszono się waszych gróźb. Kolega panom nie wspominał?

– August, to prawda? – Rybacy jak jeden zwrócili oczy na Kratkiego.

– No, wiecie, to jeszcze nie jest całkiem pewne...

– A ja słyszałem, że już jest – powiedział Tymon i odwrócił się w moją stronę. – Nie wspominałem o tym w programie, bo jeszcze istotnie to nieoficjalna wiadomość. Ale pewna.

– Przecież mieliśmy zakładać spółki rybackie, miałeś tym pokierować!

– Warszawa nie leży na biegunie, panowie. – Kratky odzyskał kontenans, z zaskoczenia zagubiony. – Będziemy w kontakcie.

– Ja bym na to nie liczył – wtrącił, chichocząc, Roch. – Wygląda na to, że panowie zostali sierotami. Dyrektor departamentu ma niezłą pensję, a będzie miał wiele zajęć w stolicy, może nieprędko pokazać się znowu na Wybrzeżu.

Dostałam ataku śmiechu.

– Ależ tam szybkie decyzje podejmują w tym ministerstwie!

– Na naszych plecach tam wjechałeś – zgłosił pretensję Sałata.

– Lepiej, żebyś o nas tak zaraz nie zapomniał.

– To ja życzę wszystkim panom szczęścia – powiedziałam stanowczo. – Nas interesowała sprawa szprotek, a nie kariera pana Kratkiego. Do zobaczenia przy następnych okazjach, proszę pamiętać, że jakby co, to jesteśmy do dyspozycji!

Zawinęłam się i poszłam. Tymon poszedł za mną, więc po paru krokach zatrzymałam się, tak, żeby nasi goście mogli nas widzieć, ale niekoniecznie słyszeć.

– No i co? – zapytałam mało inteligentnie. Na więcej nie miałam siły.

– Jestem ci bardzo wdzięczny – powiedział z bardzo oficjalną miną. – Udowodniliśmy, kto tu miał rację w tej całej aferze.

– Może i tak – przyznałam smętnie – ale forsy nie odzyskasz. Poza tym i tak wielu będzie cię traktować jak podejrzanego, bo my tu sobie możemy udowadniać do upojenia, a ludzkość wie swoje.

– Ale jakiś wyłom w tej społecznej świadomości chyba jednak zrobiliśmy. Może ten i ów pomyśli, że niekoniecznie trzeba być ubogim paprakiem, żeby być uczciwym.

– Jadę do domu, Don Kichocie. Dopiero teraz zaczynam być zmęczona.

– Może cię odwieźć? Lepiej, żebyś nie jechała, taka wykończona.

– Nie, dziękuję, dojadę na resztkach adrenaliny. Zadzwoń jeszcze kiedyś, jak ci się powodzi.

Popatrzył na mnie uważnie.

– Zadzwonię na pewno. Do widzenia.

Z uczuciem całkowitej pustki w głowie wsiadłam do samochodu i pojechałam do domu. Jak to zrobiłam, nie pamiętam, pewnie samochód – zgodnie z nazwą – jechał sam.

Wtorek, 21 listopada

Pustka w głowie mi została i rozszerzyła się na obszar tego, co romantyczni poeci nazywali sercem i duszą.

Przez ostatnie trzy tygodnie zajmowałam się prawie wyłącznie Tymonem i sprawami Tymona. Diabli wiedzą, czy się w nim zakochałam, czy nie, chociaż objawy raczej by na to wskazywały. Przyzwyczaiłam się do jego telefonów, do rozmów z nim, do spoglądania w te jego bystre oczy, które przy uśmiechu otaczała siateczka kurzych łapek. Do uśmiechu się przyzwyczaiłam! I do poczucia humoru.

A teraz jesteśmy już po programie, zrobiłam, co miałam zrobić, szprotki poszły w eter, opinię Tymona przynajmniej częściowo udało nam się ocalić. Tymon może o mnie zapomnieć. Koniec mojej działalności.

W tej sprawie, oczywiście. Czekają inne tematy, inne programy, inne reportaże.

Chrzanię inne reportaże.

Chcę Tymona.

To tak zazwyczaj bywa, że kiedy już pójdą plansze końcowe, robi sie pusto – mniej lub bardziej, w zależności od tego, o kim był program, jak długo go robiłam, jak sympatyczni byli bohaterowie. Potem pustka mija i rzucam się na kolejną robotę. O bohaterach poprzedniego materiału, z którymi już byłam zaprzyjaźniona, zapominam. Czasem ich spotykam i nie pamiętam, kim są. Niektórzy pozostają na dłużej; mam takich przyjaciół, których poznałam, robiąc o nich program. A czasami bywa tak, że spotyka mnie ktoś i mówi: „Jak to, nie pamięta pani? Taki ładny film pani o nas nakręciła". A ja nic. Czarna dziura.

Może to jeszcze nie koniec?

Jasne, że nie. Spotkamy się na wernisażu u Nusia albo na czymś takim. Na kongresie rybaków dalekomorskich. Albo bliskomorskich. Albo na rybaków wyślę Rocha i się nie spotkamy. Chyba pójdę jutro do pani profesor, bo coś niewyraźnie się czuję.

Kotuś! Bądź grzeczny! Mamusia cię prosi.

Środa, 22 listopada

A to kicha. Pani profesor przyjmuje jutro, a dzisiaj wyjechała.

Czwartek, 23 listopada

Jestem w szpitalu. Robili mi USG. To, co powiedziała o mnie pani profesor, nie nadaje się do powtórzenia.

Piątek, 24 listopada

Badają mnie, badają i kombinują jak koń pod górę.

Syneczku kochany – albo córeczko kochana – bardzo cię proszę, bez jaj. Po pierwsze, masz rosnąć tam, gdzie jesteś i nie grymasić, po drugie, nie stwarzaj problemów, bo mamusia musi się zająć Orkiestrą. Do stycznia niedaleko, trzeba na gwałt robić dokumentacje, cyzelować scenariusz, ach, tysiąc rzeczy na minutę... Więc proszę, koteczku najmilszy, zachowuj się przyzwoicie.

Mama z Amelią mnie odwiedziły. Ładnie z ich strony, ale nie mam do nich głowy. Widać, że starannie unikają tematu tatusia (mojego) i jego żądań oraz wypisywania mnie z rodziny. I to je strasznie męczy. Nie chce mi się toczyć konwencjonalnych rozmówek.

Śpię, śpię i śpię. A jak nie śpię, to wyobrażam sobie, jakby to mogło być z Tymonem. Jakoś jednak nie potrafię tego powiązać z faktem bycia przyszłą mamusią. W końcu to nie jego.

Może najlepiej będzie tak, jak jest.

Zresztą nie dzwoni. A skoro nie dzwoni, to najpewniej też wraca do swojego normalnego życia, zakłóconego przez tę aferę szprotkową.

Definitywnie wracamy do rzeczywistości.

Sobota, 25 listopada

Śpię. Dzidzia też chyba śpi, bo mi jakoś ogólnie lepiej. Czymś mnie faszerują, ale mało mnie obchodzi, co to jest.
Pani profesor przestała na mnie warczeć. To dobry znak.
Dostałam milion dwieście sms-ów od ukochanych kolegów.
Wszyscy mi życzą zdrowia, szczęścia i tłustego dzidziusia.
Jeszcze nie teraz! Dopiero wejdziemy w piąty miesiąc!

Niedziela, 26 listopada

Zadbałam o siebie. Umyłam włosy – dobrze, że się kręcą same, bo suszyć na szczocie już bym nie miała siły. Uporządkowałam paznokcie (jeden się złamał i trzeba było zlikwidować wszystkie). Zaczęłam znowu wyglądać jak człowiek – może jeszcze niepełnowartościowy, ale już homo sapiens. Może jutro zacznę wyglądać jak kobieta.

Nawet zjadłam obiad szpitalny. Po raz pierwszy nie wzbudził we mnie natychmiastowej chęci do wymiotów.

Teraz sobie leżę i słucham z walkmana moich ukochanych wolnych kawałków Beethovena (na kasecie też je mam, w ogóle prawie się z nimi nie rozstaję, wożę je w samochodzie i noszę w kieszeni).

Zadzwonił!

Przepraszał, że milczał od poniedziałku, ale musiał na gwałt jechać do Warszawy w sprawie tych procesów, co je powytaczał ministerstwu. A nie chciał rozmawiać na chybcika. Czy uważam, że możemy się spotkać?

– Wykluczone! W każdym razie nie w najbliższym czasie – powiedziałam, szczęśliwa niebotycznie.

Chyba się zmartwił.

– Zrezygnowałaś ze mnie całkiem? Byłem ci potrzebny tylko do programu?

A to ci heca. A ja myślałam, że to ja byłam mu potrzebna tylko do programu!

– Uchowaj Boże, tylko ja się teraz nie nadaję do spotkań.

– Coś się stało?! – To już było autentyczne zaniepokojenie. – Wika, jesteś zdrowa?

– Nie jestem całkiem pewna. Jestem w szpitalu, na patologii. Wcale nie chcę, żebyś mnie oglądał w charakterze szlafrokowej zmory. Co to, to nie. Musisz poczekać.

– Ale co ci jest?

– Nie dociekam. Jakieś drobne zawirowania. To się chyba nazywa zagrażające poronienie. Pani profesor, która mnie prowadzi, nie lubi opowiadać pacjentkom o szczegółach. Mówi, że jeśli chcemy, to ona powie, ale po co mamy sobie głowę zawracać. Tu się nami zajmują bardzo pieczołowicie. Ale trochę jeszcze poleżę.

Cisza w słuchawce.

– Hej, jesteś tam jeszcze?

– Boże święty... To moja wina, nie powinienem był wymyślać tej Danii, wiedziałem, że jesteś w ciąży i wiedziałem, że tam pojedziesz!

– No, nie martw się tak. Pani mówiła, że już jest stabilnie. Trochę się przetrenowałam ostatnio i coś tam... Nie bądź taki prokurator, nie będę ci opowiadała o moich narządach!

– Wika, ja muszę cię zobaczyć!

– Ale ja nie chcę!

– Wika, ja muszę!

– Nie możesz poczekać, aż wyjdę?

– Nie, nie mogę. Gdzie leżysz?

– Na Unii.

– Będę u ciebie za dwie godziny.

– Zwariowałeś!

– Chyba tak. Nic nie mów. Jadę.

I wyłączył się.

O Boże, a ja wciąż nie wyglądam jak kobieta.

A może właśnie wyglądam? Jak prawdziwa kobieta, tyle że trochę zmarnowana, ale prawdziwa, nie z plastyku.

Mimo wszystko rzuciłam trochę pudru na oblicze.

Nie wiem, jak to zrobił, ale wystarczyły mu te dwie godziny na wyjechanie z domu, przeprawienie się promem i przejechanie drogi ze Świnoujścia do Szczecina. Przyjęłam go w łóżku, bo pani profesor srogo zabroniła mi ruszać się dalej niż do klopka. Na szczęście obie moje współlokatorki też miały odwiedziny, a jako osoby bardziej na chodzie, poszły sobie z mężusiami do świetlicy.

Miał na sobie ten idiotyczny kitelek dla gości. W kolorze trawiastozielonym. Poza tym był jak najbardziej sobą. Poznałam to po tym, że serce skoczyło mi jak szalone. Oczywiście starałam się zachować twarz pokerzysty. To znaczy pokerzystki.

Nie miał kwiatków! Aha, na oddziale jest zakaz. Bakterie się mnożą. Zresztą na diabła mi kwiatki. Tymon jest.

Stanął w drzwiach i rozejrzał się po sali. Leżałam w kąciku pod oknem. Pomachałam mu łapką spod kołdry.

Przysunął sobie taboret i siadł koło mnie. Spoglądał przy tym na mnie z wyrazem jakiejś niesłychanej czułości. Chyba że mi się wydawało. Ale chyba jednak nie.

Siedział i nic nie mówił. Robił wrażenie, jakby już nigdy w życiu nie miał przemówić.

W końcu chyba się napatrzył, bo przemówił:

– Kocham cię.

Miałam na czubku języka tysiąc inteligentnych odpowiedzi, bo przecież byłam pewna, że z jego strony to po prostu mieszanina poczucia winy z poczuciem wdzięczności. Wdzięczności za pomoc i winy za narażenie mnie na trudy, które proszę, do czego doprowadziły. Zamiast tego powiedziałam wbrew sobie, bo nie miałam zamiaru niczego takiego mówić:

– Ja też cię kocham.

Na to on wziął mnie w ramiona i mogłam w nich sobie wreszcie trochę poprzebywać na jawie, a nie tylko w marzeniach.

– Mógłbym cię tak całować do jutra – mruknął, wypuszczając mnie z objęć. – Ale ta twoja pani profesor zakazała cię męczyć.

– Widziałeś się z panią profesor?

– Widziałem i wydobyłem z niej zeznania. Poleżysz jeszcze tydzień albo dwa. Wikuś, jedyna moja, żebyś ty wiedziała, ile ja przepisów złamałem, jadąc do ciebie... Skorumpowałem dwa patrole po drodze!

– Mówiłam ci przecież, że idzie ku dobremu!

– A kto by tam wierzył kobiecie! – Zaśmiał się i powrócił do uprzedniego zajęcia. – Całą drogę przez tę cholerną Danię myślałem wyłącznie o tym. I nie odważyłem ci się tego powiedzieć!

– Nie żartuj. – Wydobyłam się z ukochanych ramion, bo jedna z moich współlokatorek już się kiwała koło drzwi, najwyraźniej z zamiarem wejścia. – Ja tak samo. Tylko myślałam, że jesteś po prostu uprzejmy wobec mnie z powodu, że się poświęcam w twojej sprawie, a tak naprawdę to jestem ci całkowicie obojętna; no, w końcu obca baba, dziennikarka, tyle że w miarę przyzwoita.

– A dlaczego tak płakałaś w tym klozecie?

– Właśnie dlatego. Tak mi się cudnie z tobą jechało, potem powiedziałeś, że żałujesz, że ta Dania taka mała i ja doszłam do wniosku, że chcesz mi dać do zrozumienia, że Dania się skończy i sprawa się skończy.

– Wika, Wika! Obiecaj mi, że nigdy, ale to nigdy nie będziesz próbowała zgadnąć, co ja myślę, tylko mnie o to pytaj. Ale, prawdę mówiąc, ja nie lepszy. Też wyobrażałem sobie mnóstwo rzeczy... Przede wszystkim, że jestem dla ciebie wyłącznie obiektem zainteresowania zawodowego, że stajesz po prostu po stronie uczciwości.

– Bo staję!

– No właśnie. Ale wygląda na to, że jednocześnie miałaś jakieś tam prywatne odczucia, a ja się bałem, że jesteś po prostu zawodowcem.

– Bo jestem.

– Jesteś, ale nie po prostu. A poza tym jesteś kobietą. Słuchaj, po co my tyle mówimy...

Obejrzał się, czy baba jeszcze stoi w drzwiach, ale nie stała. Może poszła na ploty. Wykorzystaliśmy moment.

Baba przyszła i wdrapała się na swoje łóżko. Tymon ułożył mnie wygodnie na poduszce.

– Jesteś śliczna, wiesz? – powiedział półgłosem.

– Masz coś z oczami, kochany – zawiadomiłam go uprzejmie.

– Wyglądam jak nieboszczka po reanimacji!

– Niczego sobie nieboszczka. Boże, jak ja się bałem... Przez całą drogę. A jak mnie szarpały wyrzuty sumienia! Nie powinienem był ci na to wszystko pozwolić.

– A dużo byś miał do pozwalania. Byłam w pracy i tyle.

– Ależ ty masz charakterek... Wyjdziesz za mnie?

– Czekaj, nie tak zaraz. Dlaczego mam wyjść za ciebie?

Rozmowę prowadziliśmy szeptem, ze względu na obecność baby, która teraz wszystkimi siłami starała się usłyszeć, o czym mówimy.

– Bo cię kocham. Oraz bo taka wariatka powinna mieć kogoś, kto jej wybije niektóre pomysły z głowy!

– Ja też cię kocham. Ale nie dam sobą dyrygować.

– Ja nie chcę tobą dyrygować, ja chcę się tobą opiekować.

– A co z wybijaniem?

– Cofam. Będę działał łagodną perswazją.

– Pomyślę.

Weszła pielęgniarka.

– Pan jeszcze tu? Miał pan tylko na chwilę wpaść i porozmawiać, a nie wysiadywać tu godzinami. Proszę kończyć, u nas teraz będzie kolacja i obchód.

– Już idę, proszę pani – powiedział Tymon posłusznie.

– Zajrzysz jeszcze?

– Postaram się. Myśl o mnie i o tym wszystkim, co ci powiedziałem.

Dobry sobie! Nie będę w stanie myśleć o niczym innym.

– Wikuniu moja, słuchaj: przeprowadzę ten rozwód, którego nie przeprowadziłem z lenistwa. Zrobię to tak czy inaczej. Ale pamiętaj: kocham cię i chcę, żebyś była moją żoną... od razu z dzieckiem, to bardzo praktycznie.

Uśmiechał się, ale widziałam, że mówi poważnie. To wszystko wymaga przemyślenia! Kocham go jak wariatka, ale w ogóle nie brałam pod uwagę małżeństwa.

– Naprawdę musisz iść – powiedziałam. – Pani pielęgniarka zagląda co dwie sekundy. Idź, ale pamiętaj: ja też cię kocham.

Wrócił jeszcze od drzwi.

– Byłbym zapomniał.

Wyjął z kieszeni pudełeczko. Pierścionek? Nie, dużo większe.

– Zobacz, czy to jest to, co tak ładnie na tobie pachniało?

Nie musiałam otwierać. Trafił! Trójka Givenchy.

– Gdzieś ty to dostał? Na promie nie było!

– W sklepie wolnocłowym na lotnisku.

– Proszę pana!

– Tak jest, siostro Ratched!

Psiknęłam na siebie troszeczkę tej trójki.

Poniedziałek, 27 listopada

Nie mogę myśleć o niczym innym.

Tymon dzwoni kilka razy dziennie i gadamy o byle czym. Zdrowieję lawinowo.

Środa, 29 listopada

Odwiedziła mnie Amelia. Nic jej nie powiedziałam. Jakoś mnie zniechęciło, że stanęła po stronie ojca, który zalecał mi ogłoszenie matrymonialne. Pewnie by nie wytrzymała i wygadała wszystko rodzinie i ojciec byłby zachwycony, że jednak złapałam tatusia dla dziecka.

Tymon, oczywiście, dzwonił, żeby pogadać o niczym.

I jeszcze dzwoniła jedna moja koleżanka z pracy, niejaka Lalka Manowska, bardzo ją lubię, chociaż jest ode mnie dwa razy starsza. Powiedziała, że nie przyjdzie mnie odwiedzać, bo smrodek szpitala ją uczula i od razu zaczyna się dusić, ale życzy mi wszystkiego najlepszego.

Czuję się coraz lepiej.

Czwartek, 30 listopada

Pani profesor zapowiedziała, że jeżeli obiecam przyzwoite prowadzenie się (czytaj: bez pracy), to wypuści mnie w przyszłym tygodniu.

Czytałam w prasie fachowej, to znaczy w pismach dla kobiet nowoczesnych, że uprawianie seksu w ciąży jest najzupełniej normalne i wskazane dla związku. Ale to raczej dotyczyło związku istniejącego już przed ciążą. Ciekawe, jakby to wyglądało w moim wypadku?

A może Tymon będzie wolał poczekać, aż urodzę?

Nie rozmawialiśmy o tym przez telefon.

GRUDZIEŃ

Piątek, 1 grudnia

Pani profesor odmówiła wypuszczenia mnie już dzisiaj, nawet na przepustkę do domu.

– Pani Wiko! – powiedziała surowo. – Jeżeli wszystko będzie w porządku, wyjdzie pani w przyszłym tygodniu. Tak mówiłam. W przyszłym tygodniu w piątek. I proszę mi się nie podlizywać, bo wcześniej nie pozwolę.

– Ale czy to nie wszystko jedno, gdzie leżę? A jakbym sobie poleżała we własnym łóżeczku?

– Nie wierzę w to własne łóżeczko. Poleciałaby pani gdzieś, a potem wróciłyby wszystkie kłopoty. Chce pani mieć to dziecko, czy może już nie?

– Pani profesor!

– No więc! Proszę tu leżeć i myśleć pozytywnie.

No to leżę i myślę pozytywnie. O Tymonie, rzecz jasna. Doszłam do wniosku, że oczy to on ma raczej siwe niż błękitne. Powiedzmy szare wpadające w błękit.

Kiedy mnie całował, miał zdecydowanie szare.

A nawet ciemnoszare.

Krysia z Maćkiem przyszli i byli zatroskani.

– Wikuś – powiedział Maciek – powinniśmy jak najszybciej jechać do Niechorza i omówić szczegóły Orkiestry. Myślisz, że będziesz mogła? Bo mamy jeszcze miesiąc. To mało.

– Oni tam robią wszystko, cośmy im kazali – wtrąciła Krysia – ale trzeba by już uzgadniać szczegóły scenariuszowe. Już nam się zaczyna palić pod nogami.

– W przyszłym tygodniu wychodzę – zawiadomiłam ich stanowczo. – Powiedzmy, że przetrzymają mnie tu do piątku, od jedenastego możecie się umawiać w Niechorzu.

– Nie umrzesz nam przy pracy? – Maciek nie był przekonany. – Strasznie bym nie chciał uczestniczyć w twoim pogrzebie!

– Mowy nie ma – pokręciła głową Krysia. – Kwiaty za drogie. Poza tym pamiętaj, że zamierzamy być chrzestnymi rodzicami twojego potomka. Jakbyś miała nie móc, to może by to zrobił kto inny?

– Chora jesteś? – zapytałam mało grzecznie. – Cały rok na to czekam, a ty mi mówisz: kto inny. Będę uważać!

Wtorek, 5 grudnia

Nie chciało mi się pisać przez cały weekend, a jeszcze w poniedziałek byłam zła.

Tatunio mnie zaszczycił. Interesował się, jak tam dzidzia.

– Dzidzia ma się nieźle – powiedziałam. – Miała trochę kłopo-

tów, ale już jej przeszło. Jeszcze trochę poleży i całkiem jej przejdzie.
– Nie zmieniłaś przypadkiem zdania w kwestii, o której mówiliśmy ostatnio?
– Żartujesz?
– Mówię najpoważniej.
– No to lepiej nie mów. Po co masz się denerwować.
Od słowa do słowa... poszedł sobie, a ja zostałam wściekła.
Tymon się nie pojawił, dzwonił, że leży w łóżku i intensywnie zwalcza grypę.

Czwartek, 7 grudnia

Niespodzianka. Odwiedziła mnie Ewa. Ona jest pośrednim ogniwem między Lalką a mną. Taka rycząca czterdziestka. Pracowała w mojej redakcji, ale jakieś osiem miesięcy temu poszła na zwolnienie lekarskie. Kontaktowałyśmy się dosyć często do czasu, kiedy przed wakacjami wyjechała do krewnych mieszkających w dawnej rodzinnej posiadłości pod Poznaniem. To jakiś bogatszy odłam familii, bo Ewa należy do tego mniej bogatego, choć tytuł arystokratyczny posiada taki sam. Zaprosili ją do siebie, kiedy zapadła na zdrowiu, żeby na łonie rodziny przechodziła wielce męczącą kurację.
– Boże, co to było – opowiadała ekspresyjnie Ewa. – Co drugi dzień zastrzyk i co drugi dzień telepka i rzyganko. Nikomu nie życzę. No, może paru osobom.
– Ale pomogło ci? – zapytałam ostrożnie. Ewa miała wirusa C.
– Pomogło. To znaczy cofnęło się. Zmiany już nie postępują. Nie mogę pić wina! – Przewróciła żałośnie oczami. – Jak tu jeść obiad bez wina?
– A możesz jeść wszystko?
– Gdzie tam. Bardzo uważam. Czasem grzeszę, ale biorę sylimarol i jakoś leci.
– Wracasz do roboty?
– Wracam, od nowego roku. A w Szczecinie jestem już dwa tygodnie. Chciałam się z tobą jakoś skontaktować, ale byłaś cała w rozjazdach, potem padłaś jak kawka, od razu do szpitala. Trochę mi Krysia opowiedziała o twoich sprawach. Jak tam dzidziuś?

– Dochodzi do siebie.

– Czyj jest? – Ewie zaświeciły oczka.

– Takiego jednego. Nie ma znaczenia. Kiedyś ci opowiem.

– I będziesz go sama chowała?

– No właśnie nie jestem pewna...

– Co mówisz? Dałaś to ogłoszenie? – Ewa miała dobre informacje, widać Krysia nieźle ją uświadomiła na temat moich przejść osobistych.

– Zwariowałaś. Mam wyjść za jakiegoś nieznajomego faceta?

– A co, masz jakiegoś znajomego?

– Krysia nie opowiadała ci o szprotkach?

– Ach, więc jednak! Muszę ci się przyznać, że opowiadała i nawet trochę spekulowałyśmy na wasz temat, tylko Kryśka nie była pewna.

– Powiedział, że mnie kocha. I chce, żebym za niego wyszła.

– A ty?

– Ja też. To znaczy, kocham go, a w każdym razie strasznie mi się podoba i strasznie go chcę. Ale z tym małżeństwem... Sama nie wiem. W pierwszej chwili w ogóle o tym nie myślałam, wydawało się oczywiste, ale teraz tak sobie tu leżę i myślę...

– Widziałam go w programie. Też mi się podoba.

– Ewka!

– No coś ty! Ja mam swojego Stefana!

Ewy Stefan to był taki trochę odpowiednik mojego pięknego Stanisława, z tym że permanentny. Kochał ją i co jakiś czas przyjeżdżał do niej, nie interesując się specjalnie, czy Ewa ma jeszcze kogoś czy nie. A miewała. Ściślej mówiąc, miała całą kolekcję narzeczonych, którzy potrzebni jej byli do różnych celów. Obracała się w różnych kręgach towarzyskich i rozrzut środowisk, jakie reprezentowali narzeczeni, był imponujący.

– Stefan cały czas?

– Tak, oczywiście. Dzwoni codziennie. Tylko weekendy ma wolne ode mnie, wiesz: dla rodziny. Czekaj, a co z tobą? Z tą pracą myślową?

– Praca myślowa jest właśnie na temat pracy. Bo widzisz, niby wszystko jest jasne i proste, lecimy na siebie aż ziemia jęczy, jemu nie przeszkadza nawet moja ciąża, mówił, że to praktycznie, od razu z dzieckiem...

– To dobrze o nim świadczy!

– Właśnie. Bardzo jest sensowny. Więc wyobraź sobie, że wychodzę za niego i zamieszkuję w tym jego domu w Świnoujściu... W Świnoujściu!

– Ach, rozumiem! W Świnoujściu, powiadasz?

– W Świnoujściu.

– W Świnoujściu. O cholera.

– Sama widzisz.

– Widzę. Trochę daleko do firmy, co?

– Trochę daleko.

– A on by się nie przeprowadził?

– Wątpię. On ma tę swoją firmę rybacką, te kutry, co nimi łowi różne rybki, musi mieć rękę na pulsie, tak to sobie wyobrażam.

– A dom jaki?

– Fajny. Ale daleko.

Zamilkłyśmy. Ewa, podobnie jak ja i Lalka Manowska, miała fioła na punkcie telewizji. We trzy stanowiłyśmy miejscowy klub hobbystek. Nie miało to nic wspólnego z byciem „panią z telewizji". My kochałyśmy tę robotę.

– No i co będzie? – zapytała.

– Nie wiem. Chcę jego i chcę pracować.

– Przecież musisz wychowywać dziecko.

– To będę je wychowywać. Ale czy ty sobie wyobrażasz, że oddalam się od zawodu i wracam do niego, jak już kotuś będzie pełnoletni?

– To już pewnie nie będziesz miała do czego wracać.

– Otóż to.

– I co zrobisz?

– Nie wiem!

Znowu pomilczałyśmy trochę na ten sam temat.

– Może my już jesteśmy za stare na małżeństwo? – powiedziałam, mając na myśli jej licznych narzeczonych i moje rozterki.

– Mów za siebie. Ja tam na nic nie jestem za stara. Ale rzeczywiście, to jest problem. Nie wiem, co by ci tu poradzić. Zobacz, jak się będzie rozwijało.

Sama jestem ciekawa.

Piątek, 8 grudnia

Pani profesor pozwoliła mi wyjść ze szpitala.

– Tylko niech pani sobie nie wyobraża, że jeśli panią spuściłam z łańcucha – proszę wybaczyć porównanie – to może pani robić wszystko, co się pani podoba! Zwolnienie ma pani na dwa tygodnie i niech pani nie waży się pracować! Nie musi pani leżeć w łóżku bez przerwy, ale proszę się oszczędzać. Zdecydowanie oszczędzać! Nie łazić! Jeździć samochodem! Nie nosić! Nie denerwować się! Za dwa tygodnie do mnie na kontrolę.

– Pani profesor – zaczęłam nieśmiało, bo jednak mnie krępowało pytanie, które chciałam zadać. – A jak z seksem?

– Bardzo delikatnie – powiedziała pani profesor machinalnie i nagle oko jej błysnęło jak normalnej kobiecie. – A co, tatuś się zreformował?

– Tatuś nie. Ale jest ktoś taki...

– Życzę szczęścia. I proszę pamiętać: na oddziale chcę panią widzieć dopiero w kwietniu! W końcu kwietnia! Nie wcześniej! Za dwa tygodnie do mnie na kontrolę.

Nie uważałam za stosowne poinformować jej, że mamy w planie transmisję znad morza w styczniu oraz dokumentację w najbliższy wtorek, bo mogłaby się zdenerwować.

Oczywiście, zatelefonowałam do niezawodnego szwagra i niezawodny szwagier przyjechał samochodem zabrać mnie do domu. Dzwoniłam też do Tymona, ale odpowiedział mi automatycznie, więc nagrałam tylko bieżący komunikat. Ostatnio znowu trudno było go złapać. Zalatany biznesmen w kłopotach.

Po drodze do domu zastanawiałam się, jak też ułoży mi się z rodziną, która wciąż nie wiedziała o moim świeżutkim romansie. Miałam wielką ochotę wtajemniczyć Krzysia, tak po prostu, żeby mieć z kim pogadać, ale jakoś się powstrzymałam. Lepiej, żeby nie miał nic do ukrycia przed swoją żoną a moją siostrą.

– Może byłoby dobrze – zastanawiał się po drodze – gdybyś nie szła do siebie, tylko została z nami wszystkimi na dole...

– Nie, Krzysiu. Nie byłoby najlepiej. Ojciec by mnie obchodził z daleka, jak śmierdzące jajko, mama czułaby się głupio, Mela też... A ja bym miała stale nad głową tę rodzinną dezaprobatę. Nawet uwzględniając ciebie i Bartka, byłoby mi trochę nieswojo. A tak będę

sobie odpoczywać, posłucham muzyczki, zjem coś lekkiego. À propos, zatrzymajmy sie przy jakimś sklepie, bo muszę sobie kupić żarcie.
– Nie trzeba – powiedział Krzyś. – Bartek miał zrobić dla ciebie podstawowe zakupy. Oraz odkurzyć mieszkanie ukochanej cioci, bo się trochę zapuściło. Może nawet już zdążył.
Jak to dobrze, że Bartek wrodził się w tatusia, a nie w mamusię. Chociaż Mela nie jest jeszcze taka najgorsza. Gdyby chłopię wrodziło się w dziadka, to by było fatalnie!

W domu miałam rzeczywiście porządek, świeżo przewietrzone i tak dalej. Lodówka zawierała tak niezbędne rzeczy do jedzenia, jak duża ilość kabanosów, trzy litry mleka, jajka, lody, nutellę i z pół metra schabu bez kości. Żebym sobie mogła zrobić kotleciki. Jak pokroiłam ten schab w kotleciki, wyszło mi osiemnaście. Na jakiś czas starczy. Chleba tostowego też było na jakieś dwa tygodnie. Dobre dziecko nie pożałowało cioci jedzonka.
Magnesem do drzwi lodówki przyczepiona była kartka z mikroskopijnymi literkami.
Ciotka! – pisało dziecko. – *Cieszę się, że znowu żyjesz. Jakbyś chciała zagrać w pokera, to daj znać.*
Zadzwoniłam do niego.
– Dziękuję ci, siostrzeńcze – powiedziałam z prawdziwą wdzięcznością. – Jesteś kochany. Pokera odłożymy, bo nie jestem jeszcze w formie, ale na herbatę mógłbyś wpaść.
– Nie, ciociu – odpowiedziało dziecko. – Tym pokerem to ja cię chciałem rozweselić, ale jeśli nie grasz, to raczej pojadę do radia. Zrobię taki jeden dżingiel na jutro, bo obiecałem. Na pewno nic ci już nie trzeba?
– Na pewno.
– Czekaj, ciocia, bo tu babcia mi słuchawkę wyrywa...
– Wika – usłyszałam w słuchawce głos mamy – wszystko w porządku? Czemu nie chciałaś do nas przyjść?
– W porządku, mamo, nic się nie martw. Ale wolę być u siebie. Nie czułabym się dobrze ścigana potępiającym spojrzeniem taty. A ty już się pogodziłaś z rzeczywistością, mamuś?
– Och, wiesz, jak to jest – powiedziała mama wymijająco. – Ojciec ma swoje racje, ale i ty masz swoje. My cię przecież nie wyrzucamy z rodziny. Jesteś cały czas naszą córką...

– To miło, że tak mówisz, naprawdę. Ale myślę, że lepiej będzie, jeżeli na razie zostanę na swoich śmieciach. Będę sobie odpoczywać, a ty nie będziesz musiała wybierać między ojcem a mną. Całuję cię, mamo.

Pozostanie na swoich śmieciach ma jeszcze jedną nieocenioną zaletę: mogę spokojnie czekać na telefon od Tymona, ze świadomością, że kiedy zadzwoni, będziemy mogli rozmawiać całkowicie swobodnie.

Zadzwonił koło jedenastej wieczorem.

Do drzwi.

Nareszcie mogłam mu wpaść w objęcia i nie przejmować się, że zaraz przyjdzie pielęgniarka albo współlokatorka.

Staraliśmy się zachować zalecaną przez panią profesor delikatność.

Te oczy rzeczywiście ma raczej szare...

Sobota, 9 grudnia

– Kocham cię.

To było pierwsze, co usłyszałam rano, obudziwszy się w ramionach wymarzonego mężczyzny (stosunkowo krótko o nim marzyłam, ale jednak).

Wymarzony mężczyzna spoglądał na mnie badawczo, jakby mnie nigdy przedtem nie widział.

– Od razu cię uprzedzam, że będę się powtarzał. Kocham cię. Zabawne uczucie. Myślałem, że już to przerobiłem definitywnie. A teraz mam wrażenie, że wszystko zaczyna się od nowa.

– Wszystko, to znaczy co?

– Życie. Nieźle, prawda?

– Prawda.

Pocałowałam go w uśmiech.

– Jak to dobrze, że przyjechałeś.

Koło dwunastej Tymon opuścił moje łóżko i zajął moją łazienkę. Bardzo dobrze, że mam zawsze w zapasie świeżą szczoteczkę do zębów – dla niespodziewanych gości.

Śniadanie składało się z tostów, jajek i kabanosów.

Zmywał Tymon. Potem oglądaliśmy w telewizji „Pół żartem, pół serio", popłakując ze śmiechu. Fajnie, że śmieszą nas te same gagi. Koło trzeciej zadzwoniła mama z zaproszeniem na sobotni obiadek. Podziękowałam, mówiąc, że muszę zacząć zjadać osiemnaście kotletów schabowych nabytych przez Bartusia.

Usmażyłam ich rzeczywiście kilka, podczas gdy Tymon wylegiwał się na tapczanie, gadał głupstwa i chichotał. Kotlety mu smakowały, co uznał za dobrą zapowiedź małżeństwa.

Małżeństwa!

Nie musiałam szukać odpowiedzi, bo zadzwonił Krzysio z zapytaniem o zdrowie. Na szczęście to taktowny facet. Wyczuł, że nie spieszy mi się do kontaktów towarzysko-rodzinnych, więc jeszcze tylko zapewnił mnie o swojej gotowości do niesienia pomocy w razie czego i się wyłączył.

Zrobiłam herbatę i na powrót ulokowałam się w ramionach mojego nowego mężczyzny. Tym razem na kanapie. Siedzieliśmy sobie, nic nie robiąc, nic nie mówiąc i wpatrując się w noc za oknem. Taką grudniową, co to zapada o trzeciej po południu. Jak to dobrze, że niedługo dzień zacznie przyrastać. Nie znoszę tych wczesnych zmierzchów!

– Lubię twoje imię – powiedziałam. – Skąd je właściwie masz, takie rzadko spotykane?

– Mój ojciec wykłada historię starożytną na uniwersytecie we Wrocławiu. Szczególnie przywiązany jest do Grecji. Przy mniejszym szczęściu miałbym na imię Perykles... Albo jakoś podobnie.

– A mama?

– Mama wykłada teorię literatury. Też we Wrocławiu. Oni oboje są ze Lwowa. A ja już jestem tutejszy. To znaczy z Ziem Zachodnich.

– I tak cię puścili do WSM-ki?

– Mama trochę się bała, bo nie ufała nigdy morzu do końca. Ojciec nie miał oporów. Uważał, że mężczyzna sam sobie musi szukać szczęścia w życiu. Wolałby mnie widzieć w mundurze kapitana prawdziwej żeglugi wielkiej, ale jakoś się pogodził i z rybami.

– A twoja żona?

– Zakochałem się w niej na etapie robienia dyplomu. Ona nie była od tego... dopiero po jakimś czasie okazało się, że ją rozczarowuję.

– W łóżku? – spytałam z niedowierzaniem.

– W łóżku też, tak przynajmniej twierdziła, kiedy już miała mnie dosyć. Ale mam wrażenie, że przede wszystkim rozczarowało ją, że nie chciałem pływać na peweksach, wiesz, na liniach zagranicznych.

– Wiem, oczywiście. Robiłam reportaż o ludziach z peweksów.

– No właśnie. Ona by lubiła, żebym pracował na przykład u jakiegoś Greka na takim tankowcu, co to zaraz się rozleci, i przywoził dolary. A ja nawet nie chciałem pływać na rybakach. Wiesz, takie dalekie rejsy, na przykład na Morze Ochockie albo na Falklandy. Parę miesięcy męża w domu nie ma, a pieniążki lecą. To były jeszcze takie czasy, kiedy rybacy dalekomorscy dobrze zarabiali.

– Ty też na biednego nie wyglądasz.

– Ale to nie było tak od razu. Zanim się dorobiłem pierwszego własnego kutra, trochę potrwało. A ona nie lubi czekać.

– Długo byliście razem?

– Dosyć długo. Jedenaście lat. Parę lat nas trzymała miłość... tak, chyba jednak miłość. Z tym że ona od początku wyrażała zniecierpliwienie i niezadowolenie. A ja to wtedy traktowałem z przymrużeniem oka, miałem nadzieję, że jej przejdzie. Ale nie przeszło. Denerwowało ją, że forsy nie ma, a mąż na karku siedzi. Jej koleżanki marynarzowe miały swobodę, a ona nie. Potem, jak już forsa przyszła, między nami nie było już nic oprócz wzajemnego rozdrażnienia. No więc w końcu kupiłem jej to mieszkanie w Szczecinie i się wyprowadziła. À propos, nie znasz czasem jakiegoś adwokata dobrego w sprawach rozwodowych?

– Ja nie, ale rodzina zna, no i mam przyjaciółkę, która ma cały notes prawników. Wszystkich specjalności. Ona ci coś poradzi. Chyba nie będziesz miał trudności, skoro kilka lat nie jesteście razem.

– Nie wiadomo. Moja żona lubi ten układ, bo ja jej pieniądze daję; mam, to daję, rozumiesz... a swobodę ma pełną. Może nie chcieć zrezygnować z takiego przyjemnego statusu.

– Ona nie pracuje?

– Pracuje. Może nawet miałaś z nią kiedyś do czynienia. Jest rzecznikiem prasowym Urzędu Celnego.

– Och, jasne, że ją znam. Przedtem była w biurze wojewody? Ale ona nie nazywa się Wojtyńska!

– Nigdy się tak nie nazywała. Została przy swoim nazwisku, kiedy się pobieraliśmy. Może myślała, że skoro jej tatuś był swojego czasu szychą, to nazwisko jeszcze się kiedyś przyda.

No tak. Jeżeli jego żoną była ta pani, to nie dziwię się, że się rozeszli. Właściwie dziwię się, że tyle czasu z nią wytrzymał. Upiorna baba. Cyniczna, kłamczucha, fuj, fuj, fuj. Niezależnie od wszystkiego powinien się z nią natychmiast rozwieść!

Niedziela, 10 grudnia

Tymon.

Poniedziałek, 11 grudnia

Wyjechał wczesnym rankiem. Mało brakowało, a powiewałabym za nim białą chusteczką z mojego pięterka.

Wtorek, 12 grudnia

Wracam do rzeczywistości, to znaczy do pracy.

Byliśmy w tym Niechorzu, całym zespołem, na dokumentacji. Redakcja, kierownictwo produkcji, realizacja, technika. Plaży w zasadzie nie musieliśmy oglądać, bo już ją znamy na pamięć i mamy rozrysowaną. Zażyczyliśmy sobie natomiast spotkania z wszystkimi świętymi odpowiedzialnymi za Orkiestrę. Będzie zadyma na dwadzieścia tysięcy osób, więc trzeba wszystko porządnie przygotować.

Pracować umysłowo w zasadzie mogę, ale wciąż czuję dotyk i zapach Tymona. Muszę się bardzo mobilizować.

W końcu mieliśmy wszystko poodhaczane i mogliśmy wrócić do Szczecina.

Teoretycznie w ogóle w tym Niechorzu nie byłam, bo przecież mam zwolnienie lekarskie.

A w domu pusto strasznie! Tęsknię za nim! Może by jednak przemyśleć to małżeństwo... Kotuś miałby tatusia. Tatuś miałby kotusia. Teść miałby zięcia. A ja miałabym Tymona.

Boże, co za głupia baba, ta jego żona. Mieć takiego faceta i go nie chcieć!

Środa, 13 grudnia

Dopadłam Ewę.
– Słuchaj, trzeba rozwieść mojego amanta. Masz jakiegoś stosownego mecenasa? Daj no ten twój notesik!
– Pewnie, że mam – powiedziała Ewa. – Nie potrzebujesz wcale mecenasa, dam ci sędziego.
– Może być sędzia. Kto taki?
– Znasz go. To jest mój narzeczony Ignaś Ignatowicz. To jest taki narzeczony, którego używam do wizyt towarzyskich, kiedy nie mam nikogo innego pod ręką. Bardzo sympatyczny i nie narzuca mi się. No i jest dostatecznie reprezentacyjny, żebym go mogła wszędzie zabrać. Dobry będzie. Rozwiódł już pół naszej firmy. Masz tu telefon, przepisz sobie i daj temu twojemu. Ten ci dopiero ma dziwne imię. Jak do niego mówisz?
– Ostatnio „kochanie".
– No, no! Do tego już doszło!
– Do więcej doszło. Mam nadzieję, że nie muszę do ciebie mówić po polsku na ten temat, bo mogę być nieco roztargniona...
– Proszę! I jak?
– Cudownie. Niewyobrażalnie cudownie. I wiesz, co ci powiem? To nie jest tylko seks. To jest dużo, dużo więcej. To jest spełnienie marzeń każdej gęsi. Po raz pierwszy czuję, że facet naprawdę mnie kocha. W każdej sekundzie.
– Ale wpadłaś.
– Jak śliwka w kompot. Sama to widzę. I nie wiem, czy nie powinnam się martwić, bo mi się coś z mózgiem od tego robi, ale na razie jestem szczęśliwa, jak tylko pomyślę o nim.
– A czy ty jesteś pewna, że on cię kocha?
– Tego nigdy nie można być pewnym – odpowiedziałam całkowicie beztrosko. – Ale rozumiesz: mam takie odczucie.
– O kurczę. No to gratuluję.
– Dziękuję uprzejmie. Jest czego. Warto żyć dla takich dwóch dni jak ostatni weekend. Trochę mi teraz nijako wracać do rzeczywistości.
– To może nie wracaj?
– Myślałam o tym. Ale ja tę rzeczywistość też lubię.
– Robicie Orkiestrę?

– Tak. Z plaży w Niechorzu. Jakby moja pani profesor wiedziała, toby mnie zabiła. Ale ja liczę na to, że kotuś trochę się wzmocnił dzięki temu szpitalowi.

– Wiesz już, czy to chłopiec, czy dziewczynka?

– Teoretycznie nie wiem, bo nie chcę wiedzieć; powiedziałam pani profesor, że mnie żadne badania w tym kierunku nie interesują. Ale coś mi mówi, że to facecik.

– Co ci mówi?

– Coś, coś, coś. Siły nadprzyrodzone. W końcu to mój synek. Mam z nim niezły kontakt. Lubimy się, rozumiesz.

– A jak on ma na imię? Tymon? A może tak jak ten jego tatuś?

– Wykluczone. Ma na imię Maciek. Tak jak Maciek.

– Nasz Maciek?

– Tak. Widzisz, ja chcę, żeby on był taki jak Maciek. Żeby miał talent i żeby był przyzwoitym człowiekiem.

– Jeśli będzie dziewczynka, nazwij ją Ewa. Matkę chrzestną już masz zaklepaną?

– Krysia zaklepała kolejkę. Co do imienia, to Ewy są stuknięte. Ale pomyślę. No dobrze, dawaj tego Ignaca. Czy wystarczy, jeśli Tymon do niego zadzwoni i powoła się na ciebie?

– Ignasia, proszę. On jest delikatny. Ten twój niech dzwoni spokojnie, Ignaś jest już przyzwyczajony, stale ktoś z telewizji do niego dzwoni w tej sprawie. Albo w innej. Słuchaj, a co za jedna ta jego żona? Wiesz coś o niej?

– Wiem i ty też wiesz. Niejaka Irena Radwanowicz.

– Ta larwa?! Boże, gdzie on miał rozum, jak się z nią żenił?

– Prawdopodobnie nie w głowie. Niemniej ożenił się, a teraz należy go z nią rozwieść jak najszybciej!

Czwartek, 14 grudnia

Krysia miała atak rozsądku.

– Wika, proponuję, żebyśmy zaangażowali przy Orkiestrze jeszcze jednego dziennikarza. Na wypadek, odpukać, gdyby tobie coś nie wyszło.

– Wszystko mi wyjdzie. Ale może i masz rację. Lalka? Ewka?

– Lalka nie, ona siedzi teraz po uszy w jakichś zwierzakach, bo złapała cykl do Warszawy i produkuje taśmowo. Może być Ewka, jeżeli wam się razem dobrze pracuje. Słuchaj, trzeba jechać do Świnoujścia, załatwiać ten okręt.

Wymyśliliśmy, że w Niechorzu można by postawić okręt wojenny przy najdłuższym pirsie. Teraz należało skłonić pana admirała do podesłania nam jakiegoś. Z żadnym admirałem jeszcze nie miałam do czynienia, ale zawsze musi być ten pierwszy raz.

Telefon do marynarki dostałam od nieocenionego Emanuela. Nusio, jak wiadomo, miał z admirałem dobre układy.

Umówiliśmy się na poniedziałek. Wiem, co zrobię. Pojadę tam już w sobotę albo nawet w piątek. A Kryśka niech przyjedzie z Ewą. Ewy samochodem.

Zadzwoniłam do Tymona. Trafiłam go w jakichś okolicznościach służbowych. Bardzo był oficjalny w tonie. Ja przeciwnie.

– Słyszę, że masz tam jakąś naradę w tle.. dobrze mi się wydaje?

– Tak, ma pani rację, oczywiście.

– Zaraz się wyłączę, tylko powiedz mi, czy masz wolny weekend?

– Zdecydowanie tak.

– Ach, to świetnie po prostu. Ja muszę być w poniedziałek w Świnoujściu, może bym przyjechała wcześniej?

– To dobre wyjście z sytuacji. I kiedy oni chcą tam jechać?

– Sobota?

– Wolałbym to załatwić wcześniej.

– Piątek po południu?

– Siedemnaście, osiemnaście.

– Tęsknisz za mną?

– To oczywiste. Proszę kontynuować.

– To znaczy, mam ci powiedzieć, że cię kocham?

– Cieszę się, że się rozumiemy. Na pewno uda nam się to załatwić.

– Liczę na to, jak nie wiem co. No dobrze, nie męcz się, jutro porozmawiamy normalnie. Całuję cię...

– Jeżeli chodzi o mnie, to znacznie więcej. Proszę na mnie liczyć. Do zobaczenia.

Robi mi się słabo w kolanach na myśl o tym „znacznie więcej". Poważna pani redaktorka zakochała się jak gęś!

Piątek, 15 grudnia

Po raz drugi zajechałam przed ten jego poniemiecki domek pod lasem. Tymon chyba wyglądał przez okno, bo od razu wyleciał na spotkanie.

– Wprowadź samochód do ogrodu. – Otworzył mi szeroko bramkę, jakoś się zmieściłam. – Nie masz pojęcia, jak się cieszę, że tu jesteś.

– Ja też. Czekaj, nie będziemy się ściskać na oczach ludzi.

– A co ci szkodzi, że na oczach? Zresztą gdzie ty widzisz ludzi?

– Łażą tu pod tym laskiem.

– To nie ludzie, to turyści.

– W grudniu? Turyści? Boże, Tymon, kocham cię jak wariatka! Chodźmy jak najszybciej do łóżka!

– Ja też cię kocham jak wariat. Słuchaj, nie możemy od razu do łóżka. Mam gościa.

– Jakiego gościa? Mnie masz, a nie żadnego gościa!

– Niestety, jest w domu moja żona.

Dopiero teraz zauważyłam srebrnego mercedesa zaparkowanego niedbale na ulicy.

– To ja nie wchodzę!

– Już przepadło. Zresztą ona wie, że przyjedziesz.

– Nie, co ty masz za pomysły... Zakładasz harem, ona i ja?

– Daj spokój. Wpadła tu niespodziewanie jakąś godzinę temu. Nawiasem mówiąc, ty też miałaś być godzinę temu.

– Mówiłeś „siedemnaście, osiemnaście"! Jest osiemnaście!

– No właśnie. A ona przyjechała siedemnaście. I zastała kolację przy świecach.

– Zeżarła moją kolację?

– Napoczęła. Trudno mi było wyrywać jej z gęby jedzenie.

– O, nie!

– Najgorzej, że nie powiedziała, po co przyjechała. Musiała mieć jakiś cel, ale kiedy zobaczyła, że czekam wyraźnie na kobietę, postanowiła być tajemnicza. Teraz siedzi i popija wino, co komplikuje sprawę o tyle, że nie będzie przecież prowadziła po alkoholu. Czeka na ciebie. To znaczy nie wie, że akurat na ciebie. Na tę kobietę, której istnienia się domyśliła.

– No to się ucieszy, jak mnie zobaczy. Ona mnie nienawidzi

żywiołowo z wzajemnością, walczymy z sobą jak lwice od chwili, kiedy się poznałyśmy.

– Tak podejrzewałem, odkąd powiedziałaś, że ją znasz. No trudno, musimy stawić czoła hydrze, nie będziemy tak stali na tym zimnie. Bo ci jeszcze zaszkodzi. Chodź, raz kozie śmierć.

– Boisz się jej?

– Boję się, że wymyśli coś, co mi utrudni życie. No chodź już, Wikuś.

Przybrałam postawę światowej damy i weszliśmy do domu. Do tej części, której nie znałam, bo przedtem Tymon przyjmował mnie w biurze.

Larwa siedziała sobie w pozie nader swobodnej na kanapie i złopała wino, które Tymon przygotował dla mnie. Musiała już sporo wytrąbić, bo była w świetnym humorze.

– Aaaa, to pani! Dobry wieczór, pani Wiktorio! Wreszcie widzimy się na neutralnym terenie!

Jeżeli istniał na świecie teren nieneutralny, to dla mnie był to właśnie ten teren. Przynajmniej jeśli o nią chodzi.

Nie ruszyła tyłka z kanapy, co mnie ucieszyło, bo nie miałam ochoty podawać jej ręki. Larwa kontynuowała:

– Ciekawa byłam, dla kogo też Tymcio przygotował taką elegancką kolacyjkę... Można się było domyślić. Bezstronna dziennikarka, wyłącznie po stronie prawdy w słynnej aferze szprotkowej!

– Może pani trudno to będzie zrozumieć, ale jednak bezstronna – powiedziałam całkiem swobodnie, bo już się we mnie obudziła lwica i gotowa byłam walczyć z babą do upadłego.

Wyglądało na to, że tak właśnie będzie.

Larwa oglądała mnie uważnie.

– Trudno mi to będzie zrozumieć – zgodziła się ze mną. – Który to miesiąc? Kiedy to Tymcio zostanie tatusiem? Miło wiedzieć, że ktoś wreszcie zgodził się urodzić mu to dziecko.

Tymon, na którego wolałam nie patrzeć, wziął mnie pod ramię.

– Nie musisz słuchać tego, co mówi ta dama – powiedział uprzejmie. Wyobrażam sobie, ile go kosztował ten obojętny ton.
– Może chcesz się odświeżyć po podróży?

– Trafiony, zatopiony – zachichotała larwa. – Ale nie powinieneś zabierać pani stąd, bo będziemy rozmawiali o interesach.

– Wikuniu?

– Jeżeli pani ma do mnie jakieś interesy, to ja się odświeżę potem. Nie przejmuj się mną, Tymonie. Masz jakąś herbatę pod ręką?

– Mam, oczywiście. Rozgość się. Już ci robię.

Zostawił nas i poszedł do kuchni. Spojrzałam na larwę, która gmerała widelcem w resztkach mojej kolacji. Albo była z niej fleja, co się zowie, albo specjalnie rozgrzebała wszystko na stole. Albo jedno i drugie.

– Może się pani poczęstuje łososiem?

Wbiła widelec w plaster wędzonego łososia i wyciągnęła go w moją stronę.

– Dziekuję – powiedziałam. – Poczekam, aż Tymon będzie mógł mi towarzyszyć. Zaplanowaliśmy wspólną kolację.

– Świetnie. To będzie kolacja we troje. Na pewno pani rozumie, że nie mogę prowadzić po alkoholu... Poza tym to wciąż jest mój dom... nawet jeśli Tymon mówił pani co innego. O, jest herbatka. Ależ ten Tymcio szybki.

– Dziękuję. Nie słodzę, nie szukaj cukru.

– Taka zażyłość i jeszcze Tymcio nie wie, czy pani słodzi czy nie?

Rzuciłam Tymonowi ostrzegawcze spojrzenie. Ta baba to była żmija i zamierzała kąsać, gdzie popadnie. Ale ja się uodporniłam. Nic mi nie zrobi. Nie należy dać się sprowokować.

Tymon zrozumiał i uśmiechnął się do mnie.

– A wiesz – powiedział do swojej, niestety, żony – Wika ma fanaberie. Raz słodzi, raz nie, nigdy nie wiem, czy dawać jej ten cukier... Ale wspomniałaś coś o interesach?

– Musimy dzisiaj? Może zaprosimy panią na tę kolację, potem pani się prześpi w salonie, a rano porozmawiamy.

– Posłuchaj, Irena – powiedział Tymon podejrzanie łagodnie. – Chciałbym, żebyśmy się dobrze zrozumieli. Albo teraz mi powiesz, o co ci chodzi, albo już nie będziesz miała okazji.

– A co, wyniesiesz się?

– Oczywiście. Nie sądzisz chyba, że będziemy tu sobie mieszkali pod jednym dachem we trójkę. Wiktoria wypije herbatę i zabieram ją stąd, bo widzę, że ty zostajesz. No więc powtarzam: albo mówisz teraz, albo już nigdy się nie dowiesz, po co przyjechałaś.

Do baby dotarło, że Tymon nie żartuje. Zrozumiała też zapewne, że nie wyprowadzi mnie z równowagi. Wyprostowała się na tej kanapie.

– Dobrze. Powiem wam, co mi szkodzi. Przyjechałam z propozycją, taką mianowicie, że moglibyśmy się w końcu rozwieść. Mam swoje plany na przyszłość i chciałam rzecz całą załatwić uczciwie i po europejsku.

Urwała, ale oboje z Tymonem powstrzymaliśmy się od okrzyku „ach, to się świetnie składa". Był to dowód inteligencji z naszej strony. Baba, nie doczekawszy się reakcji z naszej strony, kontynuowała:

– Ale teraz mam wrażenie, że zrobiłabym błąd, występując z taką propozycją. Rozumiecie sami, że w dzisiejszych czasach należy umieć dbać o swój interes. Otóż wyobraźcie sobie, że nic takiego nie powiedziałam. Poczekam, aż Tymcio wystąpi. A ja wtedy powiem, że go kocham. Zrozumiałam swój błąd już dawno, próbowałam ratować małżeństwo, proponowałam, że wrócę, ale on nie chciał się zgodzić. A teraz, proszę, co się okazuje? Że już dawno miał kogoś. A ja tam sama w Szczecinie zastanawiałam się, dlaczego on mnie już nie chce... Tak było, wie pani? Ileż to razy dzwoniłam, prosiłam, żeby się ze mną spotkał, nigdy nie chciał. Zawsze mnie zwodził. Pozbył się mnie jak śmiecia, a przecież to jest mój dom, razem go urządzaliśmy.

– Dobrze. Już wiemy, o co chodzi – powiedział Tymon chłodno. – Wystarczy tego cyrku. Jak będziesz wychodziła, zamknij drzwi na zatrzask, to wystarczy, a ja mam klucze. Wika, najmocniej cię przepraszam, nie mogłem przewidzieć tej wizyty. Irena najwyraźniej postanowiła tu zostać, w związku z czym my musimy się oddalić.

– Też mam takie wrażenie – odrzekłam pogodnie. – Do widzenia pani.

Coś tam jeszcze mówiła na temat dziecka, ale już byliśmy w przedpokoju i Tymon ubierał mnie w kurtkę.

– Jedźmy twoim samochodem – powiedział. – Lepiej niech tu nie stoi. Nie wiem wprawdzie dlaczego, ale myślę, że tak będzie lepiej. Chodź, porozmawiamy później.

Podałam mu kluczyki.

– Wolę, żebyś ty prowadził. Myślisz, że ona mi podłoży bombę, uszkodzi hamulce czy co?

– Raczej napisze ci coś paskudnego gwoździem na karoserii.

Wsiedliśmy do mojej astry. Tymon odsunął fotel, poprawił lusterka i ostrożnie wyjechał z cholernie ciasnej bramki. Jego żona stała w oknie i coś wykrzykiwała.

– Dokąd jedziemy?

– Nie wiem, muszę się zastanowić. Na razie do przodu.

Ależ musiał być wściekły! Jakoś się jednak opanowywał.

– Nie jedź do ludzi – poprosiłam. – Chciałam być tylko z tobą.

– No i nie udało nam się. Przynajmniej na razie. Ja też nie chcę do ludzi. Jakiś pensjonat? To prawie jak bez ludzi. Bo mam tu różnych przyjaciół, ty zresztą pewnie też, ale trzeba by było uprawiać życie towarzyskie.

– Może jedź do Kamienia. Tam jest ten hotelik Pod Muzami, ja go bardzo lubię. Ostatecznie zrobimy sobie kolację przy świecach w pokoju hotelowym.

– Może być do Kamienia. Ja też tam lubię... Czekaj... mam pewien pomysł, tylko nie wiem, czy się uda, jakby nie, to Kamień...

Stanął na poboczu i wyciągnął komórkę.

– Dobry wieczór, panie Adamie, Wojtyński. Jak zdrowie? To świetnie. Panie Adamie, nie mam czasu na dłuższe rozmowy, ale jestem w pilnej potrzebie, może mi pan życie uratować... Nie, nie, nie chodzi o pieniądze. Czy ten wasz pokój gościnny jest wolny? Co pan mówi? A czy ja mógłbym tam przyjechać teraz... z kimś? Tak, z panią... Mam nóż na gardle, kiedyś to panu dokładniej wytłumaczę... Dobrze, świetnie, jadę... Nie wiem, jak się panu odwdzięczę... No, co pan mówi... Na razie!

Wreszcie spojrzał na mnie.

– Spodoba ci się. Ludzie wprawdzie są, ale jakby ich nie było.

Prom nam uciekł, więc stanęliśmy przy wjeździe. Postaliśmy tak parę minut i Tymon nareszcie jakby trochę się rozprężył.

– Nie wiem, jak mam cię przepraszać – powiedział. – Nie spodziewałem się jej nigdy w życiu.

– Trochę pechowo się umówiliśmy – zauważyłam. – Gdybym nie przyjechała właśnie dzisiaj, miałbyś rozwód bez kłopotu.

– Masz dla mnie tego adwokata?

– Mam sędziego. Podobno bardzo skuteczny. Ewa twierdzi, że połowę naszej firmy już rozwiódł bezboleśnie. Ale teraz to chyba nie będzie łatwe. Pani Irena twierdzi, że chce ratować małżeństwo.

– Chyba jej nie wierzysz?

– Chyba nie. Za to nie wiem, czy ona nie uważa, że to moje dziecko jest twoje.

– Bardzo dobrze. Niech sobie uważa. Ja chcę, żeby to było moje dziecko. Natomiast pamiętaj, Wikuś, że ona nie będzie miała prawa wplątywać cię w jakiekolwiek procesy, sądy i tak dalej.

– Wjeżdżaj. Patrz, już facet na nas macha, po lewej stań. Mam propozycję: nie mówmy o niej dzisiaj. Chyba, że bardzo chcesz.

– Nie, nie za bardzo. Patrz, zaczyna śnieg padać.

– To świetnie w takim razie, że ty jedziesz. Ja nie lubię po śniegu. A tak w ogóle, to gdzie jedziemy?

– Do lasu. Jest taki domek myśliwski dla specjalnych gości, za Troszynem. Jeszcze w czasach komuny tam bywały różne VIP-y. Dlatego można do niego spokojnie dojechać, nawet zimą, osobowym samochodem. Teraz też najczęściej tam siedzą jacyś ważniacy. Ale mamy szczęście, bo ważniacy, którzy mieli przyjechać dzisiaj, odwołali wizytę, a wszystkie przygotowania zostały już poczynione. To znaczy jest ciepło i jest kolacja.

– Przy świecach?

– Niewykluczone...

– Bo wiesz, kochany, zaparłam się na te świece.

Przechylił się w moją stronę i pocałował mnie.

– Tylko na świece?

– Nie, nie tylko... No i patrz, znowu zaczyna być dobrze.

– Musi być dobrze. Czemu ten głupek za mną trąbi?

– Bo nie może zjechać z promu...

– A, to my już na drugim brzegu?

Domek myśliwski okazał się bajkowy. Stał sobie w środku lasu jak chatka Baby Jagi, pomału przykrywając się śnieżną kołderką. Gospodarze, państwo Karasiowie, byli już uprzedzeni przez nadleśniczego i przywitali nas jak upragnionych gości. Wyglądało zresztą na to, że Tymon jest tam nieźle zadomowiony.

Czyżbym nie była pierwszą panią, którą tam dowiózł?

Karaś Adam, pan leśniczy zresztą, jakby wyczuł moje podejrzenia.

– Pan Tymon to u nas bywał nie raz, nie dwa – powiedział. – Ale pierwszy raz dopiero w towarzystwie, i to takiej uroczej damy!

– Przyjeżdżałeś na polowania?

Tymon pokręcił tylko głową, a pan Adam kontynuował, prowadząc nas do pokoju na piętrze:

– Pan Tymon poluje wyłącznie na ryby w wodzie. Zwierzyna w lesie go nie interesuje. W każdym razie jako trofeum. Pan Tymon tu sobie urządzał inne polowania.

– Zaciekawia mnie pan. A nic mi nie mówił, w ogóle nie wiedziałam, że zna takie cudne miejsce.

– Podoba się pani? Zobaczy pani rano, jeżeli, oczywiście, wstaniecie dosyć wcześnie. Jutro będzie słońce od rana, warto pójść do lasu.

To mówiąc, leśniczy otworzył przed nami drzwi do sporego pokoju. Bardzo stylowego. Skóry, rogi, kanapy, fotele, cieplutko, pachnie tymi jakimiś futrami, a na ścianach niesamowitej urody fotografie lasu o świcie.

– Boże, jakie piękne!

– Podoba się pani? To pana Tymona zdjęcia. Nie chwalił się pani, że taki zdolny fotograf?

– Nie zgadało się – powiedział Tymon, najwyraźniej zadowolony z mojej reakcji na jego dzieła. – No jak, przyjemne miejsce?

– Nadzwyczajne.

– Proszę pani, panie Tymonie – leśniczy był ździebko zaniepokojony – ja widzę, że państwo najchętniej by już stąd w ogóle nie wychodzili. Ale moja żona by się zapłakała; przygotowała kolację, specjalnie dla państwa, bardzo się ucieszyła, że to pan ma być, a nie ci ważniacy z ministerstwa. Bardzo proszę, zejdźcie jeszcze na parę minut, zresztą przecież musicie coś zjeść!

– Ma pan rację – powiedziałam, bo Tymon wyraźnie czekał na moją decyzję. – Jestem głodna jak wilk. Już jedno przyjęcie mi przepadło, drugiemu nie przepuszczę. A w ogóle Tymon obiecał mi kolację przy świecach!

– Będą świece – obiecał ucieszony Karaś Adam. – Proszę się rozgościć, rozpakować. Za kwadransik czekamy na dole.

I poszedł sobie.

Kwadransik spędziliśmy w ścisłym kontakcie. Rozgościć się zdążymy później.

– Byłem okropnie stęskniony – powiedział Tymon, kiedy już uznaliśmy, że czas minął. – Właściwie to dalej jestem. Ale ładnie z twojej strony, że nie odmówiłaś pani Karasiowej. Tylko uważaj, bo ona potrafi człowieka wykończyć.

– Czym?

– Żarciem. To prawdziwa pani leśniczyna, model przedwojenny. To znaczy, ona sama jest młodsza ode mnie, ale hołduje tradycjom, które wyssała z mlekiem matki, też pani leśniczyny.

– To świetnie. Ja naprawdę jestem głodna. Chodźmy, Karasie czekają.

Pani Karasiowa stała w drzwiach salonu, w pełnej gotowości bojowej. Reprezentowała ten cudowny, zanikający typ gospodyni, która nigdy, przenigdy nie zhańbi się podaniem gościom kiełbasy kupionej w sklepie. Na widok Tymona jej oblicze rozjaśniło się jak słońce.

Czy ona się w nim nie podkochuje?

Może zresztą i nie, bo mnie też przywitała szalenie serdecznie. Zapewne dlatego, że należałam do Tymona, którego najwyraźniej uwielbiała, ale jakoś tak inaczej, nie w sposób męsko-damski.

Pan Karaś zapalił świece. Pani Karasiowa zaczęła wnosić półmiski.

W popłochu spojrzałam na Tymona.

– Pani Czesiu kochana – powiedział, śmiejąc się – czy pani zamierzała nakarmić całe ministerstwo, a teraz my dwoje mamy to wszystko zjeść?

– Panie Tymonie – odrzekła Czesia Karasiowa uroczyście – żadne ministerstwo nigdy w życiu nie będzie tu miało takiego szacunku jak pan i pańska małżonka! Pan wie, dlaczego. A pani wie? Powiedział pani mąż?

Jakoś mi głupio było prostować, że niemąż. Swoją drogą byłam ciekawa, czym też Tymon tak się zasłużył poczciwej pani Karasiowej.

– A skąd, on mi nigdy nic nie mówi! – Zachichotałam, mimo woli wchodząc w rolę żony.

– Pani mąż mojemu mężowi uratował życie. Proszę, siadajcie państwo, jedzcie, a ja pani opowiem, jak było.

Siedliśmy za stołem zastawionym jak dla dwudziestu osób. Jakieś nieprawdopodobne smakołyki tu były, poczynając od bigosu, który pewnie z tydzień się gotował, poprzez różne wędliny, najwyraźniej własnego wyrobu, rosołki, barszczyki, pieczone mięsa, marynowane grzybki, pikle, śmikle – rany boskie, kto to zje!

– Niech się pani nie przeraża – powiedział uspokajająco pan Karaś, który widział, co się święci. – Zje pani tyle, ile będzie chciała. A przynajmniej ma pani wybór.

Wybór! Jak na targach gastronomicznych w Berlinie, na które to targi zabrała mnie kiedyś Ewa.

Spróbowałam bigosu, podczas gdy pani Karasiowa szykowała się do przemowy. Tymon ją uprzedził.

– Pani Czesiu, niech pani nie robi ze mnie bohatera, bardzo proszę. Bo ja się głupio czuję. Wikuś, ja po prostu znalazłem kiedyś pana leśniczego postrzelonego przez kłusowników i udzieliłem pierwszej pomocy, jak każdy porządny harcerz.

– Po prostu – oburzyła sie pani Czesia. – Po prostu! Gdyby nie pan, to Adam by się na śmierć wykrwawił! Albo by go wilki dopadły! Tu są wilki, proszę pani, niewiele, ale są. A pan Tymon niósł Adama na rękach przez pięć kilometrów! W ostatniej chwili doniósł, tak mówił lekarz z pogotowia! A wtedy jeszcze nie było telefonów komórkowych, żeby wezwać pomoc. Dopiero stąd wołaliśmy pogotowie.

No, no. Ale mam amanta. Superman to przy nim pikuś.

– A jak to się stało, że pan był postrzelony? – zapytałam.

– Przez własną głupotę – złożył samokrytykę pan Adam. – Wiedziałem, że tu kłusuje taki jeden buc... o, przepraszam panią. Taki łobuz. I zamiast wołać policję, próbowałem go aresztować. A z nim akurat był jeszcze drugi łobuz i kiedy ja aresztowałem tego pierwszego, ten drugi mi posłał kulkę zza krzaka. Rzeczywiście, gdyby nie to, że pan Tymon akurat szukał sobie motywów do fotografii, to już bym tam został. Od tej pory moja Czesia modli się do pana Tymona jak do Najświętszej Panienki. Znaczy, jednak mnie kocha, kobieta! Proszę, niech pani spróbuje tego. Pewnie jeszcze pani nie jadła takiej wędzonej dziczyzny.

– A co z tymi łobuzami?

– Poszli siedzieć. Połapali ich, był proces. Pan Tymon był świadkiem.

– Dawno to było?

– Dawno. Z osiem lat temu. Proszę spróbować maślaczków marynowanych, żona sama robiła... Zresztą to wszystko żona robiła, tylko mięsa ja wędzę.

197

Osiem lat temu. To jeszcze był z tą całą Ireną. I nigdy jej tu nie przywiózł?

– Proszę państwa – powiedział pan leśniczy – proponuję toast: za dobrych ludzi!

Wznieśliśmy kielichy z mrożoną wódeczką. Ja, oczywiście, tylko symbolicznie, bo jednak kotuś nie powinien uchlewać się w tak młodym wieku. Pani leśniczyna umoczyła usta, a jej małżonek i Tymon chlapnęli sobie uczciwie.

Po czym Tymon udowodnił, że mnie rozumie.

– Chyba państwa już przeprosimy. – Tu spojrzał na panią Czesię bardzo przepraszającym wzrokiem. – Jesteśmy zmęczeni, a moja... a Wika w tym stanie... powinna jak najwięcej odpoczywać. Jutro też jest dzień, a przecież zostaniemy do niedzieli, jeżeli tylko państwo nie mają żadnych gości w planie.

– Nawet gdybyśmy mieli, państwa zawsze przyjmiemy z otwartymi ramionami – zapewniła pani Czesia. – Oddamy własne mieszkanie!

Wycofaliśmy się na z góry upatrzone pozycje, cały czas w grzecznościach wzajemnych z państwem Karasiami.

Na górze z przyjemnością stwierdziłam, że jedynym pomieszczeniem, w którym zrezygnowano z tradycyjnego wystroju, jest łazienka. Kafelki, duperelki, natrysk z masażem oraz inne podobne przyjemności.

Zażyłam kąpieli, a kiedy wyszłam z tej łazienki, schludna i czyściutka, Tymon już na mnie czekał w łóżku, które miało z hektar powierzchni. Od razu zapomnieliśmy o nieudanym początku dzisiejszej randki... I oczywiście byliśmy delikatni.

Uwielbiam go.

Sobota, 16 grudnia

Nadal go uwielbiam.

Twierdzi, że z wzajemnością.

Niedziela, 17 grudnia

Twierdzi, że on chyba jednak bardziej.

Zastanawialiśmy się, czy nie powinniśmy wracać do Świnoujścia. Upiorna Irena pewnie już opuściła domostwo.

Postanowiliśmy jeszcze do poniedziałkowego rana popławić się w luksusach.

Nawet byliśmy na jakimś spacerze, ale nie bardzo wiem, jak ten las wygląda. Las, jak las. Przeważnie sosnowy. Śnieg na nim był. Pewnie kiedyś tu jeszcze przyjedziemy. Może wtedy będę w stanie zwrócić uwagę na coś, co nie jest Tymonem.

Ależ wpadłam!

Karasie nadal chyba uważają mnie za panią Tymonową. Nie chciało nam się dementować. Dla nich zresztą to nie ma najmniejszego znaczenia. Jestem tylko dodatkiem do ich bożyszcza.

Zaczynam się zastanawiać, co to bożyszcze takie wspaniałe. Leśniczego uratował, fotografie produkuje cudnej urody i wszystkie upycha po kątach leśniczówki, zamiast dać na jaką wystawę, zapisać się do artystów. Skromny taki czy ma kompleksy?

– Karasia znalazłem w lesie całkowicie przypadkowo i nie ma się nad czym rozwodzić – powiedział stanowczo. – Też miałem kiedyś taką sytuacje na kutrze, że gdyby nie Józefek – znasz go, prawda? – toby mnie już dawno ryby zjadły. Wyleciałem za burtę jak z procy, a on mnie wyciągnął, narażając własne życie. To już tak jest – raz ty, drugi raz ciebie. A zdjęcia robię, bo robię... Lubię to i już. I wcale mi nie zależy, żeby to ktoś oglądał, poza może paroma osobami, które i tak prędzej czy później tu trafią. Wystawy mam w nosie. Chcę, żeby wszyscy, którym te fotki pokażę, mówili: „Jaki pan zdolny, panie Tymonie", a nie żeby krytycy sobie ostrzyli na mnie języki.

– Boisz się krytyki? Publiczności?

– Może się i boję, a może nie mam potrzeby. Nie zastanawiałem się.

– Patrz, a ja się lubię nieco uzewnętrznić...

– Nawet mi się podobało kilka przejawów tego twojego uzewnętrzniania. Mówiłem ci już, a ty chyba mi nie uwierzyłaś. Wtedy, kiedy się poznaliśmy.

– Gdzieś czytałam, że mężczyźni są prości – mruknęłam.

– Bo są. W każdym razie ja, jako reprezentant męskiej części ludzkości, jestem prosty jak dzień dobry. Jeżeli mówię, że mi się podobają twoje programy, to znaczy, że one mi się podobają. Jeżeli mówię, że cię kocham, to cię kocham. A jeżeli mówię, że poszedłbym teraz chętnie z tobą do łóżka, to znaczy, że poszedłbym niezwłocznie... Co ty na to?

– I mam nie doszukiwać się podtekstów?

– A jakie tu, na Boga, mogą być podteksty?!

– Wiesz, ja kiedyś powiedziałam facetowi, że go kocham, bo go kochałam, ale nie chciałam, żeby on o tym wiedział; chciałam, żeby on pomyślał, że ja tylko tak mówię, a w rzeczywistości wcale go nie kocham. Bo on mnie wtedy zapytał, czy go kocham i gdybym odpowiedziała, że nie, on by myślał, że to taka kokieteria, a naprawdę wpadłam po uszy. Więc powiedziałam, że tak, żeby on pomyślał, że to taka kokieteria, a naprawdę to nie... Nadążasz?

– Dawno się pogubiłem! A on co myślał?

– A cholera wie. Ja myślałam, wtedy przynajmniej, że dla niego to jest tylko taka przygoda i nie chciałam, żeby widział, jak bardzo się zaangażowałam uczuciowo.

– Nie, ja zwariuję! To co ja mam myśleć, kiedy mi mówisz, że mnie kochasz?

– A jak myślisz?

– Ja w tych warunkach nie podejmuję się myśleć. Chodź natychmiast do tego łóżka! Strasznie mało czasu nam zostało dla siebie.

Poniedziałek, 18 grudnia

Wstaliśmy w środku nocy. O siódmej. Na dziesiątą zamówiłyśmy się do pana admirała, a Tymon też ma jakieś spotkanie, na którym powinien być.

Niestety, obecność Tymona źle wpływa na moje władze umysłowe. Przestaję myśleć o czymkolwiek poza nim, jego uśmiechem, jego ramionami, jego pocałunkami i tak dalej, i tak dalej...

Obudź się, Wiktorio!

Chociaż właściwie komu przeszkadza, że trochę zgłupiałam od tej miłości? Mnie jest z tym szaleństwem całkiem dobrze. A i tak niedługo mi sie urwie, bo kiedy kotuś się urodzi, trzeba będzie zająć się poważnie kotusiem.

Ostatnie chwile dla mnie.

Pani Karasiowa nakarmiła nas solidną jajecznicą na kiełbasie z dzika i odjechaliśmy, żegnani czule i serdecznie zapraszani na zaś.

Na szczęście w nocy była odwilż i ten cały śnieg zaczął topnieć. Gdyby nie to, bałabym się trochę wracać do Szczecina za kierownicą. Do Świnoujścia jechał Tymon. Wyglądał, jakby nigdy w życiu nie przeżywał żadnego romansu. Wyświeżony, ogolony i pachnący. Myślami już na tym swoim spotkaniu.

Niewykluczone zresztą, że ja wyglądałam podobnie.

Zastanawialiśmy się też, co zastaniemy w domu. Znaczy: w Tymona domu.

Poza ogólnym bałaganem jednak nie było tam nic strasznego. Przede wszystkim nie było koszmarnej Ireny. Zostawiła tylko kartkę opartą o pustą szklankę, wymazaną ohydną, purpurową szminką: „Do zobaczenia, kochanie".

Wobec tego kawę wypiliśmy w biurze Tymona, po czym on pojechał swoim autem na to jakieś spotkanie, a ja swoim do sztabu Flotylli Obrony Wybrzeża. Umówiliśmy się, że jak skończę z nimi, to zadzwonię.

Z Ewą i Krysią zjechałyśmy się idealnie za osiem dziesiąta koło gmachu dowództwa. Nie chciało mi się wylatywać z samochodu do budki wartowniczej, tłumaczyć, że ja do szefa, czekać, aż młodzian się upewni, wlatywać z powrotem do samochodu i wjeżdżać na parking. Stanęłam sobie na krawężniku. Ewa natomiast, która lubi być traktowana z należytym szacunkiem, podjechała przed samą bramę i zaparła się prawie reflektorami w sztachetkach. Uzbrojony młodzieniec natychmiast popędził do niej, prawdopodobnie tłumacząc, że parking jest dla dowództwa i dla nikogo więcej. Podeszłam do nich i usłyszałam odpowiedź mojej przyjaciółki:

– Młody człowieku! Przyjechałyśmy z telewizji do waszego dowódcy! Czy nikt pana nie uprzedził? Jak to jest w ogóle możliwe? Proszę otworzyć mi tę bramkę, bo zamierzam wjechać! Tam widzę wolne miejsca!

W tej samej chwili z parkingu za bramą ruszył czarny ford i też podjechał do bramy, tyle że z drugiej strony. Przez moment wyglądało to na pat, bo wartownik nie wiedział, czy ma otwierać oficerowi, który i tak nie mógłby wyjechać, bo drogę tarasowała Ewa, czy dzwonić gdzieś tam w sprawie bab z telewizji i stał jak słup. Nagle Ewcia wysunęła głowę przez okienko i wydała z siebie gromki okrzyk:

201

– Maksio! A co ty tu robisz?

Z forda wyjrzała najpierw przepiękna głowa o kształcie patrycjuszowskim, a potem wypadł z impetem przecudnej urody oficer, bardzo bogato udekorowany galonami. Pańskim gestem nakazał wartownikowi otwarcie spornej bramy, przy czym Ewa musiała jednak nieco się odsunąć. Uczyniła to i też wypadła z impetem z samochodu. Po czym zrobili z cudnym oficerem niedźwiedzia, chichocząc i pokrzykując. Trochę to trwało, przez ten czas my z Krysią stanęłyśmy obok, a spłoszony wartownik pogadał z kimś tam przez interkom.

– Dziewczyny – powiedziała lekko zasapana Ewa, wydobywając się z uścisków wspaniałego oficera – to mój ukochany przyjaciel i ulubiony narzeczony, którego nie widziałam od czasów maturalnych. On jest książę. Maksiu, czy ty tu może jesteś dowódcą?

– Jeszcze nie – rzekł dyplomatycznie Maksio. – Panie pozwolą, że się przedstawię: Maksymilian Pfaffenhoffen, do usług!

– Bardzo nam miło – powiedziałyśmy jednym głosem, po czym z Kryśką wymieniłyśmy nazwiska. Byłyśmy olśnione zarówno aparycją pana Maksia, jak i jego księstwem, które w oczy biło.

– Maksiu – Ewa błyskawicznie wyciągnęła z torebki wizytówkę – musisz do mnie zadzwonić! Musimy się spotkać! Tylko że my teraz mamy interes do twojego szefa i już pędzimy, bo tempus fugit, a nie wypada się spóźniać. Co ty w ogóle jesteś – tu wskazała na imponujące galony – admirał?

– Tylko komandor porucznik. – Maksio uśmiechnął się mile. – Chyba to po was?

Wartownik najwidoczniej zawiadomił kogo trzeba, bo w naszym kierunku zdążał kolejny przepiękny oficer z mniejszą nieco ilością złota na rękawach. Pożegnałyśmy się spiesznie z olśniewającym, księciem komandorem Maksiem, który wycofał szybko forda, aby Ewka mogła jednak wjechać na parking dowództwa flotylli.

Istotnie, był to wysłannik samego szefa. Wprowadził nas do budynku, po czym przekazał w ręce kolejnego oficera. Ten przeprowadził nas przez kilka korytarzy i otworzył drzwi, za którymi czekał jeszcze nie dowódca, ale następny oficer, który przedstawił się nam jako adiutant dowódcy, kapitan Taki-a-taki. Nie patrzyłyśmy na siebie z obawy, że zaczniemy nieprzyzwoicie chichotać – tylu kapitanów do trzech skromnych telewizorek!

Ostatni kapitan zastukał do drzwi ze złotą tabliczką i oczom naszym ukazał się nadzwyczaj przystojny starszy pan, z którego postaci biło dostojeństwo i powaga. Chichot zamarł nam w krtani.

Pan admirał przedstawił się nam z niebywałym szacunkiem połączonym z galanterią. Niemal usłyszałam szelest własnej krynoliny, wlokącej się za mną po dywanie... Boże, żaden z naszych kolegów tak nie potrafi! No, może jeden Maciek. Ale on nie stwarza takiego dystansu. W ciągu sekundy przeistoczyłyśmy się z lekko zwariowanych kobitek z telewizji w prawdziwe, stuprocentowe damy. Oczywiście, najłatwiej przyszło to Ewie, która w końcu jest hrabiną.

Obie z Krysią starałyśmy się dostosować. Sposób bycia pana admirała sprawiał, że po prostu nie można było z nim tak rozmawiać, jak do tego przywykłyśmy na co dzień. Absolutnie niemożliwe było również używanie technicznego języka telewizyjnego!

Weszliśmy do gabinetu dowódcy i usiedliśmy za stołem. Kapitan adiutant był wciąż obecny. Stał, wyraźnie na coś czekając.

– Czy pozwolą panie, że zaproponuję małą kawę albo może herbatę, jeśli panie sobie życzą? – Pan admirał zawiesił głos.

Panie pozwoliły. Kawę.

Pan kapitan skłonił głowę i wyszedł.

A my, zgodnie z zasadą, że o interesach nie mówi się tak od razu – no i zgodnie z naszym zamierzeniem (powinnyśmy najpierw zaprzyjaźnić się z admirałem, a dopiero potem poprosić go o pożyczenie okrętu) – zaczęłyśmy rozmowę od skomplementowania owej imprezy plastyków, którym pan admirał tak dopomógł. Pan admirał kocha sztukę?

– Nie pretenduję do miana znawcy – odparł skromnie pan admirał. – Uważam jednak, że powinniśmy pomagać artystom, jeżeli tylko mamy takie możliwości. Nie jestem w tym odosobniony. Mamy tu, w dowództwie, małą galerię, wystawiamy prace amatorów, ale i zawodowych malarzy.

– Widzę tu obraz naszego wspólnego znajomego, pana Emanuela Bielskiego – powiedziałam, spoglądając na ścianę nad biurkiem dowódcy. – To świetny marynista, prawda?

– Tak, to prawda. Drugi jego obraz mam w domu. Państwo się znają?

– Oczywiście. We wrześniu byliśmy na tym nadzwyczajnym wernisażu w bunkrach. Emanuel twierdził, że gdyby nie pomoc pana admirała, nie mogliby zrobić tego tak efektownie.

W tym momencie rozległo się lekkie pukanie, drzwi się otworzyły i wszedł pan kapitan z tacą. Na tacy firmowa zastawa marynarki wojennej, kawa pachnąca upojnie. Znowu zaczęły się reweranse z filiżankami, cukrem i śmietanką. Coraz bardziej czułam się prawdziwą damą, prawie zapominając, że jestem tylko wyrobnikiem telewizyjnym.

Przy kawce jeszcze trochę pogaworzyliśmy sobie mile na tematy artystyczne. Swoboda bycia Ewki okazała się nieoceniona. Zresztą wszystkie trzy usiłowałyśmy oczarować admirała – chociaż w części tak, jak on nas oczarował od pierwszego kopa. Przepraszam: od pierwszego wejrzenia... Na ścianach wisiało parę różnych obrazków, wymieniliśmy więc na ich temat uwagi, niektóre były malowane wyraźnie przez dzieci, więc znowu pogadaliśmy o dzieciach, stąd już blisko było do Orkiestry, w końcu odważyłam się wypuścić próbną strzałę:

– Panie admirale... skoro już mówimy o konieczności pomocy dzieciom, ciekawa jestem, jakie jest pańskie zdanie na temat Wielkiej Orkiestry Świątecznej Pomocy. Bo wiemy, że wielu ludzi żywi wątpliwości, traktuje to jak żebractwo...

– Och, nie. – Admirał wzdrygnął się ledwie dostrzegalnie. – Na pewno nie żebractwo. Myślę, że to bardzo dobra akcja, cokolwiek by o niej mówiono. Pomagaliśmy już przy niej parokrotnie.

– To cudownie – ucieszyła się otwarcie Ewa – bo my mamy do pana admirała wielką prośbę o pomoc... właśnie w związku z Orkiestrą!

– Dla pań wszystko – powiedział admirał dwornie. – Czy mogę wiedzieć, czegóż to panie sobie życzą?

– Niedużo, panie admirale. – Krysia spuściła skromnie oczęta. – Tylko jeden okręt.

Admirał uniósł jedną brew i się uśmiechnął.

– Jeśli nie chcesz mojej zguby, kanonierkę daj mi luby – zadeklamował. – O różne rzeczy już kobiety mnie prosiły... A na co paniom okręt?

– W zasadzie dla dekoracji – powiedziałam. – Ale nie tylko. Ponieważ robimy transmisję z koncertu na plaży w Niechorzu, pomyśleliśmy sobie w gronie kolegów, że byłoby cudownie, gdyby taki okręt do nas mógł dopłynąć. Oczywiście jeżeli by to było możliwe z technicznego punktu widzenia. I ten okręt by zacumował przy pirsie, i był tam aż do wieczora. My byśmy zapowiadali jego przybycie na antenie, potem pokazalibyśmy, jak do nas płynie, potem można by zrobić wywiad z jego dowódcą, potem stałby przy tym pirsie i ludzie by go podziwiali, a na końcu wziąłby udział w Światełku do Nieba, jeszcze nie wiemy w jaki sposób, ale na pewno można by ustawić na pokładzie załogę z pochodniami.

Dopiero kiedy to wszystko powiedziałam, zrobiło mi się głupio. Boże, czego my wymagamy od normalnych ludzi! Ewa też pewnie pomyślała coś w tym rodzaju, bo zaczęła agitować:

– Zależy nam na tym, żeby pokazać, jak wielu ludzi chce pomóc dzieciom... A i dla marynarki to jest korzystne ze względu na publicity... – Zamilkła.

Admirał zastanawiał się głęboko.

– To by nie musiał być największy okręt na świecie – pospieszyła z informacją Krysia. – Nam wystarczy nawet taki mały kuter. A już będzie wiadomo, że marynarka wojenna jest z nami.

– Hm – powiedział admirał – mały kuter... Nie, nie... Ja sądzę, że przyślemy okręt minowo-desantowy, tylko musimy najpierw sprawdzić, czy w ogóle będzie można do was dopłynąć. Proszę pań, umówmy się tak: najpierw zadamy pracę domową naszym specjalistom, zbadamy warunki hydrograficzne, policzymy wszystko, a jeżeli się tylko da, to okręt do was tam przypłynie.

Spojrzałyśmy po sobie z niedowierzaniem.

On się po prostu zgodził!

– Panie admirale... – zaczęłam z uczuciem.

– Pan jest po prostu cudowny! – przerwała mi spontaniczna Krysia, zapominając o powściągliwości, która przystoi damie.

– Wspaniale – cieszyła się Ewa – wspaniale! Nikt w Polsce nie będzie miał czegoś takiego! A ten okręt to jest z tych dużych, prawda?

– Tak, z tych największych, jakie panie mogły widzieć w naszym porcie. – Admirał uśmiechał się skromnie, ale widać było, że jest zadowolony z wrażenia, jakie udało mu się na nas wywrzeć. – Ale proszę pamiętać: wszystko zależy od warunków hydrograficznych.

– I kiedy się dowiemy o pańskiej ostatecznej decyzji? – Krysia chciała wiedzieć coś konkretnego.

– Powiedzmy... za tydzień. Czy to wystarczy?

– Oczywiście, w zupełności!

– I na jak długo chciałyby panie mieć ten okręt?

– Powiedzmy od dwunastej w południe do wieczora, do dwudziestej trzydzieści. Po Światełku mógłby już odpłynąć.

– Dobrze, to jest możliwe. Proszę zatem o telefon w przyszły poniedziałek. Nie, skąd, przecież to będą święta! W piątek proszę. Myślę, że będę miał już wszystkie dane i będę mógł podjąć decyzję.

To było hasło do odwrotu. Wymieniliśmy jeszcze kilka kurtuazyjnych zdanek i pożegnałyśmy admirała. Jeszcze dostałyśmy na pamiątkę oprawione w ramki godło flotylli i różne inne emblematy marynarki wojennej. Po jednym na twarz.

Znowu trzech kolejnych oficerów odprowadzało nas do wyjścia.

Wsiadłam do samochodu Ewy, czując, że zaraz pęknę.

Zdołałyśmy jeszcze utrzymać godność do rogu ulicy. Zaledwie Ewa skręciła, wszystkie trzy zaczęłyśmy wrzeszczeć jak szalone. Z czystej radości.

Miałyśmy okręt wojenny!

Tego nikt w Polsce mieć nie będzie!

– Żeby go jeszcze można było zlicytować – wzdychała praktyczna Krysia. – We Wrocławiu, zdaje się, licytują czołg...

– Nie bądź przepadzita – pohamowałam ją. – Najważniejsze, że przypłyną i będą do wieczora! Zrobimy wywiad z dowódcą, oni są tacy piękni!

– Czekaj, czekaj – przyhamowała mnie z kolei Ewa. – Jeszcze nie wiadomo, czy przypłyną! Może się okazać, że za płytko albo że pogoda nie taka.

– Spluń trzy razy przez lewe ramię! Najważniejsze, że chcą. Nawet jeżeli teraz coś walnie, to już nie nasza wina. Ty, słuchaj, co to za jeden, ten twój Maksio? Naprawdę książę?

– Naprawdę. Jego rodzice i moi przyjaźnili się jeszcze przed wojną. Drugą światową. My już jesteśmy powojenni. Chodziliśmy do jednej szkoły. Maksio jest trochę starszy, ale lubił rozrywki i powtarzał różne klasy. W maturalnej nam się udało być razem.

– W Szczecinie?

– Nie, w Poznaniu. Powiem wam, dziewczyny, prawdę: Maksio był mój pierwszy...

– Narzeczony?

– Kochaś! W tej maturalnej klasie. Potem poszliśmy na studia, na rolnictwo, razem, tylko że Maksio poleciał z pierwszego roku.

– Za pochodzenie?

– Nie, za nieróbstwo. I wojsko go capnęło, to znaczy marynarka wojenna. Jakoś mu się spodobało, potem kończył te różne uczelnie, ale o tym to ja się już dowiadywałam z trzeciej ręki, bo kochany Maksio przestał do mnie pisać, jak tylko zaczął studiować. A mnie też w międzyczasie przeszło.

– A jak on się w ogóle dostał na wojskową uczelnię z takim pochodzeniem, bezet i książę, i z takim nazwiskiem na dodatek?

– Podejrzewam, że z pochodzenia nie starał się spowiadać, a nazwisko ma dziwne, kto to u nas wiedział, że arystokrata? Jakby się nazywał Radziwiłł albo Tyszkiewicz, albo Potocki, to chłopcy by wyniuchali, bo w końcu wszyscy czytali Trylogię. A taki Pfaffenhoffen się szwarcował. On nigdy nie miał tak naprawdę serca do rolnictwa, ale mamusia z tatusiem chcieli, żeby ziemianin wiedział, co się robi z ziemią.

– Były ziemianin – wtrąciła Krysia.

– Były. Tak czy inaczej, muszę się z nim spotkać, bo widzę, że wciąż mi się podoba i serce mi lata na jego widok! A propos serce lata, Wika, jak tam ten twój?

– Och – jęknęłam, bo dotarło do mnie, że dojeżdżamy już do promu. – Miałam do niego dzwonić! Poza tym mój samochód został przy tej całej marynarce! Czekaj, nie stawaj w tej kolejce! Musisz mnie zawieźć z powrotem!

Ewa powiedziała kilka słów, które z pewnością nie przystoją damie, a zwłaszcza hrabinie, po czym kilkoma nerwowymi ruchami wymiksowała się z kolejki aut czekających na prom. Zawróciła w stronę, skąd przyjechałyśmy.

Zadzwoniłam do Tymona na komórkę. Odebrał.

– Wiko, teraz nie mogę – powiedział oficjalnie. – Będę zajęty do jakiejś trzeciej. Zostaniesz w Świnoujściu do tej pory?

– Nie, będę jechać. Zadzwonię do ciebie wieczorem. Na razie.

– Na razie, pa.

Kochane koleżanki patrzyły na mnie jak dwie hieny. Ewa usiłowała jednocześnie lewym okiem obserwować ulicę, po której jechałyśmy.

– Czego się gapicie? – powiedziałam. – Zajęty jest. Pracuje.

– Teraz jest zajęty – powiedziała powoli Ewa – ale siedzisz tu przecież od soboty.

– Od piątku – sprostowałam.

– No i co? – zapytały obie jednocześnie.

– No i dużo. Stój, Ewa, ja tu wysiadam.

– Nie, nie, poczekaj; Krysia, a może byśmy tak coś zjadły przed podróżą?

– Jak najbardziej – zgodziła się Krysia natychmiast. – Na tej ulicy w poprzek jest fajna pizzeria.

– Od zapachu pizzerii mnie mdli – zaprotestowałam.

– To siądziemy przy drzwiach. – Krysia była bezlitosna. – Zresztą, tam jest dobra wentylacja.

Ewa z piskiem zahamowała przed pizzerią. Wepchnęły mnie do środka i zamówiły trzy średnie pizze „specjalność firmy, czyli wszystkiego po trochu".

– Dobrze. A teraz gadaj – stanowczo nakazała Ewka. – Jak było?

Przed oczami stanęło mi, jak było. Poczułam, że mięknę w środku.

– Och, dziewczyny... To się po prostu nie da wyrazić słowami...

– Zakochała się beznadziejnie – zawyrokowała Krysia. – Co on takiego ma?

– W jakim sensie? – zapytałam, bo nie wiedziałam, czy jej chodzi o materialne dobra czy o cechy charakteru Tymona.

– Co ma w sobie – sprecyzowała Krysia.

– Mnóstwo zalet. Przecież go znasz, byłaś w Danii!

– Ale ja nie byłam – powiedziała Ewa. – Gadaj. Najlepiej po porządku. Przyjechałaś...

– Przyjechałam i nadziałam się na jego żonę.

– Nie żartuj!

– Nie żartuję. Ona życzyła sobie zostać w domu, więc my z Tymonem pojechaliśmy do leśniczówki i siedzieliśmy tam do dzisiaj rano.

– I coście tam robili? – zapytała Krysia. – W leśniczówce, w środku zimy.

– Nie bądź naiwna – skarciła ją Ewa. – Co mogli robić? Ty powiedz lepiej, czy ponawiał oświadczyny.

– Nie ponawiał. Nie mówiliśmy o tym. Myślisz, że już mnie nie chce?

– A ty jego chcesz?

– Oczywiście!

– Na męża? I ojca?

– Chyba chcę...

Krysia obrzuciła mnie uważnym spojrzeniem.

– To znaczy, że robimy razem ostatnią Orkiestrę? Będziesz się zwalniać?

– Zwariowałaś? Dlaczego ostatnią? Jakie zwalniać?!

– No a jak ty to sobie wyobrażasz? Przecież on ma tu dom, tu pracuje. I co, on będzie tu, a ty w Szczecinie? Jak to będzie wyglądało?

– Może mogłabym dojeżdżać – mruknęłam, nie wierząc w to, co mówię.

Obie spojrzały na mnie tym razem z politowaniem.

– A on by się nie przeniósł?

– Nie pytałam. Mówił, że nie lubi Szczecina, a lubi Świnoujście. Może dlatego, że w Szczecinie mieszka ta jego żona straszna. Wiecie, ona doszła do wniosku, że to dziecko jest Tymona...

– A on co na to?

– Nie dementował.

– No to masz problem. – Krysia westchnęła.

Po czym rzuciłyśmy się na pizzę, którą nam właśnie doniesiono.

Wieczorem zadzwonił Tymon.

– Nie gniewasz się, mam nadzieję... Naprawdę nie mogłem rozmawiać.

– Rozumiem. A teraz możesz?

– Teraz mogę. Ale wolałbym nie przez telefon. Przyzwyczaiłem się, że mam cię pod ręką. Podobało mi się. Słuchaj, najważniejsze, o co cię chciałem spytać...

„Czy za mnie wyjdziesz" – pomyślałam z nagłym i kompletnie bezsensownym lękiem.

– Idą święta, nie chciałabyś spędzić ich ze mną?

– Pewnie, że bym chciała – powiedziałam z ulgą. – Ale muszę pomyśleć. Zawsze spędzaliśmy te święta rodzinnie, zwłaszcza Wigilię. A ja się ostatnio trochę z nimi pogryzłam, to mnie dręczy, Wigilia byłaby dobrym pretekstem do pogodzenia się.

– No tak...

Nie chciało mi przejść przez usta zaproszenie go do nas. Musiałby wystąpić w charakterze oficjalnego fatyganta, a ja przecież jeszcze nie wiem, czy za niego wyjdę!

Ta cholerna telewizja!

Z kolei gdybym go przedstawiła jako przyjaciela, ciekawe, co powiedziałby ojciec.

– A co będziesz robił beze mnie? Pojedziesz do rodziców?

– Nie pojadę. Nie śmiej się. We Wrocławiu byłbym za daleko od ciebie. Bo chyba jednak w święta się zobaczymy? A moją Wigilią się nie przejmuj. Mam wielu przyjaciół, stale mnie ktoś zaprasza. Ale będę tęsknił za tobą. Dobrze było u Karasiów, nie uważasz?

– Uważam, jak nie wiem co.

– Chciałbym cię mieć przy sobie...

– Słuchaj, Wigilia Wigilią, ale w pierwsze święto mogę przyjechać do ciebie. Ja też chcę być z tobą. Chyba że będzie śnieżyca, to się będę bała.

– Wtedy ja przyjadę po ciebie. A słuchaj, może byśmy gdzieś pojechali razem i zostali do sylwestra? To będzie przełom stuleci... Masz jakieś plany?

– Na przełomie stuleci powinno się być z kimś, kogo się kocha – mruknęłam w słuchawkę. – To znaczy z tobą. Ale pomiędzy świętami i sylwestrem będę miała dużo roboty. Siódmego mamy Orkiestrę.

– Orkiestrę? Ach, rozumiem, mówiłaś. Chciałabyś iść na jakiś bal? Bo prawdę mówiąc, nie myślałem o tym.

– Nie, bal wykluczony. Jeżeli chcesz na bal, to nie ze mną, w szóstym miesiącu... Muszę poza tym zbierać siły na tę Orkiestrę. To będzie harówka, kilkanaście godzin na plaży, a zwracam ci uwagę, że to będzie styczeń, przedtem też po kilkanaście godzin dziennie będziemy doginać.

– Jesteś pewna, że powinnaś?

– Przeciwnie, jestem pewna, że nie powinnam. Ale nie mogę zrezygnować, zrozum mnie, Tymon! To dla mnie jest wyzwanie, straszna robota nie tylko redakcyjna, ale organizacyjna, ja to uwielbiam! Czekam na to cały rok! Wiesz, jak to jest satysfakcja, jeżeli nam wyjdzie?

– Nie wiem, ale wyobrażam sobie, że ogromna, skoro tak ci na tym zależy.

– No, zależy mi.

– Rozumiem. Chociaż nie pochwalam.

– Ja też nie pochwalam. Ale muszę!

– Jesteś kompletną wariatką, kochanie. Uwielbiam cię, razem z tym twoim zapałem do czynu, wiesz?

Dalszą część rozmowy poświęciliśmy nader intymnym wyznaniom. Tymon zapłaci jakieś straszne pieniądze za ten telefon.

Gadaliśmy i gadali. I ani razu nie wspomniał o małżeństwie. O byciu razem owszem, bardzo dużo, właściwie wyłącznie. A o małżeństwie nic.

Może się rozmyślił?

Wtorek, 19 grudnia

Cały dzień pracowaliśmy nad przygotowaniami do Orkiestry. Nawet nie miałam siły pogadać z Tymonem.

Dzwonił wieczorem. I znowu ani słowa o małżeństwie.

Byłam u pani profesor. Jakaś zalatana. W zasadzie nie miała do mnie pretensji o nic. Kazała dużo odpoczywać.

Nie mówiłam jej o Orkiestrze.

Środa, 20 grudnia

Orkiestra.

Dobrze, że Rosio od miesiąca praktycznie sam ciągnie program morski. Tylko mu czasem podpowiadam.

Czwartek, 21 grudnia

Orkiestra.

Trochę się zbuntowaliśmy i ogłosiliśmy piątek dniem bez Orkiestry (wyjąwszy telefon admirała, który już powinien wiedzieć, co i jak). Trzeba chociaż kupić prezenty dla rodziny!

Piątek, 22 grudnia

Hura, hura, hura!
Niech żyje marynarka wojenna!
Hydrografowie się wypowiedzieli na temat dna koło Niecho-rza. Pan admirał życzył nam wesołych świąt i zapewnił, że okręt dopłynie, jeżeli tylko nie będzie za dużej fali.
Nie będzie. Pogodę, jak zwykle, załatwia Krysia.
I jeszcze jedna znakomita wiadomość: okrętem dowodzić bę-dzie nie kto inny, jak sam Ewczyny Maksio Pfaffenhoffen. Poka-żemy go Polsce i Polska padnie na kolana! Urok Maksia albo-wiem zwala z nóg! Jest jeszcze piękniejszy od Rocha!

Poleciałam po skróconej pracy do sklepów. Zakupiłam mnó-stwo prezentów dla kochanej (mimo wszystko) rodzinki.
Zrobiłam w tym celu debet wielki jak krowa. Ale przecież mam dwa konta w dwóch bankach, a Krysia poinstruowała mnie, jak należy przelewać z pustego w próżne.

Strasznie, strasznie tęsknię za Tymonem! Najwyraźniej jest mi potrzebny do życia.
Zadzwoniłam do niego i powiedziałam mu to. Ja też najchęt-niej jestem prosta jak dzień dobry. Nie wiem tylko, czy on teraz nie uważa, że skoro mu mówię, że go kocham, to może właśnie wcale nieprawda, tylko nie chcę się odsłaniać i tak dalej.
Po jaką cholerę, ciężką i niespodziewaną, opowiadałam mu o tamtych niefortunnych kombinacjach??? Piętnaście lat temu!

Kotuś zachowuje się przyzwoicie – wbrew moim obawom, bo za-czynam się trochę przemęczać. Ale byłam, jeszcze przed zakupami, u pani profesor, która nie miała zastrzeżeń co do naszego stanu.
Nie wtajemniczałam jej na wszelki wypadek w nasze prowa-dzenie się. Zarówno aktualne, jak i przewidywane na najbliższy okres.
Kiedy kładę się spać, czuję przy sobie obecność Tymona. Cie-kawe, czy to autosugestia, czy metafizyka? Ciekawe też, czy on już nie chce się ze mną ożenić, bo przemyślał sprawę ojcostwa na przykład...

Sobota, 23 grudnia

Relaks. Tylko i wyłącznie. Chrzanię sprzątanie świąteczne. Mogę u siebie odkurzyć, i to bez fanatyzmu. To wszystko, na co mnie dzisiaj stać.

Pytałam przez telefon Bartka, który jako najmłodszy ubiera ogólnorodzinną choinkę, czy nie potrzebuje pomocy, ale odpowiedział, że nie.

– Spadniesz, ciocia, z krzesła, i całe życie będę miał wyrzuty sumienia.

To znaczy, że choinka będzie wysoka, jak zawsze.

– A konsultacji artystycznej nie potrzebujesz?

– Dziękuję, ale nie. Matka i tak mi da popalić, i babcia też tysiąc razy mi każe przewieszać jabłuszka. Cioci już bym nie wytrzymał.

– Miło, że jesteś szczery. A jak atmosfera w domu?

– Normalnie. Ciocia przyjdzie?

– Tak, jasne, że przyjdę...

Tymon wybiera się na Wigilię do Józefka i jego rodziny, licznej bardzo i wesołej.

Wigilia

Ponura afera.

To znaczy początkowo było całkiem przyjemnie. Uznałam, że nie będę czekać na jakieś specjalne zaproszenia, tylko po prostu zeszłam na dół o poranku i zapytałam mamę, czy nie przyda się na coś moja pomoc. Mama ucieszyła się i zaproponowała, żebym kleiła uszka. Farsz już miała gotowy od wczoraj.

Uszka mojej mamuni są zawsze upiornie małe. Duża fasola Jaś to przy nich prawdziwa olbrzymka. Na twarz liczy się po dziesięć uszek, twarzy jest sześć. Przy dwudziestym drugim uszku zastał mnie ziewający Krzyś, który miał nocny dyżur i właśnie się nieco przespał.

– No, ja nie wiem... – powiedział, spoglądając z niesmakiem na moje nogi. – Ja nie wiem...

Tu ziewnął rozpaczliwie i reszta tekstu ugrzęzła mu w krtani.

– Czego nie wiesz, Krzysiu? Czemu spoglądasz z niesmakiem na moje łydki?

– Spoglądam z niesmakiem na twoje łydki, ponieważ twoje łydki spuchły. Ja nie jestem tym zachwycony. Nie wiem, jak twoja pani profesor.

– Jak byłam u pani profesor, to one jeszcze nie były spuchnięte.

– A kiedy byłaś u pani profesor?

– We wtorek.

– To one od wtorku ci tak spuchły... Ile godzin dziennie ostatnio pracujesz?

– Odczep się.

– Wicia, ja za tobą do pracy latał nie będę, ale tym pierożkom to ty lepiej daj spokój. Dużo jeszcze masz do zrobienia?

– Dużo. Ze czterdzieści sztuk.

– Wykluczone. Lekarz ci zakazuje. Połóż się na kanapce i oglądaj pogodny program telewizyjny.

– A uszka same się zrobią? Może ja usiądę przy stole i będę je robiła na siedząco?

– Nie denerwuj mnie.

Kucnął koło mnie i pomacał moje łydki.

– Zostaw tę garmażerkę i kładź się.

– Mama mnie zabije. Obiecałam pomóc.

Do kuchni weszła mama z garnkiem bigosu.

– Dlaczego mam cię zabić? – spytała pogodnie.

– Bo ona mamę zaraz zostawi razem z tymi uszkami i sobie pójdzie – wyręczył mnie w odpowiedzi Krzyś, wypychając mnie z kuchni. – Ja jej zabraniam sterczeć za tym stołem, ona ma się położyć w pozycji horyzontalnej.

– Coś się stało? – przestraszyła się mama.

– Jeszcze nic – oznajmił lekarz domowy. – Na razie tylko spuchła. Nic jej nie będzie, ale trzeba jej dać spokój z robótkami świątecznymi.

W efekcie wylegiwałam się cały dzień na rodzinnej kanapie, obsługiwana przez całą prawie (tatunio się wyłamał) rodzinkę, obstawiona próbkami ciast i różnych łakoci typu śledzie w białym winie z cytryną.

Z prawdziwą przyjemnością patrzałam, jak rodzina obywa się beze mnie przy nakrywaniu stołu, dekorowaniu pokoju i układaniu bakalii w salaterkach po prababci. Jedyny czyn, na jaki się zdobyłam, to było przyniesienie mojej porcji paczuszek i wrzucenie ich pod choinkę.

Kiedy zebraliśmy się, żeby zasiąść do Wigilii, nogi miałam już prawie normalne.

Opłatek.

Zawsze strasznie się wzruszam, kiedy dzielimy się opłatkiem. Nie umiem wymyślać piętrowych życzeń, bo i tak chciałabym dla wszystkich tego samego: żeby byli zdrowi, szczęśliwi i wolni od problemów. Żeby im się marzenia spełniały i żeby otaczała ich powszechna życzliwość. W ogóle jestem za tym, żeby życzliwość zapanowała powszechnie. I to w zasadzie załatwia wszystko.

Najchętniej zresztą nic bym w takiej chwili nie mówiła, ograniczając się do wymiany uścisków bratnich, siostrzanych, córczynych i ciotczynych. Oraz szwagierkowskich.

To jest, niestety, niemożliwe, albowiem na Wigilię się życzy. Więc kombinuję, jak potrafię. Męczy mnie to okropnie.

Kochana rodzinka w życzeniach dla mnie była w zasadzie monotematyczna. Żeby się szczęśliwie urodziło i zdrowo chowało. Bartek życzył mi dodatkowo, żeby było inteligentne, bo to, jak twierdził, zawsze przyjemniej. Problem tatusia dyplomatycznie pomijano.

Z wyjątkiem, oczywiście, mojego własnego tatusia. On tam niczego nie zamierzał pomijać.

– Życzę ci, droga Wiko – powiedział uroczyście i bardzo głośno – żeby ten mój wnuk, który ma się narodzić, nie musiał być dzieckiem niepełnej rodziny. Żeby jego własny ojciec okazał się mężczyzną i wrócił do ciebie, a ty żebyś miała dosyć rozsądku, aby go przyjąć, co zresztą jest twoim obowiązkiem.

Ciekawe, jak by tatunio zareagował, gdybym ujawniła istnienie Tymona i przyznała się, że on chce się ze mną żenić, a ja kręcę jak pies ogonem.

Powstrzymałam się od ujawnienia Tymona, ale nie wytrzymałam, żeby nie powiedzieć słodko:

– Przykro mi, tato, ale twoje życzenia nie mają szans. Autor mojego dziecka będzie się żenił na dniach z panienką jakieś dziesięć lat młodszą ode mnie, za to dużo lepiej sytuowaną. Musisz wymyślić wariant B.

– Jaki wariant B? – nie zaskoczył tatunio.

– Inny wariant życzeń dla mnie – wyjaśniłam. – Na przykład, żebym była szczęśliwa. Ja i moje dziecko, podejrzewam, że płci męskiej.

– Bądź szczęśliwa – powiedział bardzo sucho mój rodziciel i ograniczył się do konwencjonalnego uścisku.

Byłabym się popłakała, gdybym nie wpadła w tym momencie ponownie w otwarte ramiona mojej siostry.

– Olśniło mnie – powiedziała. – Na twoim miejscu też bym się nie dała terroryzować; rób, jak uważasz, sama przecież wiesz najlepiej, co dla was dobre. Życzę ci, żebyście byli szczęśliwi oboje z maluchem. Na naszą pomoc możesz liczyć.

Krzyś i Bartek kiwali głowami jak Chińczycy. Mama udawała Greka, jeśli już używamy porównań narodowościowych.

Kolacja przebiegła właściwie bez zakłóceń. Prezenty wywołały, jak zwykle, masę radości. Od Krzyśków dostałam zbiorowy prezent w postaci mnóstwa maleńkich ubranek.

No tak, sama muszę o tym pomyśleć w najbliższym czasie. Przecież nie będę kupowała wyprawki, jak już młode będzie na świecie!

Bartek szarpnął się na jeden z moich ulubionych zapachów Chanel. Bardzo mnie tym wzruszył. Pozostałym rodzinnym kobietom też ofiarował perfumy, i też markowe. Został zasypany przez nas uściskami i podziękowaniami.

– No dobrze już, bo mnie zacałujecie na śmierć – otrząsnął się z nas. – Zarobiłem w radiu i wcale tak dużo nie zapłaciłem, bo pojechaliśmy z kolegami do Nowego Warpna...

Z Nowego Warpna do Altwarp w Niemczech pływają statki z wolnocłowymi sklepami na pokładzie. Sama też tam jeżdżę zaopatrywać się w perfumy i koniaczki.

Brakowało mi prezentu od rodziców, ale zachowałam milczenie. Ale jednak zrobiło mi się przykro. Niepotrzebnie.

– Wika, od nas też coś dostałaś, tylko że się nie mieściło pod choinką – oświadczyła mama z błyskiem w oku. – Jest na werandzie.

Poleciałam na werandę. Wózek! Bardzo ładny.

Podziękowałam. Przydałoby się jeszcze łóżeczko. Boże jedyny, łóżeczko, stolik do przewijania, jakaś wanienka... Mnóstwa rzeczy potrzebuję! A ja do tej pory w ogóle o tym nie myślałam...

Zrobiło się miło. Obżeraliśmy się plackiem z kruszonką i orzechami, popijając czerwone wino.

Zaczęłam się zastanawiać, czy nie poprosić ojca, żeby został chrzestnym mojego młodego. Chyba nie ma przepisu zabraniającego dziadkom bycia ojcem chrzestnym? Rodzeństwo może, to i dziadek też. A zawsze byłaby to jakaś gałązka oliwna. Maćkowi bym wytłumaczyła, Maciek zrozumie. Zresztą imię będzie miał po nim.

– Słuchajcie – powiedziałam – wy się lepiej znacie na przepisach kościelnych. Czy dziadkowie mogą być rodzicami chrzestnymi?

I to był błąd.

Ojciec wyprostował się w fotelu.

– Chyba wiem, do czego zmierzasz. – Jego ton był gorzej niż lodowaty, był obojętny. – Nie mówmy o tym więcej.

No i popsułam. Było już jakie takie zawieszenie broni, po jaką cholerę pchałam się do tej całej zgody rodzinnej?

Boże, o mało co nie wygadałam się z Tymona... À propos Tymona – powinien zadzwonić. Może dzwonił. A ja komórkę zostawiłam u siebie!

Odsiedziałam jeszcze kwadrans, ale nie było już tak miło, niestety. Pożegnałam się pod pretekstem, że jestem zmęczona i muszę odpocząć. Idąc do siebie na górę, zastanawiałam się, jak by to było, gdybym zdecydowała się wyjść za niego. Czy ojciec mógłby pomyśleć, że to jego łagodna perswazja wpłynęła na mój zdrowy rozsądek?

Nie ma takiej możliwości!

Tymon, oczywiście dzwonił, a nie zastawszy mnie, nagrał wiadomość w poczcie głosowej.

„Wesołych świąt, Wikuś, sama wiesz, czego ja ci życzę, co ci tam będę opowiadał. Józefkowie też ci życzą. Właśnie idę do domu, możesz już do mnie dzwonić spokojnie, to się jakoś umówimy. Całuję cię... i w ogóle też".

Zadzwoniłam.

Odebrał natychmiast.

– Czekałem na ciebie – powiedział takim głosem, że zrobiło mi się miękko w kolanach. – Jak tam twoja Wigilia?

– Jako tako. A jak twoja?

– Też jako tako. Szkoda, że nie była nasza wspólna. A jak twoje święta dalej?

– Dalej nie wiem. Krzysiek kazał mi odpoczywać.

– To może poodpoczywasz u mnie, a ja będę się o ciebie troszczył? Albo u Karasiów.

– Ja bym wolała u ciebie, żeby nie trzeba było prowadzić żadnych rozmów kurtuazyjnych. A jesteś pewien, że twoja żona nas nie zaszczyci?

– Nie powinna. Jest w Zakopanem i będzie tam aż do następnego tysiąclecia. Trzeciego stycznia wraca.

– Jesteś pewien?

– Jestem. Mam zaprzyjaźnioną kierowniczkę recepcji w hotelu Kasprowy. Tak mi coś mówiło, że Irena może chcieć tam jechać, na wszelki wypadek zadzwoniłem i okazało się, że trafiłem, ma rezerwację. Tam jeżdżą różni nasi niegdyś wspólni znajomi, dlatego pomyślałem o tym właśnie.

– Też jeździłeś do Kasprowego na święta?

– Też. Irena nie chciała robić świąt w domu, bo to jest pracochłonne. Kiedyś miałem tam taką małą zapaść psychiczną i ta recepcjonistka, jeszcze wtedy szeregowa, nie kierowniczka, mnie ratowała.

– To znaczy nawaliłeś się jak messerschmitt i ona ci dawała barszczyk! – Ucieszyła mnie ta wizja, nie wiadomo czemu.

– Żurek – sprostował, śmiejąc się. – Ona też akurat miała zapaść psychiczną, bo ją właśnie mąż puszczał kantem. Pół nocy żeśmy przegadali w kantorku za recepcją i od tej pory jesteśmy przyjaciele.

– Tylko przegadali?

– Wtedy tylko – powiedział niewinnie. – Nie miałbym siły do czynu. Potem może i owszem, tylko że ona się szybko pogodziła z tym swoim mężem i do tej pory są razem, szczęśliwi. Ona twierdzi, że jej pomogłem wrócić do równowagi. Ja to samo. Rozumiesz, że przyjaźń istnieje, chociaż na dużą odległość.

– Rozumiem. Czasami trzeba porozmawiać z człowiekiem. Też miałam takie chwile. A teraz powiedz, co robimy z tak pięknie rozpoczętymi świętami?

– Która godzina?

– Dziesiąta. A co, chcesz, żebym już jechała?

– Nie, ja w ogóle nie chcę, żebyś jechała, zwłaszcza w nocy i po tym czymś, co właśnie zamarza. Za dwie godziny mógłbym być u ciebie, za następne dwie bylibyśmy u mnie.

– Nie, to zróbmy inaczej. Przyjedź, a do ciebie pojedziemy rano.

Środa, 27 grudnia

Z powrotem w domu.

Nie opiszę tych dwóch dni i trzech nocy, bo nie jestem cholerna Mniszkówna. Ani inna baba od harlequinów.

A w ogóle to się nie da opisać, bo to jest – poza wszystkim – duża ilość czystej metafizyki.

Rodzinę zawiadomiłam telefonicznie, że jestem u przyjaciół. Na sylwestra, oczywiście, też umówiliśmy się u niego. Okazało się, że żadne z nas nie jest wielbicielem hucznych balów. Zresztą na huczne bale bilety sprzedane od dawna. Po drugie zresztą mam się oszczędzać.

A dzisiaj już trzeba mi do roboty, oszczędzać się będę nieco później.

Piątek, 29 grudnia

Ewa przyszła do mnie do redakcji wzburzona, z plikiem gazet w ręce.

– Czytałaś?

– Co miałam czytać? W ogóle nie mam czasu na czytanie, od wczoraj usiłuję tak policzyć sekundy, żeby mi się wszystko zmieściło. Wychodzi na to, że prezenterzy będą jechać na dopalaczach. A co takiego?

– Wiesz, co głupi Trapiec napisał w swoim poczytnym organie?

– Skąd mam wiedzieć? Pokaż.

Organ Trapca zawierał podsumowanie stulecia i podsumowanie roku, jak większość organów w tym tygodniu. Część podsumowania roku Trapiec wykonał własnoręcznie. Tylko ręcznie, bo mózgu chyba nie angażował. Zresztą może i angażował, ale on ma mózg kiepskiej jakości.

W rubryce „Region” w listopadzie figurowała notka o aferze szprotkowej.

Ostatnie zdania brzmiały tak: Biznesmen Wojtyński wiele zrobił dla udowodnienia swoich racji; wydatnie pomogli mu w tym dziennikarze, których zabrał do Danii na rzekomą kontrolę swojego połowu. Szczególny udział w owej pomocy miała znana dziennikarka W.S., która, jak wieść niesie, niebawem zostanie mamą małego biznesmeniątka.

Rozzłościłam się.

– Ależ on jest głupek! Ciekawe, kto mu przyniósł taką rewelację.

– Irena, z całą pewnością Irena. Mówiłaś, że ona tak uznała, jak się spotkałyście w Świnoujściu, pamiętasz?

– Pamiętam. Ale nawet gdyby to była prawda, jak nie jest, to co to ma za znaczenie? Po co on takie rzeczy wypisuje?

– Ty naiwna jesteś? Szmatławiec walczy o poczytność i w nosie ma jakieś tam prawdy. Leszek jest mały robaczek i rozumu ma tyle co robaczek, a moralności jeszcze mniej. Poza tym cię nie lubi, bo coś słyszałam, że przez ciebie kiedyś oberwał. Będziesz się tym przejmowała?

– Raczej nie. Nie wiem, jak Tymon. A co do głupka Trapca, to mam pomysł.

Wykręciłam numer komórki Leszka. Ewa podniosła drugą słuchawkę mojego służbowego telefonu.

– Cześć, głąbie. Tu mówi twoja była koleżanka, znana dziennikarka W.S.

– Aaa, widzę, że czytasz naszą gazetę! Jak to miło, kiedy media się popierają.

– Dzisiejszą czytałam. Wyjątkowo. Słuchaj, niereformowalny pacanie. Nie wiem, kto ci powiedział, że będę miała z Wojtyńskim dziecko. Pewnie jego żona?

– Wiktorio! Czy ty zdradzasz swoich informatorów? Nie pytaj mnie o moich!

– Ty, oczywiście wiesz, że to nieprawda.

– Ależ skąd mam wiedzieć?

– Bo to twoje!

Ewa prychnęła. Pokazałam jej na rękach, że ma uważać na odruchy. Trapiec zaniemówił.

– No i czemu milczysz?

– Czyje?

– Twoje, Lesiu, twoje. Ludzie jeszcze nie wiedzą, że mieliśmy ten cichy romans, który chciałeś ukryć przed żoną, ale chyba się dowiedzą w najbliższej przyszłości.

– Ty zwariowałaś! Kto ci uwierzy?

– Wszyscy uwierzą! Wierzą w te pierdoły, które wypisujesz, uwierzą, jeśli ogłoszę, że uwiodłeś mnie i porzuciłeś, kiedy się okazało, że jestem w ciąży! Całe środowisko się dowie, że usiłowałeś mnie namówić do usunięcia tego dziecka! Miałam nerwicę przez ciebie! Z trudem doszłam do siebie pod opieką psychologa! Co ty myślisz, że nie mam psychologa, który chętnie się przyzna, że mnie reanimował psychicznie po tym, co mi zrobiłeś?

– A co ja ci zrobiłem?!

– Dziecko.

– Ty jesteś nienormalna!

– Cały czas tak mówisz, odkąd się dowiedziałeś, że będę miała twoje dziecko! Dlatego miałam depresję! Próbowałam popełnić samobójstwo!

Ewa nie wytrzymała.

– Tak, ty Trapcu niedorobiony, próbowała! Gdybym jej nie znalazła z łbem w piecyku gazowym, to byś już był mordercą, a nie tylko świnią!

– Wariatki – jęknął Trapiec. – Wszystko już macie wymyślone, prawda? Żeby się tylko zemścić...

– Wszystko nie. – Byłam prawdomówna. – Ale, jak widzisz, mamy zdolności do wesołej improwizacji. Ciekawe na przykład, co powie pani Trapcowa, kiedy jej ktoś na balu sylwestrowym otworzy oczy! Bądź spokojny, część moich przyjaciółek też się bawi w Zamku. Mała damska wódeczka, jak ci się to podoba?

– Albo jeszcze tak – Ewa najwyraźniej chciała wziąć udział w zabawie – moja przyjaciółka adwokatka, która też przypadkiem będzie na balu w Zamku, opowie wszystkim, jak planowaliście z Wicią wyślizganie twojej niczego nieświadomej żoneczki z tego dużego mieszkania, co je macie kupione za jej pieniądze z hurtowni spożywką! Może nawet zrobi jej się głupio, kiedy zauważy, że twoja wszystko słyszy!

– No nie wiem. – Trapiec jakby trochę oprzytomniał po pierwszym ciosie. – Będziesz chciała, Wiktoria, tak się podkładać? Będziesz miała opinię cynicznej i bezwzględnej baby.

– Kochany! Mnie już jest wszystko jedno. Opinię psujesz mi od dwóch miesięcy konsekwentnie. Starasz się odebrać mi wiarygodność, na którą rzetelnie od lat pracuję. Więc jeśli ludzie mają o mnie myśleć, że uprawiam prywatne poletko na służbowym gruncie, to ja wolę, żeby myśleli, że się z tobą puszczałam i że trochę kombinowaliśmy przeciw twojej nudnej żonie. Wszyscy zresztą wiedzą, że jesteś intrygant i będzie na ciebie. A mnie będą żałować, bo taka dzielna jestem i utrzymałam to dziecko, mimo że zachowałeś się wobec nas jak ostatnia świnia!

– A co pomyśli twój fatygant? Bo chyba nie zaprzeczysz, że jesteście razem?

– Jesteśmy razem. Będzie ze trzy tygodnie. Nic nie będzie musiał myśleć, bo mu wszystko opowiem, a on jest inteligentny facet, w przeciwieństwie do ciebie. Będzie miał zabawę. Niewykluczone, że umrze ze śmiechu. A niewykluczone też, że się przejmie i przyjedzie dać ci w mordę! A może wejdzie w jakąś koalicję z twoją żoną... Wiesz, wspólnota problemów: żona go zostawiła, kochanka była nieszczera, z kolei ty ze swoją grałeś w podwójne karty...

– I ty to naprawdę zrobisz?

– Całkiem spokojnie.

– A my jej pomożemy – dodała, bardzo zadowolona, Ewa. – Ma przyjaciół. Wiesz: lekarze, adwokaci, sędziowie...

– Dobrze – skapitulował Trapiec. – Czego chcecie? Mam to odwołać?

– Wypchaj się. Masz raz na zawsze zamilknąć na ten temat.

– Zamykasz usta koledze dziennikarzowi?

– Na temat mojego życia osobistego, głąbie. I na temat osobistego życia Wojtyńskiego Tymona! W ogóle uważaj z tym czepianiem się życia osobistego, bo ktoś w końcu nie wytrzyma i oberwiesz porządnie. A jak będziesz pisał na temat życia nieosobistego, to sobie pisz, o czym chcesz, byle uczciwie. Jeśli zaczniesz znowu wypisywać bzdury wyssane z czyjegoś brudnego palca, to uważaj, bo cię podamy do komisji etyki mediów! I zostaniesz ponurym przykładem, jak środowisko traktuje nierzetelnego dziennikarza.

– Dobrze! Zamknę się na twój temat. A teraz mam cię dosyć. Wybacz, ale nie będę ci życzył szczęśliwego nowego roku!

Wyłączył się. Obie z Ewą dostałyśmy ciężkiego ataku śmiechu. Makijaż nam się rozmoczył i spłynął po policzkach. Płakałyśmy rzewnie jakiś czas, po czym Ewa pierwsza się otrząsnęła.

– Nie chciałaś, żeby odszczekał?

– Nie, najlepiej będzie zamilknąć nad tą trumną.

– A co to jest za komisja etyki?

– Kiedyś coś takiego było. Teraz też pewnie jest.

– Dzwoń do tego swojego, ciekawa jestem, czy wie.

– Dobrze, ale tym razem nie podnoś słuchawki! Sama ci powiem.

Tymon zgłosił się natychmiast.

– Och, dobrze, że jesteś. Czytałeś już prasę?

– Czytałem. Właśnie zastanawiałem się, czy ty również czytałaś i co ty na to. Może się przyznamy?

– Nie, to nie jest dobry pomysł. Gdyby to było naprawdę twoje, nie powinnam tak się wtedy angażować po twojej stronie. Zważywszy, że już we mnie kiełkowało wielkie uczucie, to i tak nie było całkiem w porządku, chociaż byłam uczciwa. Rozumiesz? Uczciwa, ale nieobiektywna. Ja chciałam, żebyś wygrał. Wiesz: sąd sądem...

– ...a sprawiedliwość musi być po naszej stronie.

– Otóż to. Najlepiej będzie, jeżeli nie zareagujemy. To znaczy publicznie. Wtedy ludzie przeczytają, westchną nad moją obłudą i zapomną. A jak zaczniemy to rozgrzebywać... Zresztą, co kogo obchodzi, z kim ja mam dziecko?

– Racja. Czekaj – mówiłaś: publicznie. A prywatnie?

– Prywatnie już zareagowałam. Lesio Trapiec zapomni o moim istnieniu.

– Skąd wiesz?

– Bo mu powiedziałam, że jeżeli tego nie zrobi, zawiadomię świat, że to jego dziecko, że mnie rzucił i tak dalej. Już mam świadka na to, jak chciałam popełnić samobójstwo z tego powodu.

– Nie żartuj? To ty jesteś niebezpieczna!

– Tak, kochany! Nie wiedziałeś? Czekaj, ja muszę wracać do roboty, powiedz tylko, kiedy po mnie przyjedziesz?

– Mogę dziś, mogę jutro...

– To wolę jutro rano. Znowu mi nogi spuchły i muszę poleżeć bez emocji... rozumiesz.

– Rozumiem. Przyjadę tak świtem, koło dwunastej. Wystarczy?

– Lepiej koło drugiej. Ty też się wyśpij.

Wróciłam do Orkiestry. Jeśli się uda, to jesteśmy wielcy. Po Nowym Roku trzeba sobie w ogóle będzie odpuścić wielką miłość i spotkania z Tymonem, bo to mnie jednak dekoncentruje.

STYCZEŃ

Poniedziałek, 1 stycznia 2001

No i mamy nowe tysiąclecie. Na razie wygląda zupełnie tak samo jak stare.

Dobra wróżba polega na tym, że zaczęłam je w towarzystwie miłego człowieka. Powinno zatem i dalej być miło.

Człowiek tym razem zahaczył o małżeństwo.

Siedzieliśmy sobie razem na olbrzymiej kanapie (pewno Irenka ją kupowała, do niego nie pasują te wszystkie poduchy oraz falbany). Paliły się tylko dwie świece i światełka na choince. Miał choinkę! Chciało mu się ją ubrać! Co prawda tylko w te światełka i parę bombek, ale zawsze.

Przestał mnie całować i powiedział:

– Słuchaj, Wikuś, kochanie ty moje, a powiedz mi, jak ty sobie wyobrażasz przyszłość. Bo ja się pewnie w miarę szybko rozwiodę, mówiłem ci, że chciałbym, żebyśmy byli razem. Ty mówisz, że mnie kochasz... Ja nie umiem tak lekko tego traktować. No więc chciałbym wiedzieć, wyjdziesz za mnie czy nie?

Zastanawiałam się, co mu odpowiedzieć.

No, co mu odpowiedzieć?

Że sorry, ale sama nie wiem, czego chcę?

To znaczy ja wiem, chcę jego i chcę, żeby nic mi się nie zmieniło w pracy, ale to chyba tak czy siak niemożliwe.

Może spróbować odwrotnie?

Bez niego – mowy nie ma. Bez telewizji – też mowy nie ma. Poza Szczecinem – nie ma zawodowej telewizji. Nie będę dojeżdżać dwie godziny. I nie będę pracować w osiedlowej kablówce.

Ten jego dom w Świnoujściu – śliczny i w takim pięknym miejscu, ale chyba by mnie denerwowała świadomość, że przede mną była tu kilka lat gospodynią pani Irena R.

Zdaje się, że siedziałam tak z głupią miną dosyć długo.

– Nie powiesz mi tego dzisiaj, prawda?

– Bardzo mi to będziesz miał za złe?

– Nie umiem mieć ci za złe czegokolwiek.

Postanowiłam tę noc spędzić już u siebie, bo jutro od rana mam kilka spotkań w sprawie Orkiestry.

Odwiózł mnie i też nie chciał zostać, bo też miał spotkania zaplanowane.

Mam nadzieję, że się nie popsuło... Spotkamy się dopiero po Orkiestrze.

Sobota, 6 stycznia

Wszystko gotowe.

Jesteśmy w Niechorzu od rana. Przyjechałam swoim samochodem, z Bartkiem za kierownicą. Bartek zawsze nam pomaga przy Orkiestrze. Zawsze, to znaczy odkąd ją robimy, czyli od trzech lat.

Część techniczna ekipy jest już od wczoraj, wóz transmisyjny minęliśmy po drodze, wóz dźwiękowy omal się z nami nie zderzył przy wjeździe do miasta, autobus z kolegami z realizacji dojechał w pół godziny po nas.

Na początek z Krysią, Ewą i Maćkiem mieliśmy spotkanie z miejscowymi bossami, po którym okazało się, że scenografia, która miała być ustawiona już wczoraj wieczorem, jest na razie w ciemnym lesie, ponieważ bossowie za późno zawiadomili właściwych ludzi o ich udziale w przedsięwzięciu. Nasza śliczna, subtelna scenografka, która miała tylko nadzorować budowę dekoracji, ganiała z obłędem w oczach i nosiła dechy oraz wiązki słomy.

– Ale zdążycie? – Byłam lekko zaniepokojona.

– Zdążymy. Tylko nie będziesz miała wszystkiego tak jak w scenariuszu.

– Bez żartów! Dużo zmian?

– Trochę, ale myślę, że jakoś sobie poradzicie. Najważniejsze stoi, tylko się jeszcze wykańcza. Masz bank, masz saloon, małą scenę, miejsca do jedzenia dla wolontariuszy. W zasadzie wszystko jest, tylko trochę w innym miejscu.

– Nie w tej knajpie, którą oglądaliśmy na dokumentacji?

– Nie, ale tuż obok. Chyba nawet z korzyścią dla akcji, bo wszystko bliżej.

Obejrzeliśmy sobie ten kompleks budowli z Dzikiego Zachodu. Może być. Jak skończą, będzie zupełnie przyzwoicie.

Krysia, która na chwilę odłączyła się od nas, wróciła wzburzona.

– Wiecie, że nie załatwili nam socjalu?

– Jak nie? – zdziwiła się Ewa. – Miało być tam, gdzie w zeszłym roku.

– Ta buda się rozleciała. Będziemy mieli namiot koło wozów.

– A siusiu?

– Mają być siusialnie przenośne. Albo tu, do saloonu.

– Daleko.

– Inaczej nie będzie.

Maciek powiedział, że on już tu wszystko wie i zarządził odprawę z operatorami.

– A prezenterzy już przyjechali? – spytałam Krysi.

– Nie, będą koło południa.

– Zresztą odprawę z nimi zrobimy dopiero jak Maciek będzie wolny – powiedziałam z namysłem. – To może być wieczór. Chodźmy na plażę, chcę zobaczyć, jak tam wygląda.

Zeszłyśmy we trzy na plażę. Dwa potężne ciągniki jeździły po piachu, przeciągając pod scenę żółte łodzie rybackie. Wyglądało to dosyć surrealistycznie, zwłaszcza że musiały omijać rusztowania ustawione tu i ówdzie. Koledzy instalowali na tych rusztowaniach światła.

– A co ta scena tak dziwnie wygląda? – zauważyła Ewka.

– Rany boskie! – wystraszyłam się. – Scena też w lesie! Nagłośnienie w lesie!

– Spokojnie – powiedziała Krysia. – Będą robić w nocy, aż zrobią. To nie nasza broszka, tylko agencji.

– Nasza, nie nasza, jak nie będzie sceny jutro rano, to będzie źle. Przecież nie pokażemy placu budowy!

– Dlaczego? – cynicznie zapytała Krysia i zatrajkotała jak rasowa prezenterka: – Dziś w Niechorzu od rana szaleje praca, budowana jest ogromna scena, na której wystąpią gwiazdy piosenki, tralalala...

– Od rana to tu mają hasać konie, wozy pionierów i śmigłowce, a nie robole ciągnący kable – warknęłam, bo już zaczynałam dostawać przedprogramowej gorączki.

– À propos śmigłowce – powiedziała Ewa, która miała to do siebie, że przystojnego pana zauważała na kilometr. – Patrz, kto to idzie, no kto?

– Rosio, kochanie moje – zaćwierkałam, bo widok Rocha zawsze sprawiał mi przyjemność. Nie tylko estetyczną, choć niewielu znam piękniejszych facetów. Może tylko ten Ewki książę pan. A Roch do nieziemskiej urody dołączał wdzięk oraz aurę spokojnej kompetencji. W jego obecności wszystko wydawało się proste i łatwe. Takiego powinno się przepisywać na receptę. Oczywiście wyłącznie babom.

– Witajcie, kobietki – zawołał na nasz widok, cały rozpromieniony, po czym wyściskał nas wszystkie. – Jak tam, Wika, dzidzia? Rośnie? Wszystko okay? Ślicznie wyglądacie, jak zwykle, panie z telewizji...

– Rosiu, cieszę się, że cię widzę w tak dobrym humorze. Ty już jesteś gotowy do czynu? Gdzie masz śmigłowiec? I gadżecik na licytację?

– Śmigłowiec mam na lotnisku w Goleniowie, jutro od świtu w gotowości bojowej. A na licytację przywiozłem wam latarnię morską, po prostu cuś pięknego, z napisami od mojego pryncypała.

Mimo woli spojrzałyśmy na latarnię morską za naszymi plecami. Czy Roch chce ją zlicytować, na Boga?!

– Spokojnie, kochane. – Roch błysnął olśniewającym uśmiechem. – Ja mam nie taką dużą. Ale też sporą. No, taką, jaką się wiesza w główkach portu, czerwoną.

– Czerwoną to nie w główkach portu – wtrąciła Ewka.

– Nie czepiaj się szczegółów. Bardzo ładna jest i się świeci jak nie powiem co. Słuchaj, Wiciu, ja mam jedno zasadnicze pytanie: czy my to nasze wejście robimy na żywo? Bo ja bym się tego trochę bał, chociaż, oczywiście, pilot może pokrążyć trochę nad plażą i usiąść precyzyjnie na wasze hasło.

– Nie, nie, coś ty, to by się nigdy nie udało! Za długo by trwało poza tym. Musimy was nagrać i jeszcze podmontować. Jakieś pół godziny przed anteną, a lepiej godzinę, bo potem tu będą konie z wozami, a jak konie usłyszą nad głowami taki łomot, to mogą dać dyla, razem z jeźdźcami. Tu będziecie lądować, na pirsie?

– No tak, tam, gdzie jest wymalowane kółko. Ono dla nas jest wymalowane. Już tu siadaliśmy i dobrze było. Pilot ma to w rączkach. I nóżkach. Pogoda zamówiona?

– Nie mów o pogodzie. Nie wolno poruszać tego tematu przed jutrzejszą północą! A w ogóle to oczywiste, że załatwiona. Kryśka załatwiła.

Z plaży dobiegły nas okrzyki:

– Hej, dziewczyny, chcecie się przejechać łódką?

– Ktoś tu zwariował? – zdziwił się uprzejmie Roch.

– No, chodźcie do nas, nie bójcie się! Wszyscy płyniemy!

Podeszliśmy do wołających, naszych kolegów z techniki. Okazało się, że jeden z rybaków, których łodzie robiły za scenografię, poszedł po rozum do głowy i zamiast ciągnąć łódkę traktorem po plaży, postanowił ją zwodować i opłynąć najbliższy pirs, ten najbardziej zachodni z trzech pirsów.

– Panie, a ona się z nami nie utopi? – Krysia była sceptyczna.

Rybak pokazał w uśmiechu trzy ostatnie reprezentacyjne zęby przednie.

– Spokojnie, pani. To porządna łódź! Tylko się spieszcie, bo nie będę godzinę czekał!

Zaczęliśmy ładować się na łódkę, która już do połowy zanurzona była w wodzie.

– Hej, nie płyńcie bez nas! Nie płyńcie bez nas!

Plażą cwałowali do nas Maciek i operatorzy, widać już po odprawie.

Zmieściło nas się tam chyba z jedenaście osób. Koledzy rybaka popchnęli żółty kadłub do wody. Rybak zapuścił motor, zaśmierdziało i łódka majestatycznie wyruszyła w swoją kilkusetmetrową drogę.

Bardzo chichotaliśmy i pokrzykiwaliśmy. Ale kiedy znaleźliśmy się przy końcu pirsu, w naszą niewymuszoną wesołość wkradła się nuta szacunku dla tych facetów, którzy taką maciupką łupinką udają się w takie duże morze...

Wyraz naszym uczuciom w sposób najstosowniejszy dał kolega Marcin, realizator dźwięku. Wyjął mianowicie z zanadrza dużą butelkę czystej wyborowej, zapewne przeznaczonej na późny wieczór, po czym wręczył ją zachwyconemu rybakowi.

– Zrefundujemy ci to – szepnął Maciek scenicznym szeptem, czyli przekrzykując fale i ryczący silniczek. – Dobrze zrobiłeś!

Wysiedliśmy z łódki bogatsi o przyjaciela.

Właściwie nie miałam nic do roboty aż do wieczora, bo ostatecznie umówiliśmy się na naszą odprawę dopiero na ósmą, już po próbie światła i różnych próbach technicznych, przy których Maciek musiał być.

Poszłam do pensjonatu na trochę się położyć. Nie bardzo mi jednak wychodziło spanie, więc w końcu ubrałam się i poszłam do ludzi. Koło naszych wozów, ustawionych tuż przy wejściu na plażę, kręcił się mały tłumek. Centralną postacią był realizator dźwięku. Na mój widok koledzy zaczęli machać rękami.

– Chodź, Wika, posłuchaj, co Marcin opowiada! Gdańszczaki wpadły do morza!

– Nie wpadły, nie wpadły – prostował Marcin. – Same wjechały!

– Chcieli płynąć do Szwecji...

– Ludzie, kto wpadł do morza i w jakiej sprawie?

– Zaraz ci wszystko powiem. Nasi koledzy z gdańskiego wozu dźwiękowego...

– No, przecież ich znam! I co?

– Przyjechali takim zarębistym jeepem, widziałaś go? Stał koło hotelu. No więc spodobały im się nasze tutejsze panienki i postanowili je przewieźć ambitną bryką. Po wodzie. Wjechali do tej wody i coś ich gibnęło... Otwierają drzwiczki, a tam się woda leje do środka!

– Bo u was dno jakieś dziwne – wtrącił kolega z Gdańska. – U nas można jechać i jechać, a u was od razu się zapada! Ledwo wjechałem!

– Niepotrzebnie wziąłeś kurs na północ – domyśliłam się.

– Ty sobie wyobrażasz? – Marcin z trudem opanował śmiech. – No więc jeden musiał wpaść w tę wodę, żeby sprowadzić pomoc. I sprowadził ten traktor, co na plaży kutry ciągał.

– A jak już nas wydostali, to się pojawił jakiś funkcjonariusz i chciał nas zaaresztować – pożalił się drugi kolega z Gdańska.

– Wiesz, kto to był? Roch! Nasz osobisty Roch! Był w mundurze, więc się go wystraszyli.

– O rany... I co wam zrobił?

– Nic nam nie zrobił, powiedzieliśmy, że jesteśmy z telewizji i on się tylko śmiał jak głupi.

– To nasz przyjaciel. Współpracuje z nami i ma uczuciowy stosunek do telewizorów. Jutro będzie tu lądował śmigłowcem.

– Hej, jakby kto chciał zobaczyć próbę świateł, to zaraz zaczynamy...

Wszyscy chcieli zobaczyć, co nasi artyści od świateł zrobią z plażą, więc poszliśmy gremialnie.

Szeroki pas piachu oświetlony był na razie tylko paroma lampami technologicznymi. Niewiele było widać, zarys wody, kilka konstrukcji, biegających ludzi, ażurową konstrukcję wielkiego serca, które jutro zapłonie. Wszystko takie trochę martwe.

Nagle zapaliły się pierwsze reflektory i oświetliły białym światłem morze. Pojawiły się wyraźne grzywacze, morze ożyło. Koledzy po kolei włączali następne światła. Staliśmy oczarowani, co chwila ktoś wydawał okrzyk zachwytu.

A plaża na naszych oczach nabierała blasku, jarząc się biało i kolorowo. Zrobiło się jasno jak w pogodny dzień, tylko że słońc było kilkadziesiąt i płonęły w różnych miejscach. Morze mieniło się wszystkimi kolorami tęczy.

– Szymon, jesteś największym artystą na świecie! – orzekłam i rzuciłam się na szyję koledze, który to wszystko wyczarował. Kolega przyjmował karesy z pewnym zblazowaniem. Nie pierwszy raz wzbudzał zachwyty.

– Ty lepiej patrz – powiedział. – Jutro po pierwsze nie będziesz miała czasu, a po drugie będzie zupełnie inaczej.

Oczywiście, miał rację. Jutro tu będzie kilkanaście tysięcy widzów i nasze reflektory oświetlać będą nie błyszczący piach, lecz tłumy ludzi. Przeważnie w ciemnych ubraniach. Też będzie fajnie, ale inaczej. A ten dzisiejszy czar jest tylko dla nas.

Takie chwile sprawiają, że za nic na świecie nie wyrzekłabym się mojej pracy.

Staliśmy tak i gapili się na niesamowite widoki, aż w końcu koledzy odgwizdali próbę światła i zaczęli wygaszać lampy.

W gęstniejącej ciemności brnęliśmy po piachu do wyjścia. Zmęczyło mnie to trochę.

Przy wozach zebraliśmy resztę kolegów i udaliśmy się wspólnie na kolację. Nasi prezenterzy już wywąchali, że jedyny lokal czynny tu dzisiaj to miejscowy klub nocny.

– Ja będę tańczyła na rurze – oświadczyła Marta, nasza najpiękniejsza prezenterka, osoba nieco nieobliczalna. Pracując z Martą, zwłaszcza na żywca, zawsze można było liczyć na dreszczyk emocji. Umiała nas zaskoczyć. Dawała jednak gwarancję, że w razie gdyby coś się na planie zawaliło, ona sobie poradzi. Niewielu prezenterów ma taką zimną krew, jak nasza Martusia, blondynka o nadzwyczaj kruchym wyglądzie. Podobne cechy prezentuje Michał. Nie jest taki ładny jak Marta, za to jest od niej młodszy i jeszcze bardziej zwariowany. Przy takich szalonych imprezach Michałek to skarb.

Zastanawiałam się, jak sobie poradzi Elżbieta, która właściwie jutro debiutuje.

Musi sobie poradzić.

Na razie ona też zgłosiła chęć wykonania erotycznego tańca na rurze. Nocny klub, jak to nocny klub. Dysponował rurą i barem. Z żarciem było gorzej. Prowadziliśmy właśnie długą i wyglądało na to, że bezowocną dyskusję z personelem, kiedy drzwi rozwarły się z trzaskiem i weszła dama ubrana w efektowne futro. Bardzo niezadowolona.

– Benek – zwróciła się do kelnera, który nie chciał dać nam jeść. – Ja z państwem załatwię, a ty zorganizuj jakąś pomoc i ściągnij mój samochód!

– Dobrze, szefowo – powiedział Benek, zadowolony, że się od nas uwolnił. – A gdzie pani szefowej samochód?

– Na słupie, taka jego mać – powiedziała wytwornie szefowa. Benek otworzył szeroko oczy.

– Gdzie na słupie?

– Przed wjazdem do miasta.

– Od wschodu czy od zachodu? – drążył Benek.

– Benek, co ty masz z głową dzisiaj? Gdzie ja mieszkam, twoim zdaniem? W Trzęsaczu czy w Kaliningradzie?

– W Trzęsaczu – powiedział posłuszny Benek.

Dialogowali tak sobie i nie zwracali uwagi na to, że mają klientów. Ale fascynował nas ten dialog, więc czekaliśmy z awanturą, aż skończą.

– A co się stało – chciał wiedzieć Benek. – Dlaczego pani szefowa wleciała na słup? -

– Cholera jasna – powiedziała szefowa, zdjęła futro i cisnęła je na kanapę, ukazując kreację równie efektowną jak okrycie wierzchnie. – Daj mi koniaczku, Beniu. O, państwo czekają? – Zauważyła dwadzieścia osób.

– Poczekamy – powiedziała Krysia. – Też jesteśmy ciekawi, co się pani stało. Na piechotę pani przyszła?

– Nie, nie na piechotę. – Szefowa pokrzepiła się koniaczkiem i usiadła blisko nas. – Jechał wójt, to mnie zabrał.

– Ale dlaczego szefowa wleciała na słup?

– Słuchajcie państwo. Jadę sobie spokojnie, jak zawsze. Ciemno jak u Murzyna wszędzie. Dojeżdżam do Niechorza. I nagle co widzę?

Zaczynaliśmy się domyślać.

– Całe niebo jasne – powiedziała dramatycznie szefowa. – Całe niebo. Nad morzem. Jasno jak w dzień. I to, cholera, z różowym odcieniem! I taka łuna wali... Ja sobie myślę: pali się czy co? Ale co się pali? Morze się pali? Piasek na plaży się pali? Wybuch atomowy? To by przecież było słychać. No i w tym momencie wjechałam prosto w słup, szlag by to trafił. Dobrze, że mi się nic nie stało, tylko samochód mi się trochę sfilcował z boku. Z lewej, więc prawą wysiadłam. I jak tylko wysiadłam, to wszystko zgasło. I teraz nie wiem, co to było, czy może miałam halucynacje...

Chlapnęła sobie jeszcze koniaczku, najwyraźniej wstrząśnięta do głębi, po czym zamilkła.

Powstrzymywany dotąd ryk uciechy wydobył się ze wszystkich naszych gardeł. Szefowa spojrzała na nas jak na bandę wariatów.

– Pani szefowo – piał Marcin – nie miała pani halucynacji! To wszystko przez niego, przez tego faceta... – Tu zwalił się na wyniosłą pierś kolegi od światła w paroksyzmie radości.

– Nic nie rozumiem. – Pani szefowa patrzała na podstawionego jej Szymona z lekkim zdumieniem. – Co ten pan zrobił?

Wyjaśniliśmy jej. Oczekiwaliśmy, że teraz na mur wywali nas z lokalu i jeszcze oskarży o spowodowanie demolki samochodu.

Nie doceniliśmy szefowej. Też była artystką.

– Ho, ho – powiedziała. – To dla mnie zaszczyt, gościć człowieka, który potrafi zrobić coś takiego. Panie... Szymonie, dawno już nic nie zrobiło na mnie takiego wrażenia. Musicie być moimi gośćmi, pan i pańscy koledzy. Nie, proszę nie protestować. Ja zapraszam.

Po czym okazało się, że jednak żarcie w lokalu jest i to w dużych ilościach. Oraz niezłe asortymentowo. „Stoliczku, nakryj

232

się", które zaprezentowała nam wrażliwa na piękno dama, zawierało kawior, szampan, koniaczki, szyneczki, jajeczka w majonezie, sałatki, galaretki, łakocie najróżniejsze. Dama namawiała nas do spożywania i z wszystkimi przeszła na ty.

Najbardziej, oczywiście, pokochała Szymona. Chyba z wzajemnością. W końcu nikt jeszcze nie dał mu takiego dowodu uznania dla jego trudnej sztuki.

W połowie bankietu zarządziliśmy z Maćkiem odwrót dla realizacji obrazu i dźwięku, prezenterów i ich obstawy. Bardzo nie chcieli iść, ale sami wiedzieli, że obowiązek ich wzywa. Koledzy, którzy pozostawali na placu boju, zgodnie ogłosili, że nie ruszą się, dopóki nie wróci Marta i nie zatańczy na rurze.

Ewa, która była z nami pierwszy raz na takiej dużej transmisji, nie bardzo wiedziała, dlaczego psujemy wszystkim zabawę.

– Nie możecie tego omówić jutro?

– Jutro nie będzie szans – pokręcił głową Maciek. – Sama zobaczysz.

Fakt.

Bite trzy godziny siedzieliśmy w hotelu przy kawie i omawialiśmy drobiazgowo, sekunda po sekundzie, wszystkie osiemnaście wejść. I te warszawskie, i te lokalne. Na początku odbyło się losowanie kto kogo obstawia. Bartek wylosował Martę, Tomek, syn Krysi, Elżbietę, a niejaki Wiesio, na co dzień człowiek z biura, Michała.

– Po co właściwie ta obstawa? – znowu chciała wiedzieć Ewa. – Po co mnożyć byty na planie?

– To jest bardzo potrzebne, Ewuniu – wyjaśnił Maciek, uprzejmy, jak zawsze, do obłędu. – Nasi prezenterzy na planie mają mieć komfort psychiczny. Obstawa dba o nich, doprowadza do nich rozmówców, lata po kawę, pilnuje godzin i tak dalej. Oni mają być świetni na antenie.

– Będziemy, Maciusiu, będziemy! – zapewniła gorąco Marta. – Jak chcesz, to ja się rozbiorę na wejście.

Maciek pokiwał głową.

– A potem odlecisz tym śmigłowcem od razu do szpitala.

– Czekajcie – powiedziałam. – To jest pomysł. A jakby tak na początek, tylko w pierwszym wejściu, które jest króciutkie, Marta była w podkoszulku? Rozumiecie? Styczeń, zima nad morzem, a u nas atmosfera gorąca...

– Bardzo dobrze – zawołała Marta, która z zasady jest nieustraszona. – Tak zrobimy! Będę w podkoszulku i będę wywijać kurtką nad głową!

– Wariaci – powiedziała Ewa.

– Nie wariaci. Czekaj – zastanawiałam się dalej. – To trzeba tak zrobić, że Marta będzie czekała na wejście ubrana. Potem, jak wam powiemy z wozu, że wchodzimy na antenę, Bartek ściągnie z niej kurtkę. No i ile czasu będzie goła? Pół minuty? Nie umrze.

– Oczywiście – poparła mnie Krysia. – A jak tylko zejdzie z anteny, Bartek ją ubierze. I natychmiast dostanie łyk koniaczku.

– Ja też tak chcę – zażądał stanowczo Michał. – Też mogę być w podkoszulku. Jak ona, to i ja. Nie będę robił za mięczaka. Jakby to wyglądało: dziewczyna bez ubrania, a ja w futrze!

– To ja też chcę. – Ela była solidarna.

– No, no, kochani – Maciek był wyraźnie stropiony. – To ja za was nie odpowiadam...

– Ty nie masz za nas odpowiadać – zawołała Marta. – Ty masz nas ładnie pokazać!

– Ciebie trudno brzydko pokazać. Ciebie też, Elu. Co innego Michał...

– O ty podlecu – powiedział Michałek z goryczą, bo miał kompleksy na tle własnej urody, niesłuszne zresztą. – Ja ci to kiedyś przypomnę.

Wróciliśmy do scenariusza. W zasadzie nie było niespodzianek, trzeba było tylko przewidzieć bardzo dokładnie wszystko, co się będzie działo.

Dla mnie to już właściwie koniec – no, prawie koniec – pracy. Nawymyślałam, nawymyślałam, zgromadziliśmy ludzi, którzy mają zrobić to, co zostało wymyślone i przygotowane... teraz już będą działać ludzie na planie. Impreza pójdzie tak, jak ją zaplanowali organizatorzy z naszą pomocą. Prezenterzy zaprezentują, obstawa zadba o to, żeby było jak w scenariuszu, operatorzy pokażą, Maciek zmiksuje. A ja będę siedzieć obok niego w wozie transmisyjnym i obgryzać paznokcie.

Bez przesady. Przeważnie nieźle się trzeba nauganiać, nawet jeśli mamy drobiazgowo przemyślane wszystko.

Niedziela, 7 stycznia

Najważniejsza jest pogoda.

No więc wyglądało, że będzie nieźle. Trochę mgiełek snuło się nad morzem, ale słońce też było widać. Wiatru zero. Fala zerowa, to znaczy spokojnie możemy czekać na naszą obiecaną kanonierkę, to jest, przepraszam, okręt minowo-desantowy. Śmigłowiec też nie powinien mieć problemów.

Pierwsze wejście mamy parę minut po wpół do dziesiątej, więc umówiliśmy się z Rochem, że nagramy jego lądowanie o wpół do dziewiątej.

O ósmej byliśmy wszyscy już przy wozach.

O ósmej piętnaście pojawił się Roch, piastując pod pachą sporą latarnię nawigacyjną w kolorze czerwonym.

– Rochu, a co ty tu robisz? – zdziwiłam się. – Właśnie miałam do ciebie dzwonić, Maciek już wysłał operatora na pirs, za kwadrans powinieneś lądować!

– Jest kłopocik – powiedział Roch. – Śmigłowiec nie może wystartować.

– Skąd nie może?

– Z Goleniowa.

– Co się stało, na litość boską? Maciek – wrzasnęłam. – Maciek! Chodź tu do nas!

Maciek wyskoczył z wozu.

– W Goleniowie jest mgła – tłumaczył Roch. – Pilot mówi, że mowy nie ma o starcie.

– Jaka mgła? – Z niedowierzaniem spojrzeliśmy na siebie, a potem, na rozsłonecznioną plażę.

– No, jest. Zero widoczności. Zero, to może przesadzam, ale najwyżej kilka metrów. Nie wystartuje, mówię ci.

– Cholera – powiedziałam brzydko. – Zaczyna się.

Maciek zareagował spokojniej.

– Odwołajcie Pawła z pirsu – zawołał w stronę wozu. – Słuchajcie, nie jest jeszcze tak źle. Może przez pół godziny ta mgła zejdzie... Ile czasu on tu będzie leciał?

– Piętnaście minut. Miał mnie zabrać z lądowiska pod latarnią morską, tam jest taka łączka.

– Dobrze – ochłonęłam. – To musimy być na stand by, jak on

da znać, że leci, to ty szybko jedziesz na lądowisko, on cię zabiera i robimy. Daj mi numer do niego.

Pojawili się prezenterzy, cała trójka, w obstawie swoich bodyguardów. Humorki mieli rozkoszne po prostu i wszyscy poubierani byli nieco westernowo. Nie tyle, żeby to była przebieranka, ale taki akcencik każde z nich posiadało. Pod akcencikiem cała trójka miała podkoszulki... Marta wywijała ogromnym stetsonem.

– Cześć robaczki! – zawołała na powitanie. – Czemu to pani redaktorka nie przyszła wczoraj obejrzeć, jak ja tańczę na rurze?

– Mieliście jeszcze siły na balangę?!

– My zawsze mamy siły na balangę!

– Marcia, Marcia... dla mojego potomka byłoby to doświadczenie niestosowne, w jego młodym wieku.

– Przecież nic by nie widział! Gdzie ty go trzymasz? Nie w brzuchu?

– Ona ma rację – wtrącił Michał, też w kapeluszu, tylko nieco mniejszym niż młyńskie koło. – Śpiewy były. I okrzyki. Młody mógłby się zgorszyć. A co tu robi mój partner do wywiadu? Już myślałem, że przyjdę na ostatnią chwilę i leciałem na pirs, ale mnie Paweł zawrócił. Coś walnęło?

– Na razie połowicznie – odpowiedziałam i wywołałam numer na komórce. Pilot zgłosił się od razu. – Wiktoria Sokołowska, Telewizja, dzień dobry. Jakieś dziwne rzeczy pan Solski nam tu opowiada. Co z tą pogodą u was? Naprawdę taka mgła?

– Naprawdę. Ja już siedzę w maszynie, mogę startować w każdej chwili, jeżeli tylko mgła się podniesie albo opadnie, choćby na parę sekund. Ale od rana jest kompletne mleko.

– Nie do wiary... u nas jest pełne słońce, milion na milion!

– Wie pani, to lotnisko jest położone tak dziwnie, że czasami wszędzie pogoda, a tutaj nic nie widać. W każdej chwili może być zmiana.

– No trudno. Będziemy w kontakcie. Jeśli tylko poprawią się warunki, proszę, niech pan natychmiast da znać panu Solskiemu. Ma pan jego telefon?

– Tak, oczywiście. Dobrze, to na razie...

– Ty, Wika – zainteresował się Michał. – Co to jest milion na milion?

– To takie lotnicze określenie idealnych warunków. Widoczność milion metrów, podstawa chmur milion metrów. Kiedyś się przyjaźniłam z pilotami, zapamiętałam parę powiedzonek i jak tylko mam okazję, to się nimi popisuję. Rozumiesz, taki pan pilot od razu wie, że jestem swoja.

Maciek oglądał z uwagą swój zegarek i coś obliczał.

– Jest ósma trzydzieści pięć. Wejście mamy o dziewiątej trzydzieści osiem. Jeżeli ten pilot za piętnaście minut nie wystartuje, to może w ogóle nie startować.

Zacisnęłam zęby i poszłam do wozu dźwiękowego na kawę. Gdańszczaki ekspres miały w ciągłym użytku.

Plaża zaludniała się, przeważnie naszymi ludźmi i gośćmi przewidzianymi do wejścia. O tej porze mało kto tu przychodzi z własnej woli.

Po kwadransie zadzwoniłam do pilota.

– To samo, proszę pani.

– Maciek, damy mu jeszcze parę minut? Sam wiesz, to nasze mocne wejście.

– Wikuś, antena jest za czterdzieści minut, on tu musi dolecieć, zabrać Rocha, wylądować, my to musimy nagrać i zmontować!

– Kurczę blade. Maciek, a jeżeli zrobimy tak: nagramy samo tylko lądowanie, powiemy, że to Rochu przyleciał, a jego samego zrobimy na żywca! Jedno, dwa ujęcia z puszki! Może nawet bez montażu... A antena jest za... czterdzieści pięć minut.

– Spróbujemy. Ja bym też nie chciał z niego rezygnować. W ostateczności pokażemy tylko Rocha z latarnią i nie będziemy nic mówić o śmigłowcu.

– Kurczę blade.

Zaczęliśmy już poważnie przygotowywać pierwsze wejście. Prezenterzy zostali uzbrojeni w słuchaweczki zleceniowe, bardzo dobry wynalazek, słyszą nas, ale nie mogą odpowiedzieć. Mają przyjąć do wiadomości i wykonać. Operatorzy mają podobne. Mówi do niech realizator, czasami do prezenterów ja. Kiedy pracuję z Maćkiem, to on przeważnie myśli o wszystkim. Ja tylko sprawdzam czas, żebyśmy nie przewalili, a zmieścili się ze wszystkim, co jest zaplanowane.

– Pamiętajcie, kochani – powiedziałam do nich jeszcze – dzisiaj waszym najważniejszym zadaniem nie jest podetkanie mikrofonu rozmówcy, tylko jego zabranie w porę. Wszystkie wejścia są bardzo krótkie, obstawa zawsze wam przypomni, ile macie czasu. Nie wolno przewalić, bo coś się nie zmieści. Warszawa jest bezwzględna! Zejdą z nas, jak tylko wykorzystamy swoje minuty i nie będzie się można wytłumaczyć, że nie zdążyliśmy, bo nas śmiechem zabiją. Aha! Broń Boże nie dawajcie żadnemu rozmówcy mikrofonu do ręki! Moja – twoja. Bo możecie nie zdołać odebrać! No to powodzenia...

Prezenterzy z obstawą i operatorzy poszli na swoje stanowiska. Roch powlókł się za Michałem. Czas już był, bo nasz wóz transmisyjny stał w uliczce na tyłach sceny, a wszystko, co się miało wydarzyć teraz, zaplanowane było o kilkaset metrów od nas, na drugim końcu plaży. A prezenterzy nie mogli przecież zasapani wchodzić na antenę.

Zrobiła się znienacka dziewiąta dziesięć. Popatrzeliśmy na siebie z Maćkiem. Pokręcił głową.

– Wika, tam już trzeba konie podprowadzać pod pirs, ten cały wóz z kupą dzieciaków. A jeśli konie spłoszą się, jak im ten śmigłowiec przeleci nad głowami i dadzą w długą razem z dziećmi?

– Maciuś, jeszcze mamy szansę!

Wydzwoniłam pilota.

– Jak???

– Tak samo...

– Cholera ciężka! To nie do pana, oczywiście.

– Jasne, rozumiem. Przykro mi.

– Trudno, rezygnujemy. Dziękujemy panu serdecznie za życzliwość.

– Zaraz, niech pani poczeka. Wołają mnie radiem. Jakiś pożar... niedaleko was! Jesteście gotowi? Jak jest wezwanie na ratunek, to mnie wolno startować w każdych warunkach, na moją odpowiedzialność! Ale ja mogę najwyżej usiąść na tym pirsie na pięć sekund i zaraz będę leciał!

– Panie kochany, a czy ktoś z panem jest?

– Jest, a po co wam?

– Czy on może na tym pirsie wysiąść na dziesięć sekund? Potrzebujemy faceta, który wysiada!

– Dobrze, powiem mu. Jak tylko wyląduję, on wyjdzie, ale zaraz musi wrócić i lecimy dalej!

W tle słyszałam wizg silników. Już kręcił.

– Dobrze! Wystarczy! Kamera czeka, niech pan leci! Powodzenia!

Odwróciłam się do Maćka. Skinął głową.

– Wszystko wiem. Niech Krysia wydzwoni faceta z końmi i uprzedzi, że zawołamy ich w ostatniej chwili. Chodźmy do wozu.

Wbiliśmy się w ciasną przestrzeń między konsoletą a ścianą wozu. Kamery już pokazywały, że prezenterzy są na stanowiskach.

– Pawełku, uważaj – powiedział Maciek do mikrofonu w konsolecie. – Za chwilę śmigłowiec będzie lądował na pirsie. Wyjdzie z niego facet i będziemy udawali, że to Roch. Pokaż go jakoś inteligentnie, żeby nie można było rozpoznać. Bądź czujny, nie będzie możliwości zrobienia dubla. Siądzie i zaraz się poderwie. Uważajcie wszyscy, czy nie leci. Już wystartował z Goleniowa, zaraz będzie u nas. Jak tylko go zobaczycie, melduj. Michał, słyszysz mnie?

Michał na jednym z ekranów przed naszymi nosami skinął głową energicznie.

– Jak będzie twoje wejście, rób wrażenie, że Roch przyleciał tym śmigłowcem przed sekundą, śmigłowiec będzie z puszki. Pokażę śmigłowiec, pogadaj chwilę i po paru sekundach przedstawiasz Rocha. Rozumiemy się?

Michał ponownie skinął głową z zapałem.

– No, niech on już lepiej będzie – mruknął Maciek. – Mateusz, jesteś gotów do nagrania?

– Tak, oczywiście – potwierdził niewzruszony Mateusz, który dzisiaj usiadł przy magnetowidach.

Usłyszeliśmy podniecony głos Michała, wołającego do swojego mikrofonu:

– Leci! Widzę go, tam...

– Start, Beta – powiedział Maciek, a Mateusz uruchomił magnetowid. – Paweł, widzisz go?

– Widzę, ale jest jeszcze bardzo mały. – Paweł, jedyny na planie, miał słuchawki z mikrofonem i mógł rozmawiać z realizatorem. – Uważaj, Maciek, zaraz mi wleci w kadr...

Intensywnie wgapialiśmy się w ekrany. Jest!

– Prowadź go, Pawełku, prowadź! O skubany, rajdowiec, fasoniarz... Bardzo ładnie. Bliżej z tym piachem, bliżej! Ślicznie! Nie chcę widzieć, kto wysiada! Dobrze. Spróbuj pokazać pilota, niech ci pomacha łapką! Dobrze, bardzo dobrze! Prowadź go, jak startuje, prowadź. Jeszcze leci, leci, wypuść go z kadru. Dobrze, dziękuję, mamy! Mateusz, za cztery minuty wchodzimy!

Mateusz już montował to, co nagraliśmy przed chwilą. Minutę przed anteną był gotowy.

Tymczasem Maciek wydawał ostatnie polecenia operatorom i prezenterom, czekającym na planie.

Na antenie już szalała Wielka Orkiestra Świątecznej Pomocy. Z głośnika rozległ się miły, spokojny baryton kolegi z Warszawy.

– Niechorze, Warszawa woła, słyszycie nas?

– Bardzo dobrze – odpowiedział Maciek.

– Wchodzicie za minutę, wywołamy was. Jesteście gotowi oczywiście?

– Oczywiście.

Warszawiak wyłączył się. Maciek powiedział do mikrofonu:

– Uwaga, za pół minuty antena. Za chwilę, jak powiem, rozbieramy prezenterów!

Śledziliśmy, co się dzieje w warszawskim studiu. Kończyła się jakaś rozmowa. Kiedy już wyraźnie zanosiło się na postawienie kropki, Maciek zawołał:

– Marta, rozbieraj się! Reszta towarzystwa za parę sekund!

Marta błyskawicznie ściągnęła z siebie wierzchnie okrycie. Maciek pod wydmą i Ela na wozie zrobili to samo.

– Uwaga – powiedziała Warszawa.

– Uwaga, Marta – powtórzył Maciek. – Jesteś!

W tejże chwili nasza Martusia pojawiła się w milionach polskich domów, budząc z pewnością przyspieszone bicie serc wszystkich prawdziwych mężczyzn. Wyglądała jak lala, w żółtym podkoszulku z dużym dekoltem. Kazaliśmy jej też dopiąć bujne loki, co wydatnie podnosiło jej urodę i westernowy wdzięk. Taka Dolly Parton, tylko młodsza i o niebo ładniejsza.

Wymachując kapeluszem, zawołała ekspresyjnie:

– Witamy wszystkich w Polsce! Witamy z plaży w Niechorzu! Jest zima, styczeń, u nas jest minus pięć stopni... – Zawahała się na ułamek sekundy i prawdomównie sprostowała. – A może plus pięć, nieważne, ważne, że atmosfera jest gorąca, myśmy się tu porozbierali, temperatura uczuć rośnie z każdą chwilą! Na tej wielkiej scenie będzie dzisiaj wielki koncert, a ponieważ w stosunku do reszty kraju jesteśmy na zachodzie, niech więc dzisiaj będzie to Dziki Zachód!

Maciek przemiksował się na wóz, wjeżdżający właśnie na plażę. Na wozie siedziało trzydzieścioro wolontariuszy – oczywiście okutanych w kurtki nieprzemakałki – pozawijana w szale kapela irlandzka oraz nasza druga prezenterka, Ela, też w podkoszulku.

Powiedziała, co miała powiedzieć, błysnęła hollywoodzkim uśmiechem i wywołała Michała.

Michał, oczywiście w podkoszulku, gadał coś o śmigłowcu. Śmigłowiec wylądował w chmurze pyłu wodnego i piachu, ktoś tam z niego wyleciał – przysięgłabym, że Roch! – po czym helikopter wystartował z dużym wdziękiem. Jeszcze mignęła nam twarz pilota, który pozdrawiał wszystkich uniesieniem ręki.

Nie wiem, czy Roch sam chciał, czy moi kochani koledzy go zmusili łagodną perswazją, dosyć, że nie miał na sobie ani mundurowego płaszcza, ani nawet mundurowej kurtki, tylko koszulę z podwiniętymi rękawami! Reprezentację munduru stanowiła czapka ze złotym emblematem Urzędu Morskiego. Pod pachą trzymał imponującą lampę nawigacyjną. Michałek zaprezentował Rocha i jego latarnię, zaprosił cały świat do nas na plażę, po czym Warszawa z nas zeszła.

Rzuciliśmy się sobie z Maćkiem w objęcia.

– Pierwsze wejście za nami – powiedział. – Teraz już będzie coraz lepiej.

– Wiesz, Maciusiu, ja tak sobie myślę, że dobrze, że to pierwsze wejście było z kłopotami. Bo jak za dobrze żre od początku, to w końcu kłopoty i tak się pojawią. A my je mamy już z głowy.

– Obyś miała rację!

Wyszliśmy na powietrze.

Nadciągali ku nam bohaterowie pierwszego wejścia. Szalenie zadowoleni z siebie, ubrani już po bożemu, rozkrzyczani i podnieceni.

Wyściskaliśmy się wszyscy.

– A jak cenne zdrowie? – zapytałam. – Bardzo wam było zimno?

– Gdzie tam – zawołała Marta. – Byliśmy zadbani! Dostaliśmy kielicha!

– Rozumiesz, Wicia – wołała nie mniej podniecona Krysia – nie możemy ryzykować, że nam umrą przed końcem transmisji! Jak tylko schodzili z anteny, natychmiast żeśmy ich z chłopakami ubierali, rozcierali, a ja już czekałam z koniaczkiem! Jak to wyglądało?

– Bardzo dobrze wyglądało – powiedział serdecznie Maciek, wywołując tym nowy wybuch radości.

– Chodźcie do gdańszczaków na kawę – zarządziła Krysia. – Musicie się porządnie rozgrzać.

– Hej, Krysia, czy my nie mieliśmy mieć jakiegoś namiotu socjalnego? – przypomniało mi się.

– A co, nie widziałaś?

– Nic nie widziałam, byłam zajęta rozmowami z panem pilotem! Mamy czy nie?

– I tak, i nie. Ja już powiedziałam tym tutejszym bossom, żeby sobie zabrali ten namiot, bo teraz już jest w nim ciemniej niż na dworze. I zimniej, bo wilgotno! A jak słońce zajdzie, to tam nic nie będzie widać.

– Nieoświetlony?

– I nieogrzewany. Goły namiot. Bez niczego. Bez pieca, bez stołów, bez siedzeń.

– To trzeba zrobić awanturę!

– Już zrobiłam. Powiedzieli, że możemy chodzić się ogrzać do knajpy, tam, skąd robimy następne wejścia, wiesz: saloon, bar i bank.

– Nie będzie czasu!

– Pewnie, że nie będzie. Też im mówiłam. Mamy wejścia co pół godziny, co godzinę i nigdzie nie będziemy latać. Musimy być przy wozach. Powiedzieli, że dadzą ogrzewanie, ale na razie nic nie ma. Chodź do gdańszczaków!

To była dobra myśl.

Kolejne dwa wejścia poszły gładko.

Koło dwunastej oczekiwaliśmy pojawienia się okrętu. Chcieliśmy go pokazać z daleka na horyzoncie, a dopiero w następnym wejściu jak cumuje przy pirsie.

Znowu okazało się, że współpraca z marynarką wojenną to duża przyjemność. Z komandorem Maksem kontaktowaliśmy się przez Ewczyną komórkę. Nie widział trudności. Urok emanował z niego nawet za pośrednictwem telefonu.

Rzeczywiście trochę przed dwunastą okręt pojawił się w naszym polu widzenia.

– Rany Julek! – zawołała zachwycona Krysia. – Ależ to jest duże!

Fakt. Było duże.

– A jesteście pewne, dziewczyny, że on się zmieści przy tym naszym pirsie? – powątpiewał Maciek.

– Patrzcie – mówiła Krysia, nie zwracając na niego uwagi. – To jest takie płaskie, z klapą, tamtędy czołgi wyjeżdżają! No, rewelacja!

Zadzwoniła komórka Ewy.

– Tak, Maksiu, to ja – zaszczebiotała, cała roześmiana. – Widzimy was. Słuchaj, to jest duże!... Jak to co? Ten twój krążownik!... Co? Wiem, że minowo-desantowy, ale krążownik lepiej brzmi... Nie, nie będziemy tak mówić na antenie. Maciek, czy oni mają podejść bliżej?

– Tak, bardzo proszę, jeszcze trochę bliżej. Nie za szybko, bo wchodzimy dopiero za dwadzieścia minut. Powiedz panu dowódcy, że jeśli już nie będziemy chcieli ich bliżej, to damy znać.

– Maksiu, słyszałeś? Doskonale! To na razie możemy się rozłączyć. Bye!

Im bliżej, tym bardziej imponująco wyglądali.

Kolejne wejście też nam ładnie wyszło. Marta zręcznie wplotła zapowiedź wizyty zaprzyjaźnionej flotylli:

– O już ją widać, oczywiście nie całą flotyllę, tylko okręt, który ją będzie reprezentował. Jak świat światem do pirsów w Niechorzu przybijały co najwyżej kutry rybackie, a tu taki gość płynie!

Zmarzły mi nogi.

W ogóle zrobiło się jakoś zimniej niż przedtem. Socjalu nadal nie było, ale już podobno ktoś poszedł po dużą grzałę i kable do światła też już ciągną.

Poszłam do gdańszczaków na kawę. Koledzy popatrzyli na mój czerwony nos krytycznie.

– Ja bym ordynował po irlandzku – zaproponował ten najbardziej humanitarnie nastawiony.

– Niech będzie po irlandzku. Inaczej tu zamarznę.

Humanitarna pomoc nadeszła w porę. Chlapnęłam sobie gorącej i słodkiej kawy doprawionej łyskaczykiem i zrobiło mi się nieporównanie lepiej.

W następnym wejściu pokazaliśmy z bliska okręt prawie tak długi, jak pirs, do którego właśnie cumował. Wywiad z Maksem zostawiliśmy sobie na zaś. I tak było mnóstwo materiału, bo już pierwsze pieniądze zaczęły spływać do banku, do saloonu przybywali wolontariusze, miejscowe zespoły hasały na małej scenie w knajpie, debiut naszej Eli zaczynał nabierać rumieńców, Marta łamała wszystkie męskie serca spotkane po drodze.

Odebrałam kolejny telefon.

Dzwonił zaprzyjaźniony właściciel paru statków pasażerskich z Kołobrzegu.

– Pani Wiktorio! Oglądamy was i mamy tu taki pomysł: może byście chcieli, żebyśmy do was przypłynęli „Moniką III"?

– Jasne! Ale tak tylko z wizytą?

– Przywieziemy jakąś forsę, jeśli się uda. Ale to dopiero wieczorkiem, koło dwudziestej.

– Nie, to nie jest dobra godzina! O dwudziestej powinniście tu już być i uczestniczyć w Światełku do Nieba. Macie tam na statku jakąś pirotechnikę, race, śmace...

– Mamy, oczywiście! To o której chcecie nas widzieć?

– Najlepiej koło wpół do siódmej, bo mamy przed siódmą wejście, jeszcze was wciśniemy, pokażemy, że jesteście, ewentualnie dacie nam tę forsę. A możecie podejść do pirsu? Z tym, że tam już stoi okręt wojenny, bardzo duży!

– Możemy zacumować do burty tego waszego okrętu.

– No to cudnie. Jak będziecie startować z Kołobrzegu, poprosimy o telefon.

Poleciałam natychmiast do Maćka i powiedziałam o propozycji naszych kołobrzeskich przyjaciół.

– Poradzimy sobie?

– Spokojnie.

W tym momencie dopadły nas Krysia z Ewą.

– Słuchajcie, dowódca tego okrętu mówi coś głupiego – wysapała Krysia.

– Najlepiej sama z nim pogadaj i zdecyduj, co robimy!

– Ale co mówi?

Ewa już wpychała mi do ręki komórkę.

– Masz, gadaj, Maks jest po drugiej stronie.

– Witam, panie komandorze, Wiktoria Sokołowska. Co się stało?

– Pani Wiktorio, kiedy chcecie zrobić z nami to wejście? Bo jest jeden kłopot...

– Za pół godziny. Musimy mieć rozmowę z panem! Podobno macie dla nas jakieś rzeczy na licytację?

– Mamy. Dobrze, pół godziny jeszcze spróbuję zostać.

– Jakie pół godziny – przerwałam mu. – Mieliście zostać do Światełka! Do dwudziestej trzydzieści!

– Wiem, ale stan wody się zmienia. Najprościej mówiąc, jak dla laika: morze się cofa i jeżeli się nie odsuniemy, zostaniemy na piachu!

– Jak to morze się cofa?

– Po prostu. Na pewno pani widziała, że plaża jest większa albo mniejsza, właśnie w zależności od stanu wody. To jest zmienne zjawisko. No więc teraz właśnie ona się zwiększa. Kosztem dna morskiego. Ale niech pani się nie martwi, przynajmniej o to najbliższe wejście. Zrobimy. Potem już nie będę mógł narażać okrętu. Admirał mnie zabije, jeżeli zaryzykuję tylko dla pięknych oczu uroczych pań z telewizji.

– Jasne, wszystko rozumiem. Najważniejsze, że w ogóle jesteście. Na razie.

Maciek spojrzał na mnie z pytaniem w oczach.

– Mamy okręt jeszcze na jedno wejście. Morze im się cofa, kurczę! Nie chcą zostać na piachu.

– No trudno. – Mój ukochany realizator potrafił się zdobyć na filozoficzne podejście do rzeczywistości. – Nie można mieć wszystkiego. Mam wrażenie, że już powinniśmy przygotować się do anteny.

Na to hasło każdy udał się na wyznaczone pozycje. Oczywiście, na przecudnego Maksia wypuściliśmy naszą przecudną Martusię z lokiem.

Ale nie takie Martusie musiał on mieć w małym palcu, bo w ogóle się nie speszył, a przeciwnie, oboje tryskali urokiem, aż nam w wozie pojaśniało od tych uśmiechów i błysków w oku.

Mieliśmy jednak chwilę napięcia. Marta przedstawiła pana komandora, zmartwiła się, że będą zaraz odpływać, choć mieli być do wieczora, spytała, dlaczego, ach, dlaczego – i pan komandor zaczął jej robić mały wykład z hydrografii.

– Marta, nie gadajcie tyle – wrzasnęłam do mikrofonu. – Do rzeczy! Mów o licytacji i spadaj!

Marta usiłowała przerwać komandorowi, ale on właśnie się rozpędzał i zaczynał roztaczać przed nią wizję okrętu na mieliźnie. Cały czas usiłował przy tym zabrać jej mikrofon, ale mu go na szczęście nie oddała, więc tylko dłonią w rękawiczce przytrzymywał jej rękę z bezcennym sprzętem. Czas uciekał jak szalony.

– Marta, skracaj!

Marta uczyniła kolejny bezowocny wysiłek. Komandor skłonił się lekko w jej stronę i leciał dalej. Rzuciliśmy oboje z Maćkiem grubym słowem.

– Marta, koniec! Już!!!

Na takie hasło nasza prezenterka nie czekała już ani ułamka sekundy, tylko nieco brutalnie wyszarpnęła pięknemu komandorowi rękę i mikrofon.

– Bardzo, bardzo żałujemy – powiedziała w tempie ekspresowym – że nie będziecie z nami do końca, ale jesteśmy szczęśliwi, że w ogóle zdołaliście dopłynąć i że przywieźliście – tu wyrwała mu spod pachy paczkę z prezentami od flotylli – gadżety, które zlicytujemy wieczorem!

Pomachała pakunkiem. Maciek zszedł z nich i pokazał Michała, buszującego pośród kramów z żarciem. Tu już problemów nie było. Podobnie w knajpie, gdzie Ela hasała na scenie wśród wesołych harcerek z okolicznych wsi.

Dziesięć minut później dobrnęła do nas Marta, porządnie zziajana; jednak to chodzenie po piachu dawało w kość...

– Ludzie kochane! Co wyście mi za rozmówcę przysłali! W ogóle nie zamierzał przestać gadać, a tę łapę to miał ciężką jak imadło!

Maciek pocałował ją w przegub.

– Widzieliśmy, jak cię trzymał za rączkę.

– Trzymał za rączkę! Będę miała siniaki! Jemu chodziło o mikrofon, a nie o moją rączkę. Chciał, żeby cała Polska widziała, jaki on jest uczony. Ja was strasznie przepraszam, pewnie przewaliliśmy czas, ale sami widzieliście.

– Widzieliśmy. Byłaś dzielna, Martuś. Jeden zero dla ciebie!

– No to lecę do gdańszczaków!

Gdańszczaków zawsze cechował wysoki współczynnik uroku osobistego, połączony z równie wysokim współczynnikiem profesjonalizmu. To sprawiało, że po pierwsze zawsze, kiedy tylko budżet nam pozwalał, zamawialiśmy ich sobie na duże imprezy ze skomplikowanym dźwiękiem, po drugie zaś ich wóz zawsze był zapchany przyjaciółmi płci jak najbardziej obojga. Cała nasza prezenterska trójka opuszczała gościnne progi tylko po to, żeby zrobić kolejne wejścia.

Misję podziękowania Maksiowi wzięła na siebie Ewka. Oddała mi tylko na chwilę swoją prywatną komórkę, za pomocą której ową misję wypełniała i jak już wypowiedziałam konwencjonalne formułki, zabrała mi słuchawkę i poszła sobie, wciąż prowadząc ożywioną konwersację.

O trzeciej zaliczyłam drugą kawę po irlandzku.

Plaża powoli się zapełniała. O czwartej miała ruszyć duża scena.

Szymon zapalił już swoje wstrząsające światła, ale rzeczywiście dzisiaj wyglądało to zupełnie inaczej niż wczorajszego wieczora, kiedy piasek pustej plaży odbijał światło.

Na brzegu płonęło dziewięć wielkich ognisk. Ludzie piknikowali wokół nich w najlepsze, niektórzy nawet piekli kiełbaski.

W styczniu!

Koncert hulał na całego, a my byliśmy po trzynastu wejściach, kiedy zadzwonił facet od żeglugi z Kołobrzegu.

– Pani Wiktorio! Płyniemy do was. Jest nas full na statku, mamy pieniądze, spróbujemy zacumować przy pirsie, bo widziałem, że okręt sobie poszedł! Ale mogą być kłopoty, bo chyba wiatr się wzmaga. No i nie wiemy, co z tym stanem wody. Jak już będziemy u was, to podejmiemy decyzję na miejscu.

– Okay. Czekamy.

Podeszłam do wydm, żeby widzieć plażę. Szymonowe światła wyraźnie wydobywały z mroku białe grzywki na ciemnej powierzchni morza. Tych grzywek przedtem nie było.

Pomiędzy naszymi wozami plątały się tabuny ludzi. Nasi, nie nasi, wykonawcy, ochroniarze, publiczność, wolontariusze, goście planu, miejscowi, przyjezdni i tak dalej. Odnalazłam grupkę naszych operatorów, wśród których stał Maciek i psuł sobie płuca papierosem. Wszyscy zresztą robili to samo. Powiedziałam o statku z Kołobrzegu.

– Za trzydzieści pięć minut wchodzimy – zauważył Maciek. – Czy oni do tej pory będą?

– Tak mi się wydaje.

– Mam pomysł – zakomunikował Pawełek. – Jakby nie mogli stanąć przy pirsie z powodu wody albo wiatru, to może by tak ich ściągnąć na ląd przy pomocy tych ludków z ratownictwa? Wiecie, tych, co się pokazywali w jednym z pierwszych wejść. Oni tu cały czas są. I ten ich ponton też jest.

– No jest, zabezpieczają... – Maciek zastanowił się chwilę. – Szymona mi dajcie!

– Jest Szymon, tam stoi. Szyyyyymooon! – ryknął Paweł, usiłując przekrzyczeć hałas sceny.

Usłyszał i przyszedł leniwym krokiem.

– Czemu się drzecie?

– Powiedz mi, czy jesteś w stanie tym reflektorem, który masz koło najdłuższego pirsu, oświetlić mi statek za pirsem, ponton, który do niego podchodzi, zabieranie ludzi i poprowadzić wywożenie ich na brzeg?

Szymon wykonał krótką pracę myślową.

– Jestem – powiedział lakonicznie.

– Dobrze. Poczekaj jeszcze chwilę, powiem ci, czy na pewno będziemy to robili.

Pawełek już zdążył przyprowadzić do nas głównego machera od pontonu ratownictwa brzegowego.

– Czy panowie dacie radę – zapytałam – wziąć ludzi z małego statku pasażerskiego w okolicy końca pirsu i przetransportować ich na brzeg?

– Oczywiście – odrzekł facet, a oczy mu zabłysły jak gwiazdy. – W dowolnych ilościach. Przy czym muszę pani powiedzieć, że my też na sam brzeg nie dopłyniemy, tylko ich wyniesiemy na rękach.

– Proponuję, żeby Michał skomentował z brzegu tę całą akcję ratowniczą, a Marta niech potem porozmawia z gośćmi już na suchym lądzie.

– Bardzo dobrze – powiedział Maciek. – I zrobimy jak ze śmigłowcem: akcja z puszki i rozmowa na żywo. Paweł, Szymon, idziemy na brzeg. Panów też poprosimy. Bartek, skocz po Martę i Michała. Wika, wydzwoń tych z Kołobrzegu i powiedz im dokładnie, co zamierzamy zrobić. Niech podejdą, jak blisko mogą, i czekają na ponton ratowniczy. Ja zaraz wrócę, tylko się zorientujemy, jak to rozwiązać technicznie.

Wydzwoniłam. Pan z żeglugi był zachwycony. Właśnie są w drodze i doszli do wniosku, że raczej nie dojdą do tego pirsu, bo się będą bali. Fala się robi za duża.

Po paru minutach przygalopował Maciek.

Poszliśmy do wozu.

– Zdążymy to nagrać?

– Spokojnie. Już ich widać, patrz.

Istotnie, z kamery Pawła mieliśmy słaby na razie obraz majaczącego na morzu białego stateczku.

– Zaraz wejdą w światła.

– Już ich mamy. Start, Beta. Pawełku, pokaż mi ten statek, a potem prowadź ponton od brzegu do nich, nie powinien zbaczać ze światła.

Ależ to były sceny! Pomarańczowy ponton popruł do statku jak szalony, wzniecając wściekłe bryzgi, doskonale widoczne w światłach Szymona. Podszedł do burty stateczku spacerowego i ratownicy zaczęli przeprowadzać ludzi na swoją jednostkę. Po czym ponton zawinął z nieprawdopodobnym fasonem i rozdzierając czarne fale, runął ku brzegowi. W pewnym miejscu jednak zwolnił, zatrzymał się, a ratownicy w pomarańczowych kombinezonach na własnych plecach, na barana, wynosili pasażerów statku na brzeg.

– Bardzo dobrze – powiedział Maciek, kiedy już mieliśmy wszystko ładnie nagrane. – Montuj to, Mateuszku, jak najszybciej. Masz niewiele czasu...

– Spokojnie – odrzekł Mateusz – za dwie minuty będę gotowy.

Tym wejściem mieliśmy nadzieję rzucić wszystkich na kolana. I tak się, na dobrą sprawę powinno stać, bo wyszło nam koncertowo. Puściliśmy akcję z zapisu, Michał komentował, okropnie zemocjonowany, a ponieważ nic nie widział z tego, co komentuje (zażądał monitora na plaży, gdzie sterczał, ale został przez Maćka dość brutalnie sprowadzony na ziemię), rzucaliśmy mu do ucha krótkie komunikaty typu „są przy burcie", „ruszyli z powrotem", „zatrzymali się", „niosą ich na rękach", „są na brzegu". Był niezwykle sugestywny. Nie dziwiło nas to, bo Michał to zawodowiec, a całą akcję widział przedtem naprawdę. Nawet twierdził, że się przejął, ale nie wszyscy mu uwierzyli.

Kiedy już taśma nam się kończyła, pokazaliśmy jeszcze na chwilę Michała, ocierającego autentyczny pot z czoła (kiepsko nas słyszał w hałasie ze sceny i bał się, że coś pokręci...), a potem przeszliśmy spokojnie na Martę, która odpytała przybyszów z Kołobrzegu, zachwyconych do głębi odbytą przed chwilą podróżą w pontonie oraz w ramionach ratowników. Kobietom, jak podejrzewam, najbardziej podobała się ta ostatnia część wojażu.

Jeszcze krótko Elka z bankowcami, jeszcze wolontariusze i cały niechorski sztab, zadowolony i zarzucony forsą – i przed nami stanęło najtrudniejsze dla Maćka wejście: Światełko do Nieba. Mieliśmy jakieś dwadzieścia pięć minut na ostatnie przypomnienia.

Omawialiśmy to wejście około miliona razy. Ale wciąż nam było mało, pamiętaliśmy bowiem straszliwe chwile z zeszłego roku, kiedy to weszliśmy na antenę, pokazaliśmy różne wstępne figle-migle, a pirotechnik spóźnił się z odpaleniem fajerwerków. Zanim ruszyły, Warszawa nas zdjęła z anteny...

Omal nie dostaliśmy wtedy zawału – Maciek i ja.

I postanowiliśmy, że w tym roku zrobimy fajerwery, jakich świat nie widział.

Wszyscy święci od Światełka zebrali się przy wozie. Nikt nie żartował, wszyscy byliśmy śmiertelnie poważni. Mieliśmy przydzielone dwie minuty na antenie i te dwie minuty były w tej chwili dla nas najważniejsze na świecie.

Maciek udzielał ostatnich wskazówek operatorom. Mnie coś tknęło i poleciałam na plażę, sprawdzić, czy na pewno pali się wielkie serce na pirsie. To serce było właściwie rusztowaniem wypełnionym węglem drzewnym – i ten węgiel należało podpalić co najmniej pół godziny temu, żeby w stosownej chwili nie buchały już z niego płomienie, ale by się tylko żarzył.

Żadnego serca na tle morza nie było.

Pobiłam rekord trasy z powrotem.

– Krysia! – wrzasnęłam, łapiąc oddech. – Serce się nie pali!

To, co powiedziała Krysia, nie mieści się w żadnym słowniku. Złapała pierwszego lepszego ochroniarza i kazała mu natychmiast znaleźć miejscowego faceta odpowiedzialnego za serce. Okazało się potem, że był cały czas na miejscu, tylko się zagapił na scenę.

Po chwili z serca buchały płomienie; strażacy lali na nie jakieś paliwo bez opamiętania. Ale żaru już nie będzie, tylko ten żywy ogień. A ognia będziemy mieli i tak dużo. Same ogniska na brzegu sporo dają.

Blada ze zdenerwowania Marta złapała mnie za rękę.

– Jezus Maria, Wika, mam dziurę w głowie, nie pamiętam, co mam powiedzieć...

– Spokojnie, Martuś, jak przyjdzie co do czego, to ci się klapka otworzy – pocieszyłam naszą cudną z lokiem. – Pamiętaj tylko, wszystko jedno, co będziesz mówiła, nie stawiaj żadnych kropek, leć jednym ciągiem, same przecinki, bo jak skończysz zdanie, to Warszawa może natychmiast z nas zejść. Dopóki nam się światełko nie rozhula, ty masz nadawać! My ci powiemy na ucho, kiedy możesz skończyć. Dobrze będzie! Chyba już tam lepiej idź, bo zanim się przedrzesz przez ludzi...

Marta przeżegnała się i ze swoją obstawą poleciała ustawić się na tle płonącego już teraz porządnie serca.

Maciek udzielał ostatnich wskazówek szefowi straży pożarnej, który miał dać sygnał do odpalenia ogni sztucznych.

– Słuchaj, Kris, musisz być koło mnie, najlepiej tuż za mną, powiem ci „start, ognie". Tylko uważaj, ja będę kilka razy mówił „start", czekaj aż wyraźnie powiem „start, ognie".

– Nie wiem, jak Jurek wytrzyma – powiedziała Krysia, spoglądając gdzieś w przestrzeń nad sceną.

Spojrzałam i ja. Na tyłach sceny unoszony na podnośniku jechał w górę operator, który miał pokazywać plażę w ogólnym planie oraz ognie na tle nieba. Całą tę kanonadę będzie miał za plecami i nad głową.

– Chodźmy do wozu – zaproponowałam.

Usiadłam na swoim miejscu, przytulona z jednej strony do przezroczystej ściany, z drugiej do Maćka. Strasznie ciasny ten nasz wóz, chociaż niewątpliwie niezły technicznie. Lubię to swoje miejsce podczas transmisji, pomiędzy realizatorem a szybą, za którą widzę roześmianą twarz Marcina. Niestety, dziś Marcin razem ze swoją roześmianą twarzą przebywa w wozie gdańskim.

Nasza mała reżyserka dźwięku nie wystarczyłaby mu na tak skomplikowane przedsięwzięcie.

Mnóstwo ludzi nam radziło, żeby to Światełko nagrać przed anteną i wypuścić z puszki, ale Maciek się nie zgodził.

– W całej Polsce ludzie zapalają od ósmej i my zrobimy to, jak przyjdzie nasza kolej.

– A jeśli coś znowu nie wypali? – Ten zeszłoroczny ból ze spóźnionymi fajerwerkami pamiętali wszyscy tutejsi...

– Musi wypalić. Przygotujemy wszystkich dokładniej niż w zeszłym roku.

– Zgrasz tyle elementów? Zawsze ci się coś obsunie!

– Zgram. To jest kwestia organizacji.

Takich dialogów było sporo i sceptyków przybywało w miarę, jak sami komplikowaliśmy sobie zadanie.

A teraz będziemy robić Światełko na żywo.

Wciśnięta między szybę a Maćka czuję, jak rośnie w nim napięcie. Właściwie już mu nic nie pomogę, a on musi liczyć na to, że wszyscy zrobią to, co do niech należy: operatorzy za kamerami i ludzie, przygotowujący wydarzenie – pirotechnicy, strażacy, różni tam funkcyjni.

Napięcie udziela się nam wszystkim. Nikt nie opowiada wiców, nikt się nie śmieje, operatorzy nie podglądają kamerami ładnych dziewczyn.

Maciek sprawdza łączność z operatorami, wywołuje każdego, a oni odpowiadają mu kiwnięciem kamery: słyszę. Kolejno każdy obraz na siedmiu monitorach odpowiada – tak.

Marta stoi przed pirsem, na tle gorejącego serca. Już nie widać po niej żadnego zdenerwowania. Uśmiechnięta, nieco wzruszona – ale bez przesady, zawodowiec musi pilnować swoich wzruszeń – a w ogóle najpiękniejsza na świecie.

Za plecami Maćka w otwartych drzwiach wozu stoją na stopniu Krysia i szef straży pożarnej z radiem w dłoni. Też sprawdza, czy dobrze słyszy pirotechników.

Na monitorze pojawia się warszawskie studio Orkiestry.

– Uwaga – mówi Maciek do wszystkich. – Warszawa weszła na antenę. My jesteśmy pierwsi po nich, za jakieś pięć minut wchodzimy.

Wszyscy milczą, wpatrujemy się w ekran.

Wszystkie kamery pokazują plany, od których Maciek zamierza zacząć.

Na scenie gwiazda wieczoru, czekająca na sygnał do startu.

– Halo, Szczecin – rozlega się z głośniczka głos kolegi z Warszawy. – Za minutę wchodzicie.

– Okay – odpowiada Maciek. – Jesteśmy gotowi.

Podany nieco do przodu, zaczyna wydawać polecenia:

– Uwaga, za minutę antena. Start, scena.

Perkusista nabija i gwiazda zaczyna śpiewać. Piętnaście tysięcy ludzi na plaży szaleje.

– Szczecin, uwaga – mówi warszawiak. – Jesteście!

– Jesteśmy – powtarza Maciek. – Marta, jesteś. Trzymaj ją, jedynko. Trójeczko, odjeżdżaj od statku. Start, pirsy!

Na trzech wychodzących w morze pirsach zapalają się fajerwerki, które biegną po betonie w głąb morza, gdzie unoszą się na rusztowaniach i opadają szerokim wodospadem ognia.

Marta na tle wielkiego płonącego serca gada jak szalona, wita, pozdrawia, zaprasza, mówi o dzieciach, dla których to wszystko się dzieje – nie stawia ani jednej kropki, ale nie jest to potrzebne, bo Warszawa nie zamierza z nas wcale schodzić.

Maciek miksuje w natchnieniu – widok ogromnej, nabitej ludźmi plaży, rozświetlone morze, płonące pirsy, dziewięć olbrzymich ognisk, gorejące serce trzymetrowej wysokości, statek w gali świetlnej, marynarze z płonącymi chemicznym ogniem flarami w dłoniach. Gwiazda śpiewa, Marta gada... Rozradowane twarze ludzi, machających rękami w geście pozdrowienia.

– Start, ognie! – ryczy Maciek.

W tej samej sekundzie Kris, szef straży powtarza to do nadajnika. Spoza sceny strzelają w niebo tysiące ognistych kwiatów.

Maciek szaleje. Bez ustanku wydaje polecenia opratorom, a jego dłonie na konsolecie są w ciągłym ruchu – obrazy na monitorze zmieniają się jak w kalejdoskopie, nakładają na siebie, wirują w szalonym tańcu.

Wykorzystuję moment, kiedy Maciek nabiera oddechu i wrzeszczę do Marty:

– Marta, starczy! Kończ!!!

Ale Marta nie słyszy, najwyraźniej w miejscu, gdzie stoi, hałas ze sceny i łomot wystrzałów zagłuszają dźwięk w słuchawkach.

W końcu Maciek przestaje ją pokazywać, a Marcin zdejmuje jej dźwięk.

Maciek, odchylony od konsolety, przyparty plecami do ściany, realizuje dalej. Nie wiem, czy mam patrzeć na ekran, na którym dzieją się cuda, czy na niego, który z błyskiem w oczach te cuda wyczarowuje. W efekcie dostaję rozbieżnego zeza, bo chcę widzieć jedno i drugie.

Za nami, w otwartych drzwiach wozu, ryk radości i satysfakcji – nie tylko ja patrzę na to, co wyprawia Maciek.

W końcu Warszawa z nas schodzi.

Maciek nie przerywa pracy; jeszcze przez kilka minut wrzeszczy do operatorów i miksuje to, co od nich dostaje. Nagrywamy to sobie na zaś.

Prawie płaczemy z radości. Wyszło nam! Och, jak nam wyszło!

Wreszcie koniec tej zabawy. Wylatujemy z wozu jak z procy i następuje ogólne wpadanie sobie w ramiona. Wszyscy ściskają się ze wszystkimi.

– Maciuś, jesteś genialny – wrzeszczę.

Bijemy mu brawo. Maciek śmieje się jak opętany. Oczy mu błyszczą.

– Wiecie, ile minut byliśmy na antenie?

– Cztery! Cztery minuty! A mieliśmy być dwie!!! – Krysia tańczy dziki taniec.

Wracają operatorzy i Marta ze swoim bodyguardem. Następuje kolejna runda uścisków i okrzyków.

Przybiega Wiesio.

– Wiecie, gdzie jest Jurek?

Milkniemy. Istotnie, Jurka, który przeżył to całe bombardowanie na wysokości dwudziestu metrów, w koszu podnośnika, nigdzie nie widać.

Wiesio ma tajemniczą minę.

– Pokażę wam – mówi.

Dwadzieścia osób podąża za Wiesiem. Ten prowadzi nas do namiotu socjalnego, w którym od jakiegoś czasu jest już i światło, i piec.

W kącie pustego namiotu, za długim stołem, siedzi Jurek, oparłszy głowę na dłoniach.

Czyta książkę.

Dookoła wszyscy szaleją, a on czyta książkę!

Spojrzał na nas obojętnie i powrócił do lektury.

– Zostawcie go – szepnęła Krysia. – Szajba mu odbiła na tym podnośniku. Musi odreagować!

Poszliśmy, oczywiście, do gdańszczaków.

Resztę wejść też zrobiliśmy ładnie.

Ale to największe napięcie już z nas właściwie opadło.

Cztery minuty na antenie... a miały być dwie... a miały być dwie...

Skończyliśmy trochę po północy. Zostawiliśmy biednych skazańców z techniki, żeby zwijali kable, i poszliśmy do hotelu. Wykąpać się, przebrać, ochłonąć po piętnastu godzinach harówki. No a potem, co jest zrozumiałe, spotkać się i napić solidnie z okazji sukcesu.

To jest to, czego mój ojciec nigdy nie zrozumie – tyle pracy, tyle przygotowań, takie straszliwe napięcie – po to, żeby kilka minut być na antenie.

Dzisiaj właściwie kilkanaście razy po kilka, ale i tak najważniejsze było Światełko.

Jeszcze nie czuję zmęczenia, to przyjdzie nawet nie jutro, ale pojutrze, może za trzy dni.

Ciekawe, co kotuś na to? Na tę całą zadymę?

Gorzały, ze względu na dziecko, mamusia nie piła. Przyjęła do organizmu jedynie odrobinkę szampana.

Czwartek, 11 stycznia

No i znowu wylądowałam w szpitalu.

Tym razem pani profesor była bliska furii. Nawet nie mam ochoty przypominać sobie, co powiedziała na temat mojej karygodnej nieodpowiedzialności.

W poniedziałek jeszcze wszyscy żyliśmy niedzielą, we wtorek też. Przyjmowaliśmy z satysfakcją gratulacje życzliwych (Tymon przysłał sms-a: „Widziałem, jesteście genialni") oraz z uciechą fałszywe gratulacje i zawistne spojrzenia różnych mniej życzliwych.

A w środę napięcie już mi nieco odpuściło i organizm się poddał.

Krzysio, którego zawołałam na pomoc, kazał mi od razu dzwonić do pani profesor i pytać, co dalej. Na szczęście miała wolne łóżko.

– Wie pani, co pani grozi? – zapytała nieprzyjemnym tonem, kiedy już powiedziała, co o mnie myśli. – Przedwczesny poród. I proszę sobie nie wyobrażać, że dziecko miałoby teraz jakiekolwiek szanse. Do diabła z panią profesor. Damy radę, dzidzia. Ja już się teraz nie będę ruszała z tego cholernego szpitala, chyba że mi dadzą na piśmie gwarancję, że cię wcześniej nie urodzę.

Trochę mi głupio, bo może naprawdę jestem wyrodną matką albo czymś w tym rodzaju. Jak już będziesz duży, synku Maciusiu, to ci wszystko wytłumaczę i myślę, że mnie zrozumiesz.

Albo córeczko.

Synku.

Rodzina stanęła na wysokości zadania i obstawiła mnie w szpitalu wszelkimi luksusami. Najbardziej wzruszył mnie Bartek, który pożyczył mi swój osobisty mały telewizorek, żebym sobie mogła oglądać programy moich kolegów, oraz osobistego discmana, żebym mogła słuchać ulubionej muzyki, o której zresztą nadal wyraża się z lekceważeniem.

– Ale musi mi ciocia obiecać, że raz w tygodniu posłucha ciocia listy przebojów. Nawet nie dlatego, że ja w niej robię, ale dla higieny psychicznej. Bo jak ciocia będzie słuchała tylko o utopionych czeladnikach młynarskich, to dziecko urodzi się bardzo ponure.

– Masz to jak w banku – obiecałam. – Zresztą nie będę słuchać żadnej ponurej muzyki, same pogodne kawałki.

– Rozmawiałem dzisiaj z kolegami – powiedział mój siostrzeniec. – Wszyscy mówili, że nasza Orkiestra była po prostu za...

– Nie kończ! Ale strasznie się cieszę, że tak mówią; pozdrów ich ode mnie.

Siostrzeniec kiwnął niedbale głową i oddalił się z wdziękiem.

Nie mam nic przeciwko temu, żeby moje dziecko miało trochę tych samych genów. Ale niektóre Bartkowe mogą być po Krzysiu, niestety, i tu ich już nie odziedziczymy.

Tymon dzwonił wczoraj rano z wiadomością, że niespodziewanie musi jechać do Danii na jakiś tydzień. Jeszcze wtedy nie wiedziałam, że będę w szpitalu, więc on teraz też o tym nie wie.

Wpadła Mela z zapasem literatury rozrywkowej, dobrej w chorobie. Małgorzata Musierowicz, stary, niezawodny JB Priestley i parę thrillerów medycznych Robina Cooka. Kazałam jej zabrać Cooka i przynieść kilka zwyczajnych kryminałów, gdzie trup pada w wyniku prostego morderstwa, a nie szpitalnych przekrętów! Jakoś nie mam teraz serca do niektórych moich ulubionych autorów.

No to zaczynamy życie szpitalne.

Sobota, 13 stycznia

Nie lubię życia szpitalnego.
    Nie znoszę, jak się mnie budzi o świcie.
    Nie cierpię tego zapachu.
    Brzydzi mnie wspólna łazienka.
    Od jedzenia mam odruch wymiotny.
    Oraz nie lubię, kiedy nieznajome osoby traktują mnie familiarnie!
    – Nie wstawaj, niunia – mówią pielęgniarki. Dlaczego w szpitalu nie ma obowiązku mówienia do pacjentek „proszę pani"?!

Takie tam drobne szczegóły jak badania, kroplówki, zastrzyki – to wszystko jest małe piwko. Najgorsze jest życie towarzyskie. W mojej sali leżą jeszcze trzy kobiety. Mniej więcej w moim wieku, widocznie w tym wieku miewa się problemy z donoszeniem ciąży. A może przez przypadek. A może oddziałowa myślała, że jak położy nas razem, to będziemy miały wspólne tematy i będzie nam milutko.
    Staram się, jak umiem. Ale po pierwsze, nie mogę uczestniczyć w wymianie poglądów na małżeństwo i męża, bo takowego nie posiadam i nie posiadałam. O potencjalnym, czyli o Tymonie, jakoś nie mam ochoty rozmawiać z nieznajomymi. Po drugie, nie oglądam seriali brazylijskich ani wenezuelskich, ani boliwijskich, ani argentyńskich. Mało tego – upieram się przy oglądaniu wiadomości i co gorsza programów politycznych, które, jak wiadomo, są strasznie nudne i co komu z tego przyjdzie, że będzie słuchał tych przemądrzałych chłopów. Na szczęście jest na sali drugi

telewizor, a Bartuś, kochane dziecko, przyniósł mi drugie słuchawki (jedne mam przy discmanie) i na stałe podłączył do odbiornika, żebym nie musiała tyłka ruszać z łóżka. Ale za to jest, że się separuję od zwyczajnych kobiet!

Po trzecie i najgorsze, zwyczajne kobiety uwielbiają sobie pogadać na temat komplikacji okołoporodowych... brr, sama nazwa mnie brzydzi i straszy. Moimi wnętrznościami niech się lepiej zajmą fachowcy, a ja sobie posłucham „Muzyki na wodzie" Haendla! Bardzo wesoła oraz energetyczna. Daje siłę do walki z przeciwnościami losu. I dobry humor.

No i znowu się separuję.

– Ja pani nie rozumiem – powiedziała raz pani Violetta. – Pani nas nie chce słuchać, jak mówimy o naszych problemach. A to przecież mogą być i pani problemy! Pani też ma kłopoty. A jaką pani ma gwarancję, że pani urodzi zdrowe dziecko? Lepiej być przygotowanym na wszystko!

Niedoczekanie.

– Moje dziecko, pani Violetto, na pewno będzie w porządku – odrzekłam łagodnie i uprzejmie, nade wszystko pragnąc skończyć rozmowę na temat, który mnie też trochę straszył. Pozytywnie myśleć! Tak kazała pani profesor i ja będę pozytywnie myśleć.

Nie przy pani Violetcie.

– Kochana! – zawołała żarliwie. – Tego się nigdy nie wie! W naszym wieku, a jeszcze pani mówi, że to pierwsza ciąża...

– Pani wie, że to może być nawet downiaczek? – dodała smakowicie pani Edzia. Ona ma na imię Edwarda, biedactwo.

Tego już było za wiele.

– Nie ma obawy – powiedziałam tonem lekceważącym. – Mam gwarancję z Państwowego Instytutu Matki i Dziecka.

– Gwarancję?

– Oni to dają po przejściu serii badań i zabiegów. Mają taki specjalny program naukowy, dotowany z PHARE. Tylko wie pani, tam się bardzo trudno dostać.

– Ile kosztuje? – zapytała natychmiast pani Violetta.

– Na pewno strasznie drogo – podchwyciła pani Edzia.

– To w Warszawie? – ożywiła się pani Brygida.

– W Warszawie, oczywiście – zaczęłam improwizować. – Drogo nie jest, przeciwnie, nic nie kosztuje, tylko trzeba mieć skierowanie od swojego lekarza prowadzącego i jeszcze konsultanta. To się nazywa ZBUK: Zespół Badań Udoskonalająco-Kontrolnych. Oni to niechętnie rozgłaszają, bo jest tylko jeden taki instytut w Polsce, więc gdyby wszystkie te kobiety, które późno decydują się na pierwsze dziecko...

– Stare pierwiastki – podsunęła usłużnie pani Violetta, znawczyni problemu.

– A fuj, co za brzydkie określenie – skrzywiłam się – nie lubię tak myśleć o sobie. No więc gdyby te wszystkie... damy chciały robić sobie te badania, to by po prostu było niemożliwe, zabrakłoby miejsc w instytucie, zaczęłyby się tarcia, kłótnie, pomówienia... Same się panie domyślają.

– No, ja się domyślam na pewno – powiedziała pani Brygida, kobieta pozbawiona złudzeń. – Trzeba po prostu dać w łapę.

– Pani pewno nie musiała – stwierdziła potępiająco pani Edzia. – Oni dziennikarzy się boją, żeby ich nie obsmarowali.

– Jak to się nazywa? Pani powtórzy! – Pani Violetta, zdaje się, zaczynała myśleć pragmatycznie.

Usiłowałam sobie przypomnieć, co wymyśliłam na poczekaniu.

– ZBUK. Zespołowe Badanie...

– Już wiem – wpadła mi w słowo pani Violetta. – Zespół Badań Udoskonalająco-Kontrolnych. Ja zwróciłam uwagę na te udoskonalające. Już nic pani nie musi mówić, jak nie chce.

Nie chciałam. Telefon podskakiwał wesoło na stoliczku.

– Tymon... Już wróciłeś?

– Udało się. Wiesz, głupio się tam teraz czuję w tej Danii, oni mnie wprawdzie rozumieją, ale nas generalnie nie rozumieją... I chyba za nami nie przepadają. No i chciałem jak najszybciej zobaczyć ciebie.

– To będziesz musiał się pofatygować do szpitala.

– Orkiestra ci zaszkodziła? – W jego głosie z przyjemnością usłyszałam niepokój.

– Zaszkodziła. Ale nie martw się, dziecko będzie jak trzeba i kiedy trzeba, tylko muszę leżeć. Jeszcze nie wiadomo, jak długo. Przyjedź, jak będziesz miał coś do załatwienia w Szczecinie. I przygotuj się na spotkanie z biedną chorą istotą.

– Biedna chora istoto! Przyjadę do ciebie i może przy tej okazji coś załatwię w Szczecinie. Nadal kocham cię jak wariat, wiesz?

– Kochaj mnie jak wariat, kochaj mnie jak świr – zacytowałam z Bartkowej listy przebojów.

– Jutro będę. Chyba, że ci zabronili przyjmować wizyty.

– Nie, nie zabronili. Tylko nie za rano, bo muszę umyć głowę.

– Pamiętam, ty jesteś do ludzi gdzieś tak koło południa... To ja przyjadę jakoś tak po obiedzie. Kiedy u ciebie jest pora karmienia, o pierwszej?

– Jakoś tak będzie. Czekam jutro. Pa.

Moich współlokatorek nie było w sali. Ze spokojnym sumieniem nałożyłam zatem słuchawki i oddałam się rozkosznej kontemplacji VI Symfonii Beethovena, która swoim nastrojem, nie wiedzieć czemu, przypominała mi atmosferę niezapomnianego domku myśliwskiego państwa Karasiów.

Niedziela, 14 stycznia

Dobrze, że umówiłam się z Tymonem na popołudnie, bo przed obiadem nawiedziła mnie Ewa. Przyniosła dwa romansidła.

– Poczytaj sobie, to będziesz wiedziała, jak ma się zachowywać heroina romansu.

– A na co mnie to? Czy ja jestem heroina?

– Nie, ale romansu. Wprawdzie żadna z nich nie była w szóstym miesiącu ciąży, ale nie szkodzi. Ucz się od starszych, koleżanko. Będziesz miała jak znalazł, kiedy już schudniesz.

– Kiedy schudnę, to będę myślała o karmieniu, przewijaniu i kolorze kupki.

– Fuj. Nie martw się, to podobno szybko mija. Wychodzisz za Tymona?

– Jeszcze nie wiem. Dawno się nie oświadczał.

– Jak się oświadczy jeszcze raz, to go łap. Tylko mu powiedz, że musi ci wynająć nianię.

– A jak tam twoje życie uczuciowe?

– Kwitnie. Słuchaj – Ewcia przewróciła oczami – Maksio u mnie był!

– Ohoho!

– Jak najbardziej.

– Włączyłaś go w poczet narzeczonych?

– Przypominam ci, że on był pierwszy! Wszyscy następni byli po nim.

– Wydawało mi się, że ty ich masz nie po kolei, ale, jakby to powiedzieć... symultanicznie.

– Bardzo dobre określenie. Muszę mieć kilku, bo oni reprezentują różne specjalności. Mówiłam ci już kiedyś. Jeden do dużych wyjść, jeden do małych, jeden do niezobowiązujących wycieczek w plener, jeden do brydża i tak dalej.

– A Stefan?

– Stefan jest do miłości.

– Tamci nie?

– Skądże. Tylko jednego czasem przyjmuję w celach erotycznych, ale niezbyt często. Zauważ, że Stefan ma daleko. Przyjeżdża z Warszawy. Nie zawsze może. Czasem jedzie z żoną i dziećmi na wakacje. Rozumiesz, jak to jest.

– Rozumiem. A do czego ci będzie Maksio?

– Maksio... też do miłości. Maksio jest chyba lepszy od Stefanka. Sama widziałaś, jaki piękny. Dobrze wychowany. Sympatyczny. Namiętny. Z gestem. No i rozwiedziony.

– Chcesz się za niego wydać?!

– Coś ty! Żeby mnie odstawił od piersi całej reszcie? Zresztą, on się chyba też nie pali, bo po dwóch żonach zażywa wreszcie wolności i bardzo mu się to podoba. Żebyś ty widziała, jakie miał u mnie entrée! Przy domofonie przycisnął oba dzwonki, mój i tej mojej sąsiadki, która mieszka obok mnie, więc obie mu otworzyłyśmy te nasze wspólne drzwi. Maksio wszedł krokiem defiladowym, odsunął pańskim gestem panią Kropowiak, bo wyleciała na korytarz, dobrze, że jej nie dał dwóch złotych! Może dlatego, że nie miał ręki, bo w jednej trzymał bukiet storczyków, wielki jak wieniec dożynkowy w pegeerze, a w drugiej bombonierkę niewiele mniejszą...

– W mundurze był?

– A jak! W pełnej gali! Pani Kropowiak o mało nie zemdlała z zachwytu!

– I co dalej?

– Dalej jak najwspanialej, moja droga, jak powiadał pan Brzechwa. Znasz „Kota w butach"?

– A co ma do tego „Kot w butach"?

– Maksio jest taki trochę kot w butach. I to z ostrogami. I szabelką lubi wywijać.

– To bardzo reprezentacyjny narzeczony...

– Szalenie. Będę mogła go zabierać na największe wyjścia, bale i bankiety, na których nawet Ignaś nie był dostatecznie majestatyczny. Na dniach jest bal stowarzyszeń. Dyrektorzy banków będą na sam jego widok czuli przypływ gotówki. Maksio zrobi furorę, zobaczysz.

– A jak go pogodzisz ze Stefankiem? Czy może era Stefanka się skończyła?

– W żadnym wypadku. Dlaczego miałabym rezygnować ze Stefanka, który mnie kocha prawdziwą miłością?

– Zrobisz im grafik?!

– Niezła myśl. Ale oni obaj pracują nieregularnie. Będę musiała po prostu pilnować ich obu, żeby nie nastąpiło zetknięcie na wrażliwym terenie. Słuchaj, à propos moich narzeczonych, a w szczególności wymienionego wyżej Ignasia Ignatowicza, czy twój Tymon poczynił już kroki, które miał poczynić?

– Nie mam pojęcia. Może i poczynił, ale ja go przecież nie spytam, czy się rozwodzi, skoro nie wiem, czy chcę za niego wyjść czy nie. Ze wskazaniem na nie...

– Jednak nie?

– Wiesz, po tej Orkiestrze uświadomiłam sobie, że nie umiałabym z tego zrezygnować. Oczywiście, teraz przez jakiś czas będę wyłączona, bo się będę zajmowała synkiem albo córeczką... ale potem są żłobki, a może wynajmę nianię albo będę pracowała z doskoku. Sama rozumiesz. Ze Świnoujścia nie mogłabym trzymać ręki na pulsie, a wtedy bardzo łatwo odpaść. Zwłaszcza w tej nieciekawej sytuacji, jaka się ostatnio wytworzyła.

– Rozumiem. W końcu możesz pójść moim śladem, wykorzystać mój sprawdzony patent i przyznać Tymonowi status narzeczonego.

– Teoretycznie mogę, ale, widzisz, ja jestem, w przeciwieństwie do ciebie, monogamiczna.

– A kto ci każe od razu być poli? Ja mam duże potrzeby w tym zakresie, a ty możesz sobie mieć jednego Tymona. Na zapleczu.

– Nie wiem, czy ja go chcę mieć na zapleczu.

– To miej go od frontu, tylko się, na miłość boską, zdecyduj się na coś!

Tymon przyjechał zaraz po obiedzie.

Najpierw, prawidłowo, pomartwił się trochę o moje zdrowie i o zdrowie potomka. Powiedziałam mu, że w tej sprawie myślę pozytywnie i moi przyjaciele też mają myśleć pozytywnie, bo te wszystkie pozytywne myśli się ładnie skumulują i dadzą pozytywny rezultat. Obiecał, że będzie tak właśnie myślał. A potem zdradził, że przed południem miał niesłychanie ważne spotkanie. Z Ignasiem Ignatowiczem mianowicie. I jeszcze z jednym prawnikiem, adwokatem, niejakim Gawrońskim, zapewne też figurującym w obszernym notesie Ewy. Niestety, panowie byli stroskani. Dane, które otrzymali od Tymona telefonicznie jakiś czas temu, skłaniały ich do przypuszczenia, że proces będzie trudny i długi. Omówili teraz wszystko dokładnie w cztery oczy, to jest w sześcioro oczu i sytuacja im się wykrystalizowała.

Nie będzie łatwo z panią Ireną.

Oczywiście, sprawę założy się natychmiast, jak najbardziej po znajomości, wszystko po to, żeby Ewunia była zadowolona, że się jej przyjaciół dobrze traktuje. Natomiast niedobrze jest, że pan Wojtyński był nieprzewidujący. Nie szukał świadków, sprawy z panią Radwanowicz załatwiał w cztery oczy, nikomu postronnemu się specjalnie nie zwierzając.

Bo jak teraz udowodnimy trwały rozpad pożycia? Przecież pani Radwanowicz może wymyślić – i zapewne to zrobi – dowolną ilość rzewnych historyjek, jak to przyjeżdżała i pożycie ulegało, powiedzmy: wznowieniu. Po czym nawet odjeżdżała, ale wciąż w tym Szczecinie tęskniła do małżonka. A dlaczego tęskniła? Bo kochała.

Kochała! Zapewne dzwoniła codziennie, żeby się dowiedzieć, jak mu się spało i co zjadł na śniadanie.

No tak, to rzeczywiście nie będzie łatwo. Ani, zapewne, szybko.

Przyszło mi do głowy, że może byłoby szybciej, gdybyśmy wykorzystali twórczo koncepcję pani Ireny, że moje dziecko jest dzieckiem Tymona. Ale jednocześnie zaczęłam się zastanawiać, dlaczego on sam na to nie wpadł? A jeżeli wpadł, to dlaczego mi nie powiedział, że wpadł?

Z drugiej strony, jeżeli tak powiemy, to będzie chyba automatycznie oznaczało moją zgodę na to małżeństwo.

Och, och, znowu nie wiem, co zrobić!

No więc na razie nie zrobiłam nic.

Poniedziałek, 15 stycznia

Leżenie w szpitalu jest nudne.

Wtorek, 16 stycznia

Leżenie w szpitalu jest strasznie nudne.

Środa, 17 stycznia

Leżenie w szpitalu jest strrrrrrasznie nudne!

Czwartek, 18 stycznia

Leżenie w szpitalu jest potwornie nudne...

Piątek, 19 stycznia

Leżenie w szpitalu nie jest nudne.

Na obchodzie po śniadaniu pani profesor powiedziała:

– Pani redaktor, za jakąś godzinę chciałam panią prosić do siebie, do gabinetu.

– Coś gorzej? – wystraszyłam się.

– Nie, nie, proszę się nie martwić. Ale chciałam omówić z panią pewną sprawę.

Jak tylko zamknęły się drzwi za „białym obłokiem kompetencji" (nie pamiętam, kto tak powiedział, ale ładnie), moje trzy współlokatorki zaczęły snuć przypuszczenia.

– Ja bym im nie wierzyła. – Pani Violetta pokręciła głową. – Zawsze tak mówią: nic, nic, a potem się dopiero okazuje!

– Pewnie wyniki złe pani miała – westchnęła pani Edzia.

– Może coś z dzieckiem! – Pani Brygida przewróciła oczami. – Pierwsza ciąża w tym wieku!

– Mówiłam, że downiak – ucieszyła się pani Edzia.

Policzyłam do stu i powiedziałam:

– A tam się już zaczęła „Wielka miłość donny Cataliny".

– Och – jęknęły jednogłośnie i runęły do telewizora. A ja się całą godzinę denerwowałam okropnie.

W gabinecie pani profesor był istny zjazd lekarzy specjalistów. Cała obsada lekarska oddziału. Siedzieli i gapili się na mnie.

Postanowiłam być dzielna.

– Pani profesor – powiedziałam z determinacją. – Ja już jestem duża dziewczynka i proszę mi nie opowiadać bajeczek o żelaznym wilku.

Pani profesor popatrzyła na mnie, jakbym spadła z księżyca.

– Coś ze mną, czy coś z dzieckiem?

– Ach, prawda. Przecież mówiłam pani, że nic takiego. Naprawdę nic takiego!

Trochę mi ulżyło, ale nie do końca, nie do końca!

– A to znakomite zebranie? Państwo chcą mnie o czymś poinformować?

– Pani Wiktorio – zagadnął mnie, cedząc słowa przez zęby, zastępca ordynatora, bardzo uroczy pan doktor Kapuściński, figlarnie przez moje kobietki zwany Bigosikiem. – Co to takiego jest zbuk?

– Zgniłe jajo – odpowiedziałam mechanicznie i nagle zrozumiałam. – O kurczę blade!

– No właśnie – westchnęła pani profesor. – Kurczę jak najbardziej blade.

– Rozumiem, że któraś z moich współlokatorek zażądała udziału w programie naukowym?

– Wszystkie trzy, proszę pani.

– Ojojoj... a próbowały dać łapówkę?

– Łapówkę na razie tylko jedna. To znaczy mąż jednej. Chyba był w kłopocie, bo nie wiedział, ile zaproponować za taki ekskluzywny program badawczy... jak pani to nazwała?

– Nie pamiętam dokładnie. Coś tam badawczo-udoskonalające. Żeby myślały, że mam gwarancję na zdrowe dziecko. Bo wiecie państwo, one kochały po prostu denerwować mnie i siebie zresztą też takimi przypuszczeniami, że na przykład urodzimy uszkodzone dzieci albo nie urodzimy ich wcale, albo one będą martwe i tak dalej. Jeśli urodzę downa, to się wtedy będę martwiła, ale na razie, mam nadzieję, nic na to nie wskazuje, prawda?

– Prawda. Po co pani się poddaje takim idiotycznym sugestiom?

– Ja się nie poddaję, ale one się sączą jak jad do ucha. Słucham mimo woli i się denerwuję z tego powodu. Więc wymyśliłam taki bajer mały, żeby one zaczęły mówić o czym innym.

– No i zaczęły – westchnął z kolei doktor Kapuściński. – I teraz my nie możemy spokojnie pracować. Niech pani coś wymyśli, żeby dały nam spokój, bo zwariujemy wszyscy i nie będziemy mogli pań skutecznie leczyć.

– A nie prościej byłoby im powiedzieć, że gadałam głupoty i że żaden zbuk nie istnieje?

– A jak pani myśli, co im mówimy od samego początku? Tylko że one nie chcą wierzyć. Uważają, że ukrywamy przed nimi mnóstwo ciekawych rzeczy.

– Może by się pani przyznała, że to wszystko pic? – zaproponowała pani profesor.

– Zabiją mnie.

– Ale od nas się odczepią!

Zapadło milczenie tchnące bezradnością.

– Pani Wiktorio – powiedział rzewnie doktor Kapuściński – pani musi...

Zastanowiłam się. Nagle zarysowała się przede mną możliwość osiągnięcia realnej korzyści.

– No więc – powiedziałam chytrze – ja bym mogła spróbować, ale państwo sobie zdają sprawę, że jeśli się przyznam, że zrobiłam z nich idiotki, to już życia z nimi nie będę miała.

Medyczne gremium spojrzało po sobie.

– Chyba rozumiem – rzekła inteligentna pani profesor. – Doktorze, czy mi się zdaje, czy mamy wolną jedynkę?

– Jedynek to u nas w ogóle nie ma – odrzekł doktor Kapuściński – ale mamy jedną taką strasznie ciasną dwójkę, to po prostu byłby wstyd, gdybyśmy położyli tam dwie osoby... Ściśle mó-

266

więc, one tam właśnie leżą, ale moglibyśmy te dwie panie przenieść do takiej przestronniejszej dwójki, a tę ciasną poświęcić dla sprawy.

– Bardzo dobrze – pochwaliła pani profesor. – Strasznie pan to zachachmęcił, ale już wszystko wiem. Proszę powiedzieć oddziałowej, żeby zrobiła co trzeba. Co pani na to? – zwróciła się do mnie.

– Jestem gotowa położyć głowę pod topór. – Byłam zachwycona. – Państwo sobie życzą dziś czy jutro?

– Natychmiast – odpowiedzieli jednym głosem pani profesor i jej zastępca. – Już!

Od dwóch godzin mam do dyspozycji pokój. Mały jak dla dwóch osób, dla mnie jednej wymarzony. Urządziłam się wygodnie i mogę leżeć dowolnie długo.

W twoim towarzystwie, dzidzia! Bez żadnych czarnowidzek! Będzie nam razem świetnie po prostu, będziemy słuchać Beethovena (pogodnych kawałków) i oglądać wszystkie polityczne programy, jak również spokojnie pisać, czytać, telefonować. I spać!

Oraz zastanawiać się nad życiem, ma się rozumieć.

Brydzia, Edzia i Violetka przyjęły to, co im powiedziałam, dość spokojnie.

Chyba teraz uważają, że powiedziałam prawdę, ale lekarze mnie namówili za pomocą pojedynczego pokoju, żebym skłamała, że skłamałam...

Sobota, 20 stycznia

Jest cudnie.

Rodzina mnie nawiedziła, przynieśli pełno różnych rzeczy do jedzenia. Rodzina zawsze uważa, że człowiek szczęśliwy to człowiek nażarty.

Lodówkę mam za oknem, jest minus, nie zaśmierdnie się.

Tymon dzwonił, zapowiedział się na jutro.

Dzidzia mnie kopnęła. Był to kop zdecydowanie męski. Mówiłam, że facecik.

Niedziela, 21 stycznia

Własny pokój daje również pewne możliwości w kontaktach z ukochanym mężczyzną. Nie są to możliwości nieograniczone, zważywszy, że to jednak pokój szpitalny, a nie hotelowy, ale lepszy rydz niż nic.

Tymon jakiś zmęczony. Mówi, że musi teraz sporo pracować, żeby chociaż częściowo odkuć się za te stracone na szprotkach pieniądze. Zaplanował sobie jakieś wyjazdy do Danii, do Warszawy, po sądach będzie się włóczył. Przecież pozakładał te sprawy o zniesławienie. I będzie się rozwodził – znowu sąd.

Przyglądałam mu się, kiedy tak stał w oknie i się zamyślał ze wzrokiem wbitym w rachityczną sosenkę na placu.

Może nie wiem, czy chcę za niego wyjść, ale wiem na pewno, że go kocham.

Sobota, 27 stycznia

Nie chciało mi się nawet myśleć przez ostatnie kilka dni. Fronty atmosferyczne przelatują w tę i nazad, a ja od tego mam niechęć do życia. Większość czasu przespałam, jak świstak.

Niedziela, 28 stycznia

Nawiedziły mnie Krysia z Ewką i Lalką Manowską. W braku własnych przeżyć (co może przeżywać istota uziemiona w łóżku?), rzuciłam się na przeżycia Ewci.

Nowo nawiązany stary romans Ewy z Maksiem von und zu kwitnie. Moja przyjaciółka zabrała wspaniałego komandora na bal charytatywny i pobiła wszystkie panie na głowę: żadna nie miała takiego partnera.

Olśniewający Maksio uroki ciskał na prawo i lewo, tańczył jak szatan, pił jak gąbka, w ogóle się nie zanietrzeźwiał, humorem tryskał, każda baba w jego towarzystwie natychmiast czuła się jak dama z fraucymeru cesarzowej Sisi!

– Najbardziej wpadł w oko – opowiadała chichocząc Ewcia – pani prezes klubu biznesowego, wiesz, tej, co ma hurtownię glazury i terakoty. Oka od niego nie mogła oderwać, zostawiła swojego męża gdzieś w kącie i tylko leciała na Maksia. A Maksio, dyplomata, rączki całował, walca zatańczył i pogonił do innych. Maksio nie jest detalista, Maksio jest hurtownik... A żebyś wiedziała, jak znakomicie dzięki niemu wypadła licytacja!

– Przebijał?

– Przebijał... tylko niczego w końcu nie kupił. Ale jak zaczynał windować cenę, to natychmiast panowie mężowie tych wszystkich królowych terakoty unosili się honorem i przebijali jeszcze wyżej. Wtedy Maksio stopował, a oni zostawali z jakąś potworną sumą do zapłacenia. Wiesz, ja mam wrażenie, że mój Maksio tak naprawdę wcale nie ma pieniędzy. Ma za to inne talenta i tak to sobie ładnie rekompensuje.

– Po balu sobie też rekompensował?

– Jasne. Bardzo przyjemny z niego komandor... po balu.

– Ty, Ewa, a może byś się za niego jednak wydała?

– Nie ma takiej możliwości. Ja jestem dla niego za biedna. Za mało zarabiam. Jemu jest potrzebna taka królowa terakoty i glazury. Ona mu da pieniądze, on ją nauczy dobrych manier i tańczyć mazura... Wiesz, znowu się tańczy mazura na niektórych balach... zgroza, jak to wygląda! I będzie glazura tańczyć mazura z cudnym Maksiem w pierwszej czwórce... z jakimiś królami przecierów do kompletu. Po prostu miodzio, jak mówią nasi młodsi koledzy.

– Ja też tak mówię – wtrąciłam.

– No bo ty też jesteś młodsza. Ode mnie. Od Lalki jeszcze bardziej. Nawiasem mówiąc, umówiłam się z Maksiem na najbliższy weekend. Zabieram go na premierę do opery, taką bardzo uroczystą, a potem pójdziemy sobie do mnie.

– A w niedzielę Maksio zaprosi cię na obiadzik do Radissona...

– Zapomnij. W niedzielę zamówimy pizzę do domu.

– Ewa – odezwała się słuchająca dotąd głównie Lalka – a ten twój Maksio nie ma jakiegoś znajomego na wydaniu? Może jakiś kontradmirał albo co. Moje dzieci zdają w tym roku maturę i jak pojadą na studia, bo oboje nie chcą w Szczecinie, to ja zostanę tu za sierotkę.

– Zapytam – obiecała Ewa. – Ale ja bym sobie nie robiła specjalnych nadziei, tacy ładni komandorzy przeważnie mają ładne żony. To tylko Maksio jest egzemplarz nie z tej ziemi.

Środa, 31 stycznia

Życie przez telefon. Ot co.

Oraz uzupełnianie lektur. Mam szansę jeszcze przeczytać mnóstwo rzeczy, których nie miałam czasu przeczytać do tej pory. Już mi się ustabilizowały nastroje i nie muszę czytać po raz ósmy pani Musierowicz, którą mam na stresy. Zaczęłam „Buddenbroków", a poza tym jestem już w połowie „Pachnidła".

LUTY

Sobota, 3 lutego

Tęsknię do Tymona, a nawet nie wiem, czy jutro wpadnie. Telefonuje codziennie, na przemian z Warszawy, gdzie się włóczy po sądach, albo z Danii, gdzie załatwia interesy.

Jedyną przyjemnością dnia, a właściwie całego tygodnia, była wizyta Pawła i Mateusza, którzy przywlekli nadludzkiej wielkości pudło czekoladek, przemysłową ilość owoców południowych i rozśmieszali mnie przez półtorej godziny opowieściami o tym, co się dzieje w firmie. Powiedzieli, że Maciek się też wybiera z jakąś wiadomością, ale, skubani, nie chcieli powiedzieć, z jaką mianowicie.

Niedziela, 4 lutego

Tymon był!

Strasznie mi przeszkadza ten szpital! Łaska boska, że mam ten pojedynczy pokój, mogliśmy sobie posiedzieć i po-nic-nie-mówić.

Coś mi się takiego dziwnego porobiło, że jak na niego patrzę, to mam przed oczami wizje, których nigdy, w odniesieniu do nikogo, nie miewałam. Widzę na przykład, jak on sobie siedzi wygodnie, z nogami na stole, a ja mu donoszę kawę i kanapki...

Albo jak razem stoimy nad małym łóżeczkiem, a w łóżeczku śpi sobie spokojnie mały Maciuś (nie wyobrażam sobie, żeby Maciuś, który od kolebki będzie dżentelmenem, mógł wydzierać się po nocach). No więc patrzymy tak na niego, patrzymy, potem Tymon bierze mnie w ramiona, a ja przy tym jestem piękna jak ta heroina z harlequina, no i odchodzimy w najdalszy kąt drugiego pokoju, żeby ciapka nie obudzić, jak będziemy oddawać się namiętnościom.

Ciekawa jestem, o czym też on myśli, kiedy się tak wpatruje w tę sosenkę za oknem.

Nie mówi mi. Co prawda ja mu też nie mówię o tym, co mi przychodzi do głowy, kiedy patrzę na niego.

Faktem jest, że możemy milczeć do siebie i milczeć, i wcale nam to nie przeszkadza. To milczenie wcale nie jest ciężkie ani męczące. Nie mówimy, bo w końcu nikt normalny nie gada bez przerwy.

Ale wolałabym milczeć z nim gdzie indziej. Nie w sali szpitalnej.

Czwartek, 8 lutego

Tymon wpadł rano na chwilę, był w dobrym humorze – zdążał do sądu. Pierwsza rozprawa rozwodowa z panią Ireną. To, zdaje się, ta, na której sąd usiłuje pogodzić strony.

Mam nadzieję, że Ignaś nie będzie się wygłupiał z żadnym godzeniem!

Po obiadku (jak powiada Paweł: pycha, aż gały wypycha) przyszli Kryśka z Maćkiem.

– No, kochana – powiedziała Krysia – ależ ty tu masz luksusy! Przekupiłaś władze szpitala czy co?

Opowiedziałam im historię programu naukowo-badawczego. Pochwalili makiaweliczny plan.

– To nie był żaden makiawelizm, tylko swobodna improwizacja – wyprostowałam im poglądy. – Nie jestem podstępna z natury.

Potem poplotkowaliśmy trochę o ukochanych kolegach.

Paweł mówił coś o jakichś nowinach. Nie wytrzymałam w końcu.

– Słuchajcie, ja jestem cierpliwa jak nie wiadomo co, ale nie trzymajcie mnie już dłużej!

– A o co chodzi? – spytała niewinnie Krysia.

– Kryśka, nie bądź zwierzę. Paweł mi mówił, że macie jakieś propozycje, czy coś takiego...

– Coś takiego – mruknęła Krysia.

– To jeszcze nic pewnego, ale powiemy ci, oczywiście, w czym rzecz – zdecydował się Maciek. – Tylko jest problem, bo leżysz w tym szpitalu i nie wiadomo, kiedy cię wypuszczą, a nawet jak cię już wypuszczą, to nie wiadomo, czy będziesz na takim chodzie, żeby móc to robić.

– Ale co, na miłość boską!

– Program – wyjaśnił uprzejmie Maciek.

– Maciek, ja cię naprawdę zabiję!

– Może masz rację, sam bym się zabił za takie głędzenie. Posłuchaj: ma być jakiś jubileusz firmy. W kwietniu. Kiedy ty rodzisz, à propos?

– Koniec kwietnia, mniej więcej.

– Niedobrze. Nie mogłabyś trochę przenosić? Bo wiesz, jest planowana jakaś szczątkowa impreza, trzy godziny drzwi otwartych.

– Tylko trzy?

– Właśnie. My z Krysią jesteśmy zdania, że jak już telewizja ma jubileusz, to powinna się pokazać. I wtedy najlepiej, żebyśmy zrobili to we trójkę.

Nie pytałam, co. Było to oczywiste. Wszystko.

– Też tak uważam. Powinna być impreza przed firmą, otwarte drzwi przez cały dzień i porządny program, w którym pokażemy firmę, urządzenia i ludzi.

– Otóż to. Ale skoro ty jesteś tu, to kto to wymyśli?

– Ja mogę tu myśleć! Nie zabraniają mi! A jak już będzie porządny scenariusz, to wy go przecież zrealizujecie. Ewkę się poprosi do współpracy, może jeszcze kogoś. Zrobimy zadymę na całe miasto!

– A jedną kamerę ustawimy na porodówce – powiedziała Krysia. – Na wypadek, gdybyś się zdecydowała urodzić w trakcie programu.

– Odpukaj natychmiast w co chcesz! Czekaj, ktoś by się jeszcze przydał oprócz Ewy. Pomyślę. Ach, przy okazji – jak nasze programy bałtyckie? Roch sobie radzi? Bo dzwonił, mówił, że okay, ale on jest taki artysta...

– Roch jest zawodowy. Możesz być o niego spokojna. O program też.

– No, dobrze. Przywracacie sens mojemu ponuremu życiu

272

w tym szpitalu, przynajmniej będę miała o czym myśleć. Krysia, tylko wiesz co? Postaraj mi się o służbową komórkę, bo na wykonanie tych milionów telefonów z mojej po prostu mnie nie stać. Jakoś sobie teraz radzę finansowo, bo mam średnią, ale kokosy to nie są.

– Jeśli dadzą...

– Jeśli nie dadzą, to nie mamy o czym mówić. Mogę stąd koordynować wszystko, nawet za friko, ale nie będę dopłacać do interesu!

– I tak będziesz.

– Maciuś, a jakie środki produkcyjne możemy sobie wziąć?

– Wszystkie, które mamy.

A, to świetnie. Będzie się czym bawić.

Zostawili mnie w znacznie lepszym nastroju, niż zastali.

Wizje pani domu podającej ukochanemu Tymonowi kolacyjkę chyba przestaną mnie na czas jakiś nawiedzać.

Po kolacji przyszedł jeszcze raz Tymon.

– Tak sobie przyszedłem – powiedział. – Dla przyjemności.

– Wąchanie tych zapachów szpitalnych sprawia ci przyjemność?

– Wąchanie zapachów może mniejszą... ale tu u ciebie to się tak nie rzuca w oczy.

– W nos.

– W nos. Nie jesteś ciekawa, jak było na rozprawie?

– Domyślam się – powiedziałam smętnie. – Kocha cię jak nie wiem co.

– Skąd wiesz? Cały czas mnie kochała. Myśli w ogóle wyłącznie o mnie.

– To dlaczego wyjechała do Szczecina, zamiast siedzieć z tobą w Świnoujściu i prać ci skarpetki?

– Bardzo cierpiała, że ją tak brutalnie wyrzucam, ale potulnie się zgodziła, bo myślała, że jak pobędzie trochę z dala ode mnie, to mi przejdzie ta nieuzasadniona, nagła i niespodziewana niechęć do niej. Czasami robiła próby, przyjeżdżała do Świnoujścia i prawie, prawie się godziliśmy; nie da się ukryć, że w łóżku...

– Naprawdę?!

– Nie żartuj! Ale trudno będzie udowodnić, że łże. Rozumiesz, o co chodzi: że ten rozkład pożycia nie był taki konsekwentny i do końca.

– Czegoś tu jednak nie rozumiem. Czy ona zamierza do ciebie wrócić, żeby ci zrobić na złość? Przecież mówiła, że ma jakieś plany osobiste.

– Pamiętam. Ale tego jej też nie udowodnię, a ona po prostu chce się drogo sprzedać. Może jej zaproponuję jakąś forsę? Tak poza sądem, prywatnie? Bo mnie wykończy tymi rozprawami.

– Forsę, mówisz... Sama przecież całkiem nieźle zarabia!

– Ale lubi mieć więcej. Gdyby nie cholerne szprotki, wykupiłbym się natychmiast. Szprotki mnie sporo kosztowały. Z drugiej strony, ciebie też mam dzięki szprotkom... Więc jednak dobrze, że były.

– Ładnie to powiedziałeś...

Nic nie odpowiedział, a właściwie odpowiedział, tylko nie werbalnie.

To jest właśnie urok pojedynczego pokoju.

Niedziela, 11 lutego

Wymyślam scenariusz.

„Buddenbroków" przeczytałam, „Pachnidło" też, zabrałam się za „Zbrodnię i karę". Mam nadzieję, że lektury czytane w ciąży nie mają wpływu na charakter przyszłego dziecięcia!

Poniedziałek, 12 lutego

Właśnie głowiłam się nad końcówką genialnego scenariusza, kiedy w drzwiach mojego bezcennego pojedynczego pokoju stanęła Ewcia.

– Hellou – powitała mnie wytwornie. – Zostaw te bazgroły, będziemy rozmawiać o życiu! Mogę sobie zrobić kawę? Tobie też? Świetnie. Ciasteczka przyniosłam, od Henia, z Duetu, genialne, jak zwykle. Henio cię pozdrawia i życzy szybkiego powrotu do życia. Scenariusz tworzysz? Bardzo dobrze. O scenariuszu potem. Słuchaj, spotkali się!

– Kto się spotkał? Z kim? Z tobą?

– Z sobą nawzajem się spotkali. Stefanek i Maksio!

– I co?

– Nic. Dali sobie po mordzie.

– Ewa, zlituj się! I ty tak spokojnie o tym mówisz?

– A jak mam mówić? Gdzie trzymasz cukier? W tej wytwornej szafce na wysoki połysk?

– Nigdzie nie trzymam, bo nie słodzę. Opowiadaj uczciwie, bo cię zabiję!

Ewa próbowała się umościć na niewygodnym szpitalnym taboreciku.

– No nie, na tym się nie da siedzieć. Czekaj, zaraz wrócę.

Poleciała gdzieś, pewnie szukać fotela.

Ją naprawdę trzeba zabić.

Z trudem wepchnęła do ciasnego pokoju fotel na kółkach, taki do wożenia chorych.

– Skąd masz ten mebel?!

– Na korytarzu stał. No więc słuchaj. Maksio przyjechał do mnie w piątek wieczorem, umówiliśmy się, że będzie u mnie cały weekend, poodwiedzamy trochę ludzi, wiesz, królowa glazury nas zapraszała i jeszcze parę osób. W piątek było po prostu świetnie, zrobiłam romantyczną kolację przy świecach, Maksio się zadomowił.

– Nie bałaś się, że Stefanek przyjedzie?

– Skądże! Stefanek z rodziną pojechał na narty do Czechosłowacji, tfu, do Czech albo do Słowacji, teraz nie wiem, gdzie, no ale w góry, do Pepików, wiesz, dzieci mają ferie, a on jest rodzinny. Pojechał tydzień temu na dwa tygodnie. To powinnam być spokojna, nie uważasz?

– Uważam. I co?

– I w sobotę, wyobraź sobie, siedzimy przy nadal romantycznym śniadanku, oboje w szlafrokach, ja w takim zwiewnym, co to są same falbanki i duży dekolt, a Maksio, niestety, w przechodnim, no bo w końcu ileż męskich szlafroków mogę mieć w domu... I nagle w drzwiach staje mój Stefanek!

– Miał klucze?

– Obaj mają. Sama im dałam, bo u mnie trzeba wylatywać na schody, wiesz, nie lubię tego, bo się przeziębiam. I słuchaj: w drzwiach staje Stefanek i co widzi? Ukochaną kobietę w seksownym dezabilu, z jajkiem na miękko w dłoni, a po drugiej stronie stołu nieznajomego faceta, za to w znajomym szlafroku...

– Matko Boska! Powiedział coś?

– Nic nie powiedział. Zrobił się czerwoniutki, bo Stefanek jest impetyczny i ma wysokie ciśnienie. I tak stał. No więc Maksio też wstał. I też nic nie powiedział, chyba się czegoś domyślił. Wtedy Stefanek podszedł do niego i rąbnął go w szczękę, aż gwizdnęło. Maksio się zachwiał i też rąbnął Stefanka w szczękę.

– I co?

– Postali tak trochę, pochwiali się, potem Stefanek wyciągnął do Maksia rękę i się przedstawił. No to Maksio też się przedstawił. I zaprosił Stefanka na śniadanie!

– Przecież to było twoje śniadanie!

– Moje. Ale mówiłam ci, że Maksio się zadomowił. Stefanek siadł za stołem, a Maksio mówi: „Domyślam się, że jest pan fragmentem bujnej przeszłości naszej wspólnej przyjaciółki". Na to Stefanek: „Pierwsze słyszę, że przeszłości". Maksio mu nalał kawy i kontynuuje: „Przecież nie będziemy się dzielić". A Stefanek spokojniutko: „A właściwie dlaczego nie? Szlafroka panu szkoda?". Na co Maksio jeszcze raz go walnął w szczękę, a Stefanek padł na glebę, rozbił moją filiżankę z serwisu Rosenthala i poplamił mi dywan, ten jasny, wiesz.

– Wywabi się. Teraz jeżdżą takie serwisy, co czyszczą dywany u klienta w domu. I co potem?

– Maksio podniósł Stefanka z dywanu i wypchnął go za drzwi. Stefanek trochę protestował i coś tam kłął pod nosem, że jestem podła, bo on nakłamał rodzinie, że go do Warszawy wezwali służbowo, zdaje się, że sam sobie sms-a wysłał w tej sprawie... No i teraz ma wakacje z głowy, a ten mój gach to jakiś łobuz, powinno sie policję wezwać. Gach na niego huknął z góry i Stefanek przestał mówić. Chyba mam go z głowy na zawsze.

– A Maksio co?

– Maksio przeprosił mnie za filiżankę i dywan, obiecał załatwić czyszczenie i poszukać w antykwariacie filiżanki, po czym mi się oświadczył. Powiedział, że skoro mnie już skompromitował, to teraz jedynym honorowym wyjściem jest małżeństwo.

– Och, a ty?

– A ja powiedziałam, że bardzo mi się podoba jego postępowanie, jakże szlachetne i honorowe, ale nie mogę się z zaskoczenia wypowiadać w sprawie tak dla mnie istotnej! Poza tym niech no on się zastanowi, jeżeli ma zamiar żenić się ze mną jedynie dlatego, że mnie, jak sam powiada, skompromitował, to przecież to nie ma najmniejszego sensu. Bo ja się nie czuję skompromitowana! Przecież Stefanek nie będzie opowiadał na prawo i lewo, jak przyjechał do kochanki, pozostawiając żonę i dzieci na wakacjach, i jak zastał kochankę z zupełnie obcym facetem! Na to Maksio, wyobraź ty sobie, mówi, że się do mnie przywiązał!

– Nie gadaj! A ty się przywiązałaś?

– Ja się tak szybko nie przywiązuję, ale coś w tym jest... Maksio piękny jak zorza, sama widziałaś, jak mu się nie pozwoli przemawiać na tematy hydrograficzne – to jest jego konik, niestety – to zabawny oraz interesujący.

– Przyznaj się, chciałabyś mieć taki ślub, żebyście przechodzili pod szpalerem kordzików!

– On by już trzeci raz przechodził pod szpalerem kordzików.

– Ale ty pierwszy!

– Pomijając kordziki, mogłoby być przyjemnie. Maksiowi bardzo się podoba moje mieszkanie, co, jak rozumiesz, jest normalne, bo ja mam bardzo ładne mieszkanie! Mówi, że chętnie by zamieszkał na stałe, zwłaszcza gdyby codziennie dostawał obiad na rodowym Rosenthalu mojej prababki...

– Ależ on jest rozbestwiony!

– Czekaj. Mówi, że mógłby w tym roku przejść na wojskową emeryturę, oni tam dostają emeryturę, jak są jeszcze całkiem młodzi. Na WSM-ce proponowali mu wykłady, to by sobie trochę popracował, on podobno jest jakiś straszny specjalista z tej hydrografii, mógłby nawet zostać kierownikiem katedry czy może instytutu, nie wiem dokładnie. Mówi też, dosyć enigmatycznie, że ma jakieś boki w tej całej armii. Tak że przy moich zarobkach na dodatek biedy byśmy nie klepali.

– Widzę, że się łamiesz?

– No, łamię się. Mogłabym wreszcie oddać do renowacji ten potwornie stary i wielki kredens po prababci, ten, co go dostałam razem z Rosenthalem, tylko trzymam go w piwnicy, bo bardzo zniszczony i renowator zaśpiewał straszną cenę.

– Wydawało mi się, że odnawiałaś meble?

– Odnawiałam i odnowiłam prawie wszystkie, właśnie z wyjątkiem tego kredensu. Na niego już mnie nie było stać.

– No tak, to jest argument.

– Nie śmiej się. A ty, co ty byś zrobiła na moim miejscu?

Zastanowiłam się. Nie jestem wprawdzie na jej miejscu, ale mam podobny problem. Wyjść, czy nie wyjść. Pomijam, że Tymon jakby przestał mi się oświadczać.

Wczujmy się w sytuację Ewy.

Lubi tego Maksia zdecydowanie, właściwie nawet więcej niż lubi. Straciłaby może swoją obecną niezależność, ale Maksio nie wygląda na takiego, co by ją siłą zmuszał do czegokolwiek. Rozrywkowy jest niezmiernie, ale i Ewa jest rozrywkowa niezmiernie. Oboje są po prostu lwami towarzyskimi. Względy materialne też się liczą.

No i zostałaby księżną.

– Ewka, gdybyś za Maksia wyszła, zostałabyś księżną?

– Chyba tak.

– To się nie zastanawiaj, tylko za niego wychodź natychmiast. Ja chcę mieć przyjaciółkę księżnę! Tylko błagam cię, poczekajcie ze ślubem, aż będę miała normalną figurę!

– O to bądź spokojna. Takiego świństwa bym ci nie zrobiła. Chcesz być moją druhną?

– Jasne! Będę miała sukienkę z różowej organdyny! Z falbankami... To jednak będą te kordziki?

– Prawdopodobnie tak. Maksio strasznie lubi duże fety, zwłaszcza na własną cześć. Boże, ja się chyba naprawdę zdecydowałam! Czy ja będę musiała zrobić wesele?

– Wesele wydają rodzice panny młodej.

– To odpada, bo ja już dawno jestem sierotka. Maksia rodzice też nie żyją... Trzeba się zastanowić, jak to będzie.

– Do ślubu poprowadzi cię pan admirał albo rektor Wyższej Szkoły Morskiej w zastępstwie tatusia!

– Albo nasz naczelny...

Spłakałyśmy się w końcu ze śmiechu, po czym Ewka poszła sobie, przypomniawszy, że ma jeszcze dzisiaj jakiś montaż.

No, nie wiem, jak to będzie, kiedy Maksio von und zu wróci z wykładów i dowie się, że obiadku nie ma, bo żonka ma montaż! Pewnie po prostu wynajmą gosposię.

Środa, 14 lutego

Jest jakby lepiej.

Pani profesor uważa, że mam szansę wyjść ze szpitala za dwa tygodnie. Góra trzy.

No i bardzo dobrze! Będziemy na etapie konkretnych przygotowań do jubileuszu. Datę ostatecznie wyznaczono na niedzielę dwudziestego drugiego kwietnia. Czyli tydzień przed planowanym rozwiązaniem.

Z tym terminem też podobno było śmiesznie, bo najpierw miał być piętnasty. Potem ktoś się cuknął, że przecież to będzie Wielkanoc. No więc zmieniono na ósmego. I też zatwierdzono. Dopiero przytomna Krysia popierana przez Maćka uświadomiła pryncypałów, że w Palmową Niedzielę impreza nie ma prawa wyjść.

Ciekawe, czy uda mi się nie urodzić za wcześnie.

Środa, 21 lutego

Cały tydzień czytałam.

W ogóle ciąża uczyni ze mnie erudytkę. Po „Buddenbrokach" przeczytałam „Zbrodnię i karę", „Idiotę" i „Braci Karamazow" Dostojewskiego (hurt mi się trafił, ale nigdy jakoś nie miałam do niego serca. Przeczytałam, ale serca dalej nie mam). Potem przerzuciłam się na Huxleya (Lalka Manowska mi kazała), którego właściwie nie znałam, a którego pokochałam. Może z wyjątkiem „Niewidomego w Ghazie". Ale „Kontrapunkt" – genialny; „Dwie albo trzy Gracje" też polubiłam, a jeszcze ostatnio „W cudacznym korowodzie". Wszystko to są remanenty z domowej biblioteki. Teraz się Huxleya nie wydaje, ciekawe czemu.

Dla odprężenia czytałam w przerwach stare kryminały Agaty. W domu mamy wszystko, co wyszło kiedykolwiek. Niewinna pasja tatusia.

À propos tatuś... Tatuś nic. Jakby go nie było. Reszta rodziny nawiedza mnie systematycznie, przy czym najbardziej rozśmieszająco działa, oczywiście, domowe dziecko, czyli Bartuś, chłop jak dąb. Mama i Amelia wprowadzają trochę nerwową atmosferę – widoczny wpływ tatuśka. Za to Krzysio koi jak może. Przyniósł mi dużą część swojej irlandzkiej kolekcji, więc słucham na zmianę z moim własnym Beethovenem i Mahlerem. Tudzież paroma innymi. Bartunio proponował mi swoje nagrania hip-hopowe, ale podziękowałam. Mam nadzieję, że się dziecko nie poczuło dotknięte.

Biedny chłopczyna, chociaż nie jest w ciąży, podobnie jak ja bije rekordy czytania. Jakiś szalony polonista, którego ofiarą padły nieszczęsne dzieci, zorientował się, że mają parę lektur w programie. Więc lecą teraz w tempie sztuka na tydzień. „Potop", „Lalka", „Nad Niemnem", „Zbrodnia i kara" (przeszukał cały dom, zanim mu ktoś powiedział, że ja to mam w szpitalu) i tak dalej. Wesoły facet z tego ich polonisty. Podobno nie chce, żeby byli nieoczytanymi tumanami. Jestem za. Jeżeli przeżyją, to będą szalenie oczytani.

Sobota, 24 lutego

Tymon dzwonił z zapowiedzią, że jutro będzie. Dobrze, bo tęsknię.

Tak naprawdę, to ja tu wcale nie żyję w tym szpitalu, tylko przeczekuję.

Przestało mi się nawet chcieć konstruktywnie myśleć o przyszłości. Scenariusz jubileuszu napisałam i oddałam Krysi parę dni temu. Teraz naczalstwo wykonuje nad nim pracę myślową.

Coś mi się robi z mózgiem. Chyba zostawię te wszystkie ambitne książki na zaś i zajmę się Agatą, czyli panną Marple.

Niedziela, 25 lutego

Tymon był tym razem zbrzydzony.

– Na jutro mamy wyznaczoną rozprawę. Męczy mnie to, wiesz? Ta cała atmosfera sądowa, to gadanie prawnicze, te podchody, konieczność uważania na każde słowo prawdy, jakie mogłoby się przypadkiem człowiekowi normalnemu i uczciwemu wypsnąć... Boże, w co ja się wrobiłem.

Zrobiło mi się przykro.

Wrobił się, niewątpliwie, przeze mnie. Miał swobodę, słodka Irenka była daleko, nie przeszkadzali sobie nawzajem. Chciał się od niej definitywnie i formalnie uwolnić po to, żeby móc się ożenić ze mną. A ja mu nawet nie dałam konkretnej odpowiedzi. Ale ta odpowiedź wciąż nie może mi przejść przez gardło! Przecież nie zażądam, żeby się przeprowadził do Szczecina jak Ewczyny Maksio! Cała ta jego firma jest w Świnoujściu i jest związana ze Świnoujściem. I dom ma w Świnoujściu. Lubi ten dom! Znajomych tam ma! Środowisko! Cenią go! Wszystko tam ma! Budował to sobie latami!

– Wikuś – powiedział nagle – czemu tak zamilkłaś?

Pewnie miałam głupią minę.

– Przepraszam cię, nie powinienem był tak się rozrzewniać nad sobą.

Pewnie nadal miałam głupią minę, bo usiadł na moim łóżku, wziął mnie w ramiona i wyszeptał w samo ucho:

– Wika, czy ty przypadkiem nie myślisz, że ja czegoś żałuję? Zawiadamiam cię uprzejmie, że wszystko, co wydarzyło się w moim życiu w związku z tobą, jest dla mnie wyłącznie dobre i szczęśliwe, w porywach bardzo szczęśliwe! Dawno powinienem był się formalnie rozwieść i zapomnieć o Irenie, tylko to moje wygodnictwo mi nie pozwalało. Teraz muszę przez to przejść i powinienem być dzielny zuch, a nie zawracać ci głowę, chociaż ty masz swoje kłopoty i leżysz tu w tym cholernym szpitalu, i pewnie umierasz z nudów, biedna moja kochana dziewczynko...

Rozryczałam mu się prosto w sweter (bardzo, nawiasem mówiąc, miękki i miły, i ładnie pachnący, w sam raz do damskiego wypłakiwania się).

Tymon trochę się przestraszył.

– Wikuś, co ci jest? Gorzej się czujesz? Czy ja coś powiedziałem głupiego? No, nie płacz, powiedz! Wika, ja czuję, że ty znowu myślisz, że ja coś myślę i nie chcesz mi tego powiedzieć, tak jak wtedy w Danii! Proszę, powiedz, o co chodzi?

– Tymon, ja chyba za ciebie nie wyjdę – wyrąbałam mu prosto w prawe ucho.

Powinien mnie teraz wypuścić z objęć, najlepiej prosto na podłogę, ale nie zrobił tego, przeciwnie, przytulił mnie jeszcze mocniej.

– A czy również zerwiesz ze mną znajomość?

– Zwariowałeś! Przecież ja cię kocham!

– No i wystarczy! Przynajmniej na razie. Wikuś, kochanie moje, dawno widzę, że to jest dla ciebie jakiś drażliwy temat. Nie chcesz powiedzieć dlaczego, to nie mów! Jak dojrzejesz, powiesz sama! No, nie płacz, mówię ci!

– Ale ja myślałam, że ty będziesz chciał ze mną zerwać...

– Mówiłem, że znowu myślisz, że wiesz, co ja myślę, zamiast mnie zapytać! Wika! Ja też cię kocham i wcale nie muszę się z tobą żenić, chociaż, przyznaję, chciałbym cię mieć w zasięgu ręki... À propos, kiedy cię stąd wypuszczą?

– Może za tydzień... Ale już nie będę mogła uprawiać z tobą rozpusty.

Tym razem wypuścił mnie z objęć i zaczął się śmiać jak szalony.

– Wika, poczekam! Słowo harcerza, poczekam, aż będziesz mogła! I chciała!

– Już bym chciała – mruknęłam. – Ale na razie nic z tego nie będzie.

– No, nareszcie mówisz jak człowiek. Wiesz, myślę, że masz po prostu rozchwianą gospodarkę hormonalną albo coś w tym rodzaju. I wymyślasz sobie problemy. Pogadamy, jak ci się wszystko ładnie wyrówna.

– A do tej pory?

– Do tej pory będę pokornie znosił napady twoich humorów. – Westchnął. – Masz tu chusteczki, powiedz, gdzie trzymasz jakieś mleczko, bo ci się makijaż ździebko rozpuścił.

– Boże jedyny! Jak ja wyglądam! Odwróć się albo idź sobie na papierosa i wróć za pięć minut, jak się doprowadzę do użytku.

– Do użytku to ty będziesz za jakieś trzy miesiące – bąknął frywolnie i poszedł na tego papierosa. To znaczy połazić po korytarzu, bo przecież nie pali.

No i jak ja mam go nie kochać, tego Tymona?

Poniedziałek, 26 lutego

Tymon przyniósł mi w prezencie buteleczkę wody Armaniego.

– To na poprawę nastroju – powiedział. – Powinno się z tobą ładnie skomponować. Mnie się ten zapach podobał i chcę go na tobie wąchać!

– Masz jak w banku. Jak było w sądzie?

Skrzywił się okropnie.

– Niemiło. Ale zdaje się, że Irenka popełniła błąd.

– Co mówisz? Taka przemyślna Irenka?

– Przesadziła w opisach moich niegodziwości.

– Powiedziała, że ją biłeś sznurem od żelazka i włóczyłeś za włosy po podłodze? I sąd nie uwierzył?

– Na to nie wpadła. Ale znowu opowiadała głosem pełnym boleści, jak to przyjeżdżała, żeby się ze mną godzić, no i raz przyjechała z białą flagą i natknęła się na gaszycę w ciąży... Najwyraźniej chciała wstrząsnąć sądem, że taki jestem dwulicowy rozpustnik: tu się z nią godzę, a tu mam babę na boku, ale wysoki sąd na to powiedział chytrze, że w takim razie trzeba będzie rozpatrzyć sprawę od innej strony, a mianowicie z punktu widzenia interesów osoby najsłabszej, która nie powinna być pokrzywdzona; miał na myśli dziecko. No i szkoda, że nie widziałaś Ireny, która w tym momencie zrozumiała, że wpadła we własne sieci, bo nasza rodzina, to znaczy ona, ja i zero jakichkolwiek dzieci, przegrywa w oczach wysokiego sądu z rodziną w składzie: gaszyca, ja i nasze przyszłe dziecko! Jeżeli sąd nie zmieni zdania, które w nim najwyraźniej zaczęło kiełkować, to mogę rozwód dostać bardzo szybko. Już mniejsza z tym, za ile.

– Ale to przecież nie jest twoje dziecko!

Tymon spojrzał na mnie oczami spaniela, którego przyłapano na tym, że wykopał właśnie trzecią jamkę pośrodku grządki z najpiękniejszymi różami pani domu.

– Powiem ci prawdę: nie miałem siły się do tego przyznać.

Atak śmiechu powalił mnie na poduszki. Tymon niezwłocznie poszedł za moim przykładem i tak się śmialiśmy, że znowu mi się makijaż rozmazał.

– Słuchaj, Wikuś – sapnął, łapiąc oddech. – Nie myśl, że będziesz musiała włóczyć się po sądach! Do tego nie dopuszczę, zresztą ten wasz Luleczek powiedział mi po rozprawie, że nie będzie takiej potrzeby. Ale może pozwolisz mi dalej utrzymywać wrażenie, że to moje? Ja się zresztą do niego przywiązałem, zupełnie jakbym je sam zrobił.

– Proszę uprzejmie! O ile wiem, jego prawdziwy tatuś kopii z tobą kruszył nie będzie, a jeśli dzięki temu możesz szybciej dostać rozwód...

– No, wygląda na to, że naprawdę mogę! A przecież nikt potem nie będzie pilnował, żebyśmy się zaraz pobierali – to à propos wczorajszej naszej rozmowy!

– Tymon, kochany, dla ciebie wszystko! Jak będzie trzeba, mogę iść do sądu!
– Nie zaryzykuję. Mogłabyś zacząć się śmiać i wszystko by się wydało!

Środa, 28 lutego

Myślę i myślę.
Młode miałoby świetnego tatusia po prostu.
Bez żadnych idiotycznych ogłoszeń matrymonialnych.
Z tym że świetny tatuś i sfrustrowana mamusia to niezbyt korzystne połączenie.

MARZEC

Czwartek, 1 marca

Jutro wychodzę!
Pani profesor zdecydowała, że na razie nic kotusiowi nie grozi, o ile mama kotusia zachowa minimum rozsądku.
Minimum? Spokojnie!

Piątek, 2 marca

Boże, jak dobrze jest być w domu!
Zawsze nachodzi mnie taka nabożna refleksja, kiedy wracam po dłuższej nieobecności. A teraz nie było mnie prawie dwa miesiące! Przeszło siedem tygodni!
Oczywiście niezawodny Krzysio zajął się transportem szwagierki i jej rozbudowanego majątku, a Bartuś tradycyjnie odkurzył mi chałupę, żebym się dobrze czuła. Dobrze! Jestem szczęśliwa jak mała myszka! Natychmiast wzięłam bardzo solidny prysznic, umyłam głowę, a wszystkie ciuchy, które miałam ze sobą, wrzuciłam do pralki. Precz z zapachem szpitala!
Potem popsikałam się moim nowym Armanim – bardzo, bardzo miły. Tymon, jak zwykle, wykazał się dobrym smakiem! – i usiadłam sobie koło okna, wpatrzona w duże, porządne, stare

drzewa, rosnące na naszej ulicy. Żadnych rachitycznych sosenek. Lipy i dęby! I już pomału zaczyna się to wszystko zielenić, jeszcze te pączki malucie, ale są. Widać je.

Dzidzia, tu będziesz dochodzić do newralgicznego momentu. Te duże drzewa za oknem będą nam dostarczały sił do życia.

Sobota, 3 marca

Rodzina wydała obiadek na moją cześć. Wprawdzie tata udawał, że nic podobnego, ale to jego sprawa.

Zaczęłam się zastanawiać, co by powiedział, gdyby wiedział, że jego młodszy kolega, pan sędzia Ignatowicz, właśnie rozwodzi bardzo dobrego kandydata na męża nieposłusznej córeczki, jako argumentu w sprawie używając jej własnego dziecięcia i jeszcze na dodatek przypisując je kandydatowi.

To już by mnie musiał wyrzucić z domu. Na bruk.

Niedziela, 4 marca

Przyjechał Tymon i zabrał mnie na wycieczkę do Stepnicy, bo strasznie chciałam zobaczyć dużą wodę, a nad morze jednak trochę daleko i nie wiem, czy pani profesor byłaby zachwycona.

Siedzieliśmy w knajpie z marynarskim wystrojem i było nam dobrze. Napiłam się wina. Nieduźo, ale strasznie mi smakowało. W ogóle po dwóch miesiącach życia na szpitalnym wikcie smakuje mi wszystko.

Przysiadł się do nas właściciel i opowiadał o tym, że Stepnica była kiedyś poważnym portem morskim. Mało tego, mieszkał tu facet, który jako kapitan niemieckiej linii żeglugowej najwięcej razy opłynął Horn. Oczywiście, była to jeszcze epoka wielkich żaglowców, windjammerów. Kapitan nazywał się Hilgendorf, a w miejscowym kościele jest dzwon przez niego ufundowany, o czym świadczą stosowne napisy.

No to już wiem, o czym zrobimy z Rochem jeden odcinek cyklu morskiego.

Potem pojechaliśmy do mnie i siedzieliśmy sobie, bardzo porządnie przytuleni, oglądając telewizję i gadając o różnych różnościach. Baaaardzo nam było dobrze.

I na taki właśnie sielski obrazek nadział się tato.

Wszedł, oczywiście, wewnętrznymi schodami, oczywiście zapukał, zanim wlazł do pokoju, ale ja myślałam, że to Bartek albo Krzyś, ostatecznie Mela. Nie on! No i zawołałam „proszę".

Zresztą, gdybym wiedziała, że to on, też bym zawołała „proszę".

Trochę mnie zatkało, ale tylko trochę. Tymon jednak ma na mnie wpływ zbawienny. Przy nim staję się spokojna, odprężona i niepodatna na stres.

A tato ostatnio mocno mnie stresował!

Wyglądało jednak na to, że moje stresy to nic w porównaniu ze stresem tatuśka, kiedy stanął oko w oko z obcym i przystojnym facetem, najwyraźniej czującym się u córeczki jak we własnym domu.

Wygrzebaliśmy się z głębin kanapy.

– Pozwól, tato – powiedziałam spokojniutko. – To jest pan Tymon Wojtyński.

Panowie uścisnęli sobie dłonie.

Jak Maksio i Stefanek – przeleciało mi przez myśl. Na szczęście nie zamierzali lać się po pyskach.

– Siądziesz z nami, tato? Mogę zrobić kawy albo herbaty, albo rosołku z papierka...

– Nie chcę ci sprawiać kłopotu – bąknął tatunio.

– Żaden kłopot. Zrobię herbaty, bo i tak mieliśmy się napić, tylko mi się nie chciało ruszyć, Tymonowi też.

Biedny tato. Nie wiedział zupełnie, jak ma się zachować. Ciekawe, po co przyszedł? Może jednak dał to ogłoszenie matrymonialne w moim imieniu i teraz ma dla mnie szereg interesujących propozycji?

Poszłam do kuchenki, nadstawiając bacznie uszu w stronę pokoju.

– Wiktoria robiła program o panu, jeżeli dobrze pamiętam... – zaczął tato niepewnie.

Tymon przytaknął.

– Kilka programów, ściślej mówiąc. Miałem kłopoty z połowami szprota na Bałtyku, Wiktorii to pasowało tematycznie do cyklu morskiego.

– No i jak się skończyło? – zainteresował się niemrawo mój rodziciel. Podejrzewam, że w nosie miał szprotki i cały czas główkował, czy Tymon i moja ciąża mają jakiś wspólny mianownik.

– Nieciekawie. Mam kilka procesów i straciłem dużo pieniędzy, że nie wspomnę o reputacji. Właśnie staram się to wszystko nadrobić... mam na myśli pieniądze i reputację u moich duńskich kontrahentów.

– To chyba będzie niełatwe? – Tato usilnie starał się podtrzymać konwersację. Wybawiłam go na krótką chwilę.

– Tymonie, możesz mi pomóc? Weź tacę z herbatą, a ja doniosę ciasteczka.

Żal mi było ojca. Wyraźnie nie wiedział, o czym ma z nami mówić, a tak po prostu spytać Tymona, co właściwie tu robi, nie pozwalało mu dobre wychowanie. No i nie zadaje się takich pytań gościom trzydziestotrzyletnich córek! Może miał nadzieję, że usłyszy wytęsknione „to twój przyszły zięć, tatusiu", ale nie usłyszał. Tego mu powiedzieć nie mogłam. Poza tym, uczciwie mówiąc, miałam ochotę nieco się na nim odegrać. Gdyby traktował mnie przyzwoicie, miał do mnie zaufanie, okazał, że jest ze mną i że mi pomoże, jak na ojca przystało, powiedziałabym mu po prostu, że jesteśmy bliskimi przyjaciółmi, co jest czystą i jedyną prawdą. Z całą resztą rodziny też bym rozmawiała normalnie w takiej sytuacji. A tatunio niech się trochę sam podomyśla. Bo nie wątpię, że przyjdzie, odpytać mnie solidnie, niech no tylko samochód Tymona zniknie z alejki!

Na razie jednak samochód stał, Tymon siedział i nalewał herbatę, wykazując wiedzę, że pokrywka z dzbanka zlatuje i trzeba ją przytrzymywać. Tatunio łypnął nieprzyjaźnie na tę pokrywkę. Widocznie wysnuł stosowny wniosek, taki mianowicie, że Tymon czuje się tu jak we własnym domu.

Jednak nie doceniłam tatuśka.

Po pierwszym szoku już się otrząsnął, popił herbaty, pochwalił jakość zaparzenia (też mi zaparzenie – herbaty na szelkach...), po czym rzucił w przestrzeń:

– Wybaczcie mi, proszę, państwo, to, co powiem, ale jestem ojcem Wiktorii i leży mi na sercu jej pomyślność... Zastałem was w takiej zażyłości, że trudno mi nie spytać: czy to dziecko, które ma się urodzić, jest waszym wspólnym dzieckiem?

Matko Boska! Spytał! Tak po prostu spytał!

Tymon rzucił mi spłoszone spojrzenie.

– Tato! Jak możesz!

– Zadałem pytanie – powiedział spokojnie mój ojciec – i oczekuję odpowiedzi.

Tymon konsekwentnie milczał, pozostawiając mi inicjatywę.

– Tymon, przepraszam cię. Pewnie się poczułeś jak na sali sądowej, ale się nie dziw, bo mój ojciec jest sędzią. Tato, na takie pytanie odpowiedzi możesz oczekiwać do woli, ale jej nie dostaniesz. To jest nasza sprawa, nie twoja. I nie mów, że ci zależy na mojej pomyślności. Oboje wiemy, na czym ci zależy. Nie wiem, w jakiej sprawie tu przyszedłeś, ale gdybyś przyszedł jak przyjaciel, to może byśmy rozmawiali inaczej. Jeżeli będziesz mnie traktował jak jakąś cholerną podsądną, to lepiej o mnie zapomnij. I daruj sobie przesłuchiwanie moich gości!

– Jak sobie życzysz – powiedział lodowato i wyszedł.

Tymon, nadal zakłopotany, siedział przy stole i bawił się łyżeczką. Popatrzył na mnie chytrze spod oka.

– No i widzisz? Nie prościej byłoby powiedzieć tatusiowi, że nasze? I że właśnie pojutrze bierzemy ślub albo coś w tym rodzaju...

– Nie dobijaj mnie! Przepraszam cię za niego. Reszta rodziny jest w porządku, tylko jemu odbiło, kiedy zaszłam w ciążę. Nie mówmy o tym.

– A powiesz mi, na czym mu naprawdę zależy? Dlaczego myślisz, że nie dba o twoje szczęście?

– W nosie ma moje szczęście. Uważa tylko, że dziecko musi mieć ojca. I tropi tego ojca, jak może. Ty wiesz, że on sobie życzył, żebym dała ogłoszenie matrymonialne?

Tymon, zamiast się przejąć, prychnął śmiechem. Ten jego śmiech się udziela. Poturlaliśmy się trochę po kanapie, chichocząc.

Wreszcie spoważniał.

– No to kiepskie moje notowania – westchnął. – Jak cię znam, a już trochę cię poznałem, to nie wyjdziesz za mnie chociażby dlatego, że twój tatuś usiłuje cię zmusić do zamążpójścia. Strasznie jesteś niezależna i samorządna. Nie mogłabyś się trochę zreformować?

– Może bym i mogła – odparowałam – ale nie dziś. Obejrzymy sobie „Zakochanego Szekspira"? Jak pisał „Romea i Julię"?

– To o miłości?

– No a jak myślisz?

– W takim razie trochę się boję, ale możemy zaryzykować.

Rzuciłam w niego wałkiem od kanapy.

Poniedziałek, 5 marca

Tymon wyjechał rano, a ja wsiadłam do samochodu; co za rozkosz! Chociaż pasy mi się teraz ciasno zapinają. I pojechałam do firmy.

Obleciałam wszystkich, wymieniłam pięć milionów uścisków i różnych serdeczności.

– Jesteś już w robocie? – spytała z niedowierzaniem Krysia. – Przecież dopiero co cię wypuścili!

– Coś ty! Nie ma mnie! Mam zwolnienie na miesiąc, a potem mam się zgłosić po następne. Do samego rozwiązania jestem na zwolnieniu. A potem biorę urlop macierzyński i już wtedy naprawdę nie będę mogła pracować... jakiś czas.

– A teraz dobrze się czujesz?

– Doskonale.

– To świetnie, bo trzeba robić ten program na jubileusz. Jesteś pewna, że dasz radę?

– Mam nadzieję.

– Maciek powiedział, że z nikim tego robić nie będzie, tylko z tobą. Mam na myśli ten twój scenariusz. Maciek mówi, że jest potwornie skomplikowany!

– No wiesz, pracowałam nad tym!

– Ale fajny jest, ja go też obejrzałam. Dużo roboty. Szefowie mają się wypowiedzieć lada chwila.

– No to lepiej niech się szybko wypowiedzą, żebyśmy zdążyli go zrealizować. Nie wiesz, gdzie jest Lalka? Bo na drzwiach kłódka wisi.

– Lalka pojechała w Karkonosze, robić fuchę. Jakiś film o górach. Duży, reklamowy. Ewka natomiast o ciebie pytała.

Ewa siedziała przed komputerem i przemawiała do niego obelżywie. Bardzo się ucieszyła na mój widok.

– Dobrze, że jesteś. Dlaczego on mi nie chce drukować?

– Bo głupi. Ja się na tym nie znam. Kazałaś mu?

– No, kazałam.

– Papier w drukarce jest?

– Nie wiem, czekaj...

Poleciała do drukarki, którą zainstalowano nam na korytarzu, jedną na kilka komputerów.

– Jest.

– To zadzwoń do informatyków. Jak Maksio?

– Maksio świetnie – odpowiedziała moja przyjaciółka, jednocześnie wypukując numer na telefonie. – Konsekwentnie chce się żenić. Panie Jacku, drukarka nie chce ze mną gadać! Jest papier... Nacisnęłam... Na górze, na tym pasku, po lewej... I nic... Tym poleceniem „drukuj" też próbowałam.... I nic. Panie Jacku, ja pana proszę, niech pan lepiej przyjdzie, bo ja się boję, że go zepsuję bezpowrotnie!... Jak to kogo? Komputer! Czekam!

Odłożyła słuchawkę.

– Jesteśmy na etapie omawiania wesela. Ty wiesz? On naprawdę chce z tymi kordzikami.

– Od razu wiedziałam. On mi na to wygląda. A przyjęcie?

– W jakimś domu wczasowym. Aha, ślub będzie w Świnoujściu, bo tych wszystkich facetów z kordzikami tam trzymają. A może zresztą zdecydujemy się na przyjęcie na statku.

– Wojennym?!

– Coś ty. Na którymś z tych knajpianych, co to wożą ludzi na wycieczki z wyszynkiem. Moglibyśmy też wypłynąć. W morze. Albo na zalew.

– Bałabym się, że mi się goście weselni potopią.

– Ale za to, jakby kiwało, to nie będą tyle jedli.

– Nie będzie kiwało latem. A na wodzie bardzo dobrze się pije. I można dużo!

– W takim razie musimy to przemyśleć. Mam jeszcze trochę czasu.

– A kiedy nastąpi to radosne wydarzenie?

– Może w czerwcu? Dasz radę przyjechać w czerwcu?

– Teoretycznie powinnam. Fajnie tak planować własne przyjęcie weselne?

– Czy ja wiem? Niby tak, ale trochę mi się już nie chce. Próbowałam wyperswadować Maksiowi, przekonać, że może lepiej cichy ślub, ale powiedział, że mi się to spodoba. On wie, bo będzie miał już trzeci.

– Kościelny?

– Skąd, cywilny. Wyobrażasz mnie sobie jako nieskalaną pannnę młodą w wianuszku mirtowym na głowie? À propos, a jak ty i Tymon?

– Bez zmian. O, pan Jacek przyszedł...

Ewa natychmiast przestała się interesować mną i zajęła panem Jackiem. Trudno się jej dziwić – nie mogła wydrukować tekstu dla lektora, który prawdopodobnie deptał jej po piętach.

Wtorek, 6 marca

Dyrektor programowy, niejaki Karol Kazubek, ongiś świetny reporter, dla którego na początku mojej kariery dziennikarskiej latałam po piwo, mając to sobie za honor, zaprosił nas na spotkanie w sprawie jubileuszu. Mnie, Krysię i Maćka.

– Ja wiem, że naczelny dał wam wolną rękę – powiedział na wstępie – ale chcę wiedzieć, coście wymyślili.

– Scenariusza nie dostałeś? Krysia mówiła, że posłała wszystkim świętym... Krysia, nie dałaś mu?

– Dałam. Już dawno. Czy dyrektor nie ma jakiejś kawy?

Karol, który nie lubił przesadnej technicyzacji pracy, ryknął przez zamknięte drzwi:

– Pani Jolu! Cztery kawy! Wszyscy chcecie kawę? – zwrócił się do nas. – Ty też, matko karmiąca? A co ty tu właściwie robisz?

– Jak to co? Program ci robię. Wybitny. A w ogóle to nie ja, tylko kto inny. Ja tu jestem towarzysko. Lubię sobie przychodzić do dyrektora na kawę. No i co z tym scenariuszem?

– No więc ja w zasadzie go czytałem... Ale moim zdaniem tego nie da się zrobić.

– Da się.

– Nie da się.

– Da się!

– Wiktoria. Ty się poważnie zastanów. Macie godzinę na antenie...

– Półtorej na żywo i jeszcze jakieś zlepki filmowe!

– No dobrze, ale popatrz tylko na tę pierwszą godzinę. Ile zaplanowałaś sekwencji?

– Czterdzieści sześć.

– I twoim zdaniem to jest realny scenariusz?

– Pewnie.

– Maciek, czy ona jest zdrowa na umyśle?

Maciek, jak zwykle dżentelmen w każdym calu, uśmiechnął się łagodnie.

– Przemyśleliśmy to. Osobiście wszystko policzyłem. Kilka razy. Mamy czworo prezenterów, wszyscy bardzo sprawni. Osiem kamer, operatorom też wierzę bez zastrzeżeń. Jeżeli dobrze wszystko przygotujemy, to się uda.

– A pomyśleliście, w ilu miejscach musicie być w krótkim czasie?!

– Oczywiście. – Maciek nadal uśmiechał się łagodnie. – Mamy kilka planów na ulicy, tam, gdzie będzie impreza, scena, muzyka i kramy z żarciem. Mamy następnych kilka planów w dużym studiu, gdzie robimy kawiarenkę z licznymi gośćmi – sami nasi, zauważ – i gdzie na małej scenie panienki grają jazz. No i jeszcze piętro, gdzie dwie kamery wchodzą do newsroomu, montaży, reżyserki i tak dalej.

– I oni tak ci będą latali po tym piętrze i ciągnęli za sobą kable? Żeby było ładnie i żeby się prezenterzy mieli o co przewracać?

– Nie żartuj, dyrektorze. Cały budynek ładnie okablujemy już dzień wcześniej, a tam, skąd będziemy wchodzić, będą końcówki do kamer. I będzie tak: kończymy wejście, wrzucam inny plan, a tu tymczasem operator się wypina, biegnie do następnego pomieszczenia, wpina końcówkę kabla do kamery i już możemy grać. Góra dwadzieścia sekund to trwa. Sprawdzałem.

– Prezenterzy też będą biegać? I sapać potem do mikrofonu?

– No, nie, spokojnie, tak naprawdę nikt nie będzie biegał, bo mamy tam kilka kamer. Jedna robi, druga przechodzi. Karol, nie kombinuj, ja cię proszę, uwierz nam. Policzone wszystko jest precyzyjnie.

Karol miał minę świadczącą o tym, że jednak będzie kombinował.

– Wiecie, czego tak naprawdę się boję? – zaczął ojcowskim tonem. – Że niech ktoś przewali czas... te wejścia są takie krótkie, nie nadrobicie. Leżymy!

– Spokojnie – powiedziała Krysia. – Dyrektor nie widział, jak nasi prezenterzy mają przećwiczone zabieranie klientom mikrofonu... Zwłaszcza Marta. Mieliśmy taką sytuacje na Orkiestrze, kiedy facet się rozgadał.

– I co Marta? – zaciekawił się dyrektor, który bardzo lubił naszą blondynę z dopinanym lokiem.

– Zabrała. W pół zdania. Nie ma zmiłuj się.

– Ale nie nadużywacie tego? – zaniepokoił się nasz programowy.

– Nie. Ale czasem nie ma wyjścia. My się zawsze precyzyjnie umawiamy z klientem na czas rozmowy, ale bywa, że klient się rozpędza. I jeśli przestaje reagować na nasze subtelne sygnały, stosujemy rękoczyn prosty.

Karol zadumał się nad naszymi metodami. Tak naprawdę jednak nie mógł się do niczego doczepić... nie było szczegółu, który by nie był precyzyjnie przemyślany! W końcu miałam na to sporo czasu w szpitalu. I Maćka na telefonie.

Oczywiście, te szczegóły miały się jeszcze zmieniać do momentu emisji programu, ale wariant A już mieliśmy, można go robić choćby jutro.

– Dyrektor się nie martwi – powiedziała Krysia, która w stosunku do Karola zawsze używała tej dziwnej formy grzecznościowej, ponieważ nie pamiętała, czy na jednym pikniku firmowym przeszła z nim na ty czy nie. – Dyrektor nam zaufa. My jesteśmy starzy fachowcy, jak mówimy, że będzie dobrze, to będzie. Teraz mamy jeszcze jakiś miesiąc na udoskonalanie tego wariantu A, na różne poprawki i dodatki.

– Jakie poprawki?

– Nie wiemy – powiedziałam. – Gdybyśmy wiedzieli, to one już by tu były, w tym kwicie. Jeszcze mamy miesiąc, jak słusznie zauważyła Krysia, a przez miesiąc mogą się pojawić na horyzoncie różne atrakcje, o których dzisiaj nie mamy pojęcia.

Maciek dopił kawę.

– Mnie się wydaje, że ty nie masz wyjścia, dyrektorze. Musisz nam zaufać, że będzie okay.

Dyrektor kręcił głową powątpiewająco.

– Chciałbym... chciałbym...

– Bo teraz – kontynuował Maciek – to możemy jeszcze wiele

godzin bić pianę bez specjalnej korzyści. A ja mam za pół godziny emisję.

– No dobrze – Karol przyjął postawę dyrektorską. – To jest na waszej głowie, pamiętajcie!

Wychodząc, nie mogłam sobie odmówić przyjemności.

– Dyrektorze – powiedziałam, wsuwając do gabinetu głowę, podczas gdy resztę miałam już w sekretariacie. – Zapomniałeś jeszcze się zmartwić tym, że w czasie całego programu będą nam setki ludzi z miasta latać po głowie, bo mamy dzień otwarty...

I szybko zamknęłam drzwi.

Na korytarzu Maciek z Krysią zapalili papierosy.

– Jednego nie rozumiem – mruknął Maciek, puszczając kłąb dymu. – Powiedział nam uroczyście, że to jest na naszej głowie. A na czyjej było do tej pory?

Piątek, 9 marca

Jak na facetkę ze zwolnieniem lekarskim w kieszeni jestem przeraźliwie aktywna. To wszystko, co sobie ładnie i wesoło wyssałam z palca, trzeba teraz zmienić w konkrety.

Przez kilka ostatnich dni odwaliłam setki rozmów telefonicznych z tymi wszystkimi ludźmi, którzy mają być u nas gośćmi honorowymi, i z tymi, którzy będą pracować przy imprezie. Drugie tyle rozmów odwaliła Kryśka.

A teraz padam na twarz i cały wieczór poświęcam oddawaniu się marzeniom o Tymonie moim kochanym, do którego bardzo, bardzo tęsknię.

W wolnych chwilach, oczywiście.

Sobota, 10 marca

Tymon pojawił się koło południa.

Coś mi mówiło, że może być zmęczony życiem, więc poczyniłam odpowiednie przygotowania.

Miał podkrążone oczy i wyglądał mizernie, co mnie rozrzewniło.

Jak ostatnia kapciowata żona (w ósmym miesiącu ciąży, szkoda, że jeszcze czwórka drobnych dzieci nie kręciła się nam pod nogami) posadziłam go w moim najwygodniejszym fotelu koło okna z widokiem na lipy i dęby w alejce.

Zrobiłam herbatę i podstawiłam mu pod nos.

– Boże, jak dobrze – westchnął szczerze. – Dlaczego ty nie chcesz za mnie wyjść? Miałbym tak codziennie.

– Nie licz na to – powiadomiłam go uczciwie. – Nawet gdybym za ciebie wyszła jutro, to wcale nie oznacza, że miałbyś tak codziennie. Ja jestem kobietą pracującą. W ostatnim tygodniu nadrobiłam jakiś miesiąc z tego, co przeleżałam w szpitalu.

– A jak tam dzidzia, nie protestuje?

– Dzidzia jest porządny człowiek. Zresztą czuję się świetnie. Ten szpital dobrze mi zrobił.

– To najważniejsze. Uważaj na siebie, Wikuś, ja cię proszę. Wiesz, głupio byłoby teraz coś zawalić, już tyle przeszłaś.

– Uważam. Naprawdę. Jak się tylko zmęczę, to natychmiast odpoczywam z nogami do góry! Ale jakoś się nie męczę. A to, że można zawalić, to lepiej odpukaj, parapet jest drewniany. Powiedz, co chciałbyś dzisiaj robić?

– Szczerze?

– Możesz nie mówić. Widzę po oczach. Odpowiedź brzmi: nic.

– Wika, wyjdź za mnie...

– Trafiłam, prawda? No to możesz nic nie robić. Mnie też dzisiaj rozrywki życiowe nie pociągają. Dam ci jakąś książkę albo się prześpij, a ja ci ugotuję obiad jak prawdziwa żona.

– Nie żartuj...

– Naprawdę. Coś mi mówiło, że będziesz zmęczony. Byłeś znowu w Danii?

– Na Bornholmie. Opowiedzieć ci teraz czy później?

– Później. Naprawdę się prześpij. Chodź na kanapę, przykryję cię kocykiem.

– Wika, wyjdź za mnie. Nie chcę na kanapę, ten fotel jest genialny, będę się gapił na drzewa, bardzo lubię... – ziewnął strasznie – drzewa...

– Masz tu taborecik, będzie ci wygodniej z wyciągniętymi nogami, strasznie długie masz, ale może się tu zmieszczą bez przestawiania mebli.

– Wyjdź za mnie, Wika – wymamrotał. – Kocham cię, wiesz?

Nie odpowiedziałam, bo nie ma sensu gadanie do śpiącego faceta.

Jednak przykryłam go kocykiem.

A potem poszłam do mojej małej kuchenki, komponować ten małżeński obiad.

Ja tak naprawdę lubię gotować, byle nie za często. I żebym miała na to czas. Nie powinno się jedzenia robić na chybcika, jeżeli ma być dopieszczone. Jeżeli ma nie być, to nie należy go robić, wystarczy zadzwonić po pizzę.

Zrobiłam żurek, bardzo dobry, ponieważ nie miałam byle jakiej kiełbasy i ugotowałam go na bazie kabanosów (Bartek robił mi zakupy). Pamiętałam o majeranku i czosnku pod koniec. Będzie z jajeczkiem.

Na drugie danie postanowiłam dać ukochanemu mężczyźnie naleśniki z serem. Nie na słodko, broń Boże. Na ostro. Cebulka i dużo pieprzu. Myślałam o upieczeniu jakiegoś murzynka, ale to już by zajęło więcej czasu.

Zanosiło się jednak na to, że zdążę upiec tort Sachera i udekorować go misternie różyczkami z marcepanu, bowiem ukochany mężczyzna wciąż spał jak suseł.

No więc ukręciłam murzynka i wstawiłam do piecyka. Ukochany mężczyzna spał nadal.

Wyjęłam murzynka.

Spał i spał. Dochodziła piąta po południu.

Bardzo ładnie sobie spał, estetycznie, nie chrapał, wcale nie wyglądał bezradnie i milusio, tylko wręcz przeciwnie, jak odpoczywający wojownik.

Słońce przewędrowało tymczasem nieco na zachód i poprzez liście drzew świeciło teraz w to okno, przy którym się wylegiwał, dając piękną kontrę na ten jego zdecydowany profil. Boże, dzięki ci za to, że nie ma rozklapanego nosa! I dużo włosów. Wciąż ciemnych, może jakieś pojedyncze srebrne nitki na skroniach... Trochę zmarszczek, nie za wiele, cera wciąż ogorzała... Jak on to robi? Na ręce zwróciłam uwagę od razu, kiedy go zobaczyłam pierwszy raz – zadbane, mocne i kształtne, teraz leżą sobie grzecznie na kocyku w szkocką kratę. Młode ręce. Ciekawe, ile on ma lat? Muszę go zapytać.

Drugie dziecko moglibyśmy mieć razem... Fajne by było, zapewne.

Gdybym za niego wyszła, czego jednak nie zamierzam uczynić z powodu nałogu telewizyjnego.

Słońce poszło jeszcze trochę w prawo i teraz świeciło mu prosto w zamknięte oczy. Otworzył je i spojrzał na mnie od razu całkiem przytomnie.

– Wika, kochanie... Chyba strasznie długo spałem?

– Pięć godzin mniej więcej.

– Przepraszam cię najmocniej, ale stworzyłaś mi takie warunki... – Wygrzebał się z kocyka i rozprostował tę swoją wysoką sylwetkę. Chyba zeszczuplał ostatnio. – Coś tu ładnie pachnie.

– To kombinacja czosnku z ciastem czekoladowym. Czekaj, podgrzeję ten żurek, bo już pewnie zimny, a ty możesz się odświeżyć przez ten czas.

Pocałował mnie i poszedł do łazienki.

Zadumałam się nad garnkiem z zupą.

Zupełnie przyjemne te domowe czynności. Zapewne dlatego, że oddaję im się na cześć człowieka, którego kocham. No i jednak nie robię tego stale. Gdybym miała pożegnać studio i wóz transmisyjny, i kamerę z Pawełkiem na dokładkę, i montaż z Mateuszem, i Maćka, i Krysię, i zastąpiła to gotowaniem żurku i smażeniem naleśników... nawet dla ukochanego mężczyzny...

No, nie wiem.

Ukochany opuścił łazienkę, rozsiewając wokół siebie subtelny zapach Armaniego w wersji dla facetów.

– Siadaj – powiedziałam, wskazując mu miejsce przy kuchennym stole. – Poczuj się jak zadbany mąż. Mam nadzieję, że lubisz żurek na kabanosach.

– Na kabanosach... jasne. Na drugie masz ostrygi na świeżym masełku?

– Nie, naleśniki na świeżym masełku. Z serem. Na ostro i na chrupko.

Spróbował żurku.

– Wika, wyjdź za mnie.

– Cieszę się, że ci smakuje. Myślę, że nie jest gorszy od tego, którym cię karmiła recepcjonistka z hotelu Kasprowy.

– Nie żartuj. Zresztą jej się nie oświadczyłem, tylko się z nią przespałem... i to góra dwa razy.

Przy naleśnikach odrzuciłam kolejne oświadczyny.

Kawę i ciasto załatwiliśmy już nie w kuchni, tylko przy stoliczku ustawionym blisko okna z widokiem na drzewa. Tymon dostał ataku nieuzasadnionego chichotu.

– Co ci się stało?

– Och, nic, zupełnie nic... Po takim jedzeniu wszystko mi się podoba. Wiesz co, teraz jak stary, wytresowany mąż pozmywam, a ty sobie popatrz na te lipy... albo na telewizję.

– Dzisiaj wolę na lipy, zdecydowanie!

Wciąż chichocząc, udał się do kuchni, skąd po chwili usłyszałam lanie wody, szczęk talerzy i pogwizdywanie. Najwyraźniej mycie garów sprawiało mu przyjemność.

Po kwadransie wylazł z kuchni.

– I cóż nierobimy dalej?

– Mam wino. Takie białe, francuskie, delikatne, mogę trochę wypić. Ty możesz więcej wypić. Albo coś mocniejszego, jeśli chcesz?

– Nie, dziękuję, ja też będę pił delikatnie. A może przedtem pójdziemy na spacer? Wciąż jak stare małżeństwo?

– Dobrze. Przejdziemy się po dzielnicy... jak para staruszków!

Przeszliśmy się po starych uliczkach, ciesząc się nadchodzącą wiosną. Potem wróciliśmy do domu i zeżarliśmy większą część murzynka, popijając go francuskim sikaczem. Potem Tymon opowiadał mi, co robił na Bornholmie, dokąd pojechał, a właściwie popłynął w interesach. Jakoś musi sobie odbić tę klęskę szprotkową. A jeszcze potem siedzieliśmy przytuleni na mojej wielkiej kanapie i słuchaliśmy muzyki – samych ładnych i pogodnych kawałków i wyłącznie Mozarta...

Niedziela, 11 marca

Kontynuowaliśmy sielankę domową.

Naprawdę było miło!

Wtorek, 13 marca

Wpadły Mela z mamą. Ojciec puścił parę w sprawie faceta, z którym się czuliłam na kanapie, one same zresztą też całkiem ślepe nie są, od jakiegoś czasu odróżniają zieloną vectrę, która umiejscawia się pod lipą na dzień lub dwa.

Przyniosły dary na znak, że przychodzą z misją dobrej woli. Mela wyszukała w jakichś zamierzchłych szafach różne rzeczy po Bartku – coś podobnego, żeby tyle lat trzymać niebieskie kocyki, pościółki jak dla lalek, grzechotki i ulubioną zabawkę mojego siostrzeńca: małą laleczkę z kulistym łebkiem, umieszczoną w plastykowej kuli wielkości pomarańczy tak, że tylko ten łebek jej wystawał. Pamiętam, że Bartek godzinami mógł ponawiać próby wydobycia laleczki z kuli, a już kiedy dostał ją do kąpieli (kula była pusta w środku i utrzymywała się na wodzie), szalał ze szczęścia, usiłując wyciągnąć ją własnym małym dziobkiem.

Mama przyniosła połowę placka z jabłkami i duży kosz na bieliznę.

– Zobaczysz sama, jest o wiele lepszy od wszystkich łóżeczek świata, oczywiście, na samym początku. Zwłaszcza jak będziesz chciała wyjść do ogrodu. Bierzesz kosz z dzieciaczkiem i już jesteście na powietrzu. A potem możesz jakieś łóżeczko kupić albo może my ci kupimy na imieniny. A jak się czujesz w ogóle?

– Bardzo dobrze. Chodźcie, zrobię kawę i zjemy to ciasto; mama, kochana jesteś! Obie jesteście kochane kobiety. Pamiętajcie, że ja liczę na was, kiedy już urodzę, musicie mi we wszystkim pomóc i wszystkiego nauczyć.

– Spokojnie, nic się nie bój, nie zostawimy cię samej. Boże, ja już się doczekać nie mogę tego wnuczka... a może będzie jednak dziewczynka?

– Może będzie, ale nie licz na to specjalnie. Macierzyńskie serce czuje chłopaka.

– Masz już dla niego jakieś imię wybrane?

– Maciej. Ładnie?

– Ładnie. Ładne polskie imię. Zupełnie jak Bartłomiej. A jak będzie dziewczynka?

– To jeszcze nie jestem pewna. Może Ewa?

– Ewy są stuknięte – powiedziała stanowczo moja siostra. – Znam dwie.

– No właśnie. Ja znam jedną i też jest stuknięta – dodała mamunia.

– No i moje trzy stuknięte, to razem sześć – podsumowałam ten rachunek. – Rezygnujemy z Ewy.

– Może Dominika? – podsunęła nieśmiało mama, sama Dominika.

Może być, czemu nie. I tak będzie Maciek.

– Masz to u mnie – powiedziałam. – To jest śliczne imię!

Przyniosłam dzbanek z kawą i filiżanki i ustawiłam na stoliku pod oknem z widokiem na lipy i dęby.

Och, Tymon, Tymon...

– Tu posiedzimy – powiedziałam stanowczo. – Stąd widać, jak wiosna idzie.

Amelia przydzieliła nam po solidnym kawałku maminego placka.

– Wiciu – powiedziała mama i wbiła widelczyk w ciasto. – A dlaczego właściwie Maciuś? Śliczne imię... ale w rodzinie nie było jeszcze Macieja.

– No to będzie. Sama mówisz, że imię ci się podoba.

– To na czyjąś cześć postanowiłaś go tak nazwać?

– Mama, nie kręć tak okropnie – zdenerwowała się Mela. – Ją trzeba po prostu spytać. Wicia, ty też nie kręć, tylko mów uczciwie: co to za przystojniak, którym wyprowadziłaś po raz kolejny z równej wagi ojca rodu?

– A co, mówił wam coś?

– Pierwsza spytałam!

– Ale niczego się nie dowiesz, dopóki nie powiesz, co mówił tato!

– A jak ja ci powiem, to powiesz?

– Powiem!

– Tato mówił, bardzo zresztą niechętnie i właściwie niechcący, że zastał cię z obcym i przystojnym facetem na kanapie, i że to jest ten gość od afery szprotkowej. Więcej nie mówił, ale ja go pamiętam z twoich programów. Podobał mi się! To rzeczywiście ten Wojtyński?

– Ten ci sam. A tato nie zwierzał się wam, że nas zapytał prosto w nos, czy to dziecko jest nasze wspólne?

– Ach, ach! Tego nie mówił! Nie wygłupiaj się, tak po prostu spytał? I co mu odpowiedzieliście?

– Tymon nic, bo mu się głupio zrobiło, a mnie omal szlag nie trafił i odmówiłam zeznań. Tak że biedny tato nic nie wie. A wystarczyło przemówić ludzkim głosem...

– Wika! – zawołały jednogłośnie obie. – My do ciebie mówimy ludzkim głosem!

– I za to spotka was nagroda – powiedziałam łaskawie. – Ale nie wiem, czy takiej byście chciały. Bo to nie jego.

– To co on robił na twojej kanapie? – zdziwiła się mama.

– Relaksował się po męczącym tygodniu. Czekaj, ja nie odmawiam odpowiedzi, tylko jestem precyzyjna. On naprawdę odpoczywał. A jeżeli chcecie wiedzieć, czy jesteśmy przyjaciółmi, to owszem, jesteśmy. Te szprotki bardzo nas zbliżyły.

– U niego byłaś na święta – domyśliła się mama.

– I na sylwestra też. I jeszcze parę razy bez żadnych świąt. On tutaj też parę razy nocował. Widzicie, jak to dobrze, że mam swoje niekrępujące wejście od ogródka. A wcale jakoś specjalnie się nie kryliśmy, bo w końcu oboje jesteśmy już duzi.

– Wiciu... – zaczęła mama i przerwała.

– Co, mamuś?

– Och, nie wiem, jak cię zapytać, żebyś się nie obraziła znowu.

– Mamuniu, ja się obrażam wyłącznie na ojca, kiedy mnie traktuje jak idiotkę albo łajdaczkę. Zresztą nie męcz się, wiem, o co ci chodzi. Na razie nie planujemy małżeństwa.Tymon mi się wprawdzie oświadcza, ale ja nie chcę.

– Dlaczego? Nie kochasz go!

– Nawet kocham. – Westchnęłam. – Ale tu już mnie naprawdę nie pytajcie o więcej. Teraz w serialach o nowoczesnych kobietach mówi się w podobnych przypadkach: nie jestem gotowa. Idiotyczne powiedzonko, ale coś w tym jest.

– Dobrze, to nie mów, dlaczego nie chcesz za niego wyjść – zniecierpliwiła się Amelia – tylko nam o nim opowiedz. Tak w ogóle, jaki jest, poza tym, że przystojny i tak dalej. Dlaczego go kochasz?

Przez następną godzinę ja mówiłam, a one obie słuchały z wypiekami na policzkach.

– Tylko uważajcie – powiedziałam na koniec – broń was Bóg przed tym, żebyście go miały w jakikolwiek sposób napastować. To mój Tymon, rodzinie na razie nic do niego. Zwłaszcza że ojciec go trochę przeraził.

– To może my teraz spróbujemy naprawić złe wrażenie – pospieszyła ze skwapliwą propozycją mamunia.

– Mowy nie ma! Wszystko wam uczciwie opowiedziałam, a teraz macie mi tu przyrzec, że zapomnicie o jego istnieniu, dopóki wam go sama nie doprowadzę!

– Ale kiedy to będzie? – chciała koniecznie wiedzieć Mela.

– Nie wiem. Może nigdy. A jak się będziecie wtrącać, to na pewno nigdy.

– No dobrze – zgodziła się Mela. – Rozumiem twoje obiekcje. Sama trzymałam Krzysia pod korcem prawie pół roku. Ale w końcu za niego wyszłam!

– Ach, zapomniałam wam jeszcze o czymś powiedzieć... taki drobiazg... nie mogę za niego wyjść, bo on wciąż ma żonę.

Nie dały się sprowokować.

– A na jakim etapie ją ma? – zapytała spokojnie Amelia.

– Są po drugiej rozprawie rozwodowej.

Mama wyraźnie odetchnęła.

– Matka – powiedziałam ostrzegawczo – to niczego nie zmienia! Nie ciesz się zawczasu!

– Zawsze jakoś przyjemniej – mruknęła z rezygnacją.

Środa, 14 marca

Mamunia zadzwoniła.

– Zapomniałam cię spytać, bo w końcu zagadałyśmy: dlaczego Maciuś? Po kimś, czy tylko imię ci się podoba?

– Po kimś, mamunia, po kimś. Po moim ulubionym koledze z pracy, z którym w życiu nie miałam niczego pozasłużbowego.

– No to dlaczego?

– Bo ja bym chciała, żeby ten mój Maciek był taki jak on. Z charakterem. Prostolinijny, mądry, porządny, rzetelny, sympatyczny i jeszcze utalentowany.

– O, to nieźle...

– To program minimum, kochana mateczko.

Piątek, 16 marca

Bardzo śmiesznie tak pracować na zwolnieniu. Niby pracuję, niby nie pracuję. Oszukuję.

A tak naprawdę pracuję i to dość porządnie.

W ramach ciężkiej pracy latałam pół dnia po firmie i szukałam dwóch takich, co by mi mogli podżyrować pożyczkę w kasie zapomogowo-pożyczkowej. Muszę wziąć trochę forsy i zakupić podstawowe wyposażenie dla Maciusia.

Albo Dominisi oczywiście.

Strasznie trudno znaleźć tych dwóch, bo przeważnie ludzie już komuś podpisali albo sami biorą, a nasze finansowe dziewczyny bardzo teraz pilnują.

Ostatecznie ustrzeliłam Pawła i – znienacka – Karola Kazubka. Dyrektorskie poręczenie, ho, ho, muszą mi dać.

A jak już wezmę te pieniądze, to siądę ze stosownym podręcznikiem w ręce i zrobię wykaz tego, co mi będzie potrzebne. A potem jeszcze skonsultuję to z moimi rodzinnymi kobietami oraz z Krzysiem. Ortopeda, bo ortopeda, ale zawsze doktor. I dopiero potem pojadę na zakupy. Tej forsy nie mogę przetracić na kosmetyki.

Ach – jeszcze muszę rozpuścić wici w poszukiwaniu sensownego pediatry. Podobno trzeba mieć takiego jednego zaufanego, bo jak się zacznie z dzieckiem latać po przychodniach, to samej można umrzeć, że nie wspomnę o dziecku. Gdybym nie była na zwolnieniu, to po prostu zrobiłabym program na jakiś zbliżony temat i znalazłabym pięciu zaufanych pediatrów. Ale na razie ten sposób odpada.

Pomijając wszystko, strasznie jestem gruba. Dobrze, że zawsze lubiłam chodzić w porozciąganych ciuchach, to się teraz tak bardzo w oczy nie rzuca. Za to cerę mam jak tyłek niemowlaka. Pamiętam, jak wyglądał tyłek Bartka, kiedy był niemowlakiem i wiem, co mówię.

Sobota, 17 marca

Za jakieś dwie godziny przyjedzie Tymon i zabierze mnie na cały weekend do państwa Karasiów.

Będziemy wąchać wiosnę w lesie.

Wtorek, 20 marca

Zupełnie niespodziewanie zadzwoniła do mnie do redakcji Irena Radwanowicz, czyli wciąż jeszcze żona Tymona. Chce się spotkać. W pierwszej chwili miałam odruch, żeby ją spławić, ale jakoś nie potrafię tak całkiem spławiać ludzi. Zaprosiłam ją do redakcji, ale nie chciała. No więc umówiłyśmy się w moim ulubionym miejscu, w kawiarni na dwudziestym drugim piętrze wieżowca Pazimu. Kiedy już się zgodziłam, powiedziała wyniośle, że ona już dzisiaj nie może. Dla samej zasady oświadczyłam, że jutro ja nie mogę żadną miarą. W czwartek też mi nie pasuje. Trochę to było masochistyczne, bo teraz będę musiała wytrzymać do tego piątku, ale baba była wyraźnie niezadowolona. I bardzo dobrze. Niech pęknie.

Ostatecznie spotykamy się w piątek po południu.

Ciekawe po co?

Środa, 21 marca

Usiłowałam dodzwonić się do Tymona, żeby skonsultować z nim to moje piątkowe spotkanie, ale nie mogłam go złapać. Facet w komórce powiedział mi, że jest poza zasięgiem. Albo jakoś tak.

Wysłałam mu sms-a z prośbą, żeby zadzwonił.

Czwartek, 22 marca

Tymona mi wcięło.

Wieczorem zrobiłam sobie specjalną maseczkę kosmetyczną na twarz i okłady ze świetlika na oczy. Jak również kunsztowny manikiur. Zamierzam wyglądać tak dobrze, jak dobrze może wyglądać baba w ósmym miesiącu.

Pod koniec ósmego miesiąca!

Piątek, 23 marca

Nareszcie!

Sam zadzwonił i przepraszał, że był dwa dni w rozjazdach, przy czym udało mu się zapomnieć komórki w domu. Dziś rano wrócił do Świnoujścia, odsłuchał i dzwoni.

– Potrzebuję konsultacji – powiedziałam. – Twoja żona chce się ze mną spotkać; nie wiesz przypadkiem po co?

– Po pierwsze, moja prawie była żona. Po drugie, pojęcia nie mam. Spotkasz się z nią?

– Tak. Jesteśmy umówione dzisiaj o piątej w kawiarni z widokiem. Słuchaj, naprawdę nie masz żadnej koncepcji?

– Naprawdę. Wika, ja bym nie chciał wypaść w twoich oczach na złośliwca, a w ogóle o byłych żonach nie powinno się mówić źle, ale to nie jest dobra dziewczynka. Nie wiem, co wymyśliła, ale mogę się założyć, że będzie ci przykro po tej rozmowie. Ty rzeczywiście chcesz się z nią spotkać?

– A co, myślisz, że można mnie zmusić do tego? Chcę. To znaczy, wolałabym, żeby mnie o to nie prosiła, ale kiedy już poprosiła, chciałam po prostu wiedzieć, o co jej chodzi. Rozumiesz moje mętne wyjaśnienia?

– Mniej więcej. Ale wolałbym przy tym być.

– Nie martw się o mnie, porozmawiamy zapewne jak kobieta z kobietą.

– Raczej jak kobieta ze żmiją. – Westchnął.

– Poza tym – kontynuowałam – przy tobie zapewne nie dowiedziałabym się, co jest na rzeczy.

– Możliwe – przyznał. – A w ogóle dobrze się czujesz?

– Doskonale. Nie martw się o mnie. Na razie.

Jakoś chłodno nam się ta rozmowa zakończyła. Zazwyczaj pod koniec słyszałam, że on mnie kocha albo całuje, albo coś z tych rzeczy, a dzisiaj nic. Ja też jakoś nie miałam ochoty mu się oświadczać. Nie wiem dlaczego. Kocham go, tęsknię za nim i chciałabym z nim być. I ani słowa na ten temat.

Ona źle działa, nawet na odległość.

W Café 22 byłam pierwsza. Specjalnie przyszłam wcześniej, żeby sobie popatrzeć na Szczecin z góry, tak dla przyjemności, której w jej obecności już bym nie miała. Poza tym, po co baba ma widzieć z satysfakcją, z jakim wysiłkiem wbijam moją nową figurę w fotelik w kącie?

Przyszła punktualnie. Szczupła, piękna i wydrowata. Jakaś taka złość i nienasycenie z oczek jej wyzierało, to chyba u niej fizjologiczne, innego wyrazu jej twarzy nie widziałam. A znam ją jak zły szeląg, przecież od lat wywiadów mi udziela.

Nigdy jej nie lubiłam.

Nikt znajomy jej nie lubi.

Fotogeniczna jest, to prawda. Kamera ją kocha. Oczywiście mam na myśli figurę, sylwetkę, twarz (z wyjątkiem tej zajadłości w oczkach). No, ale głos ma obrzydliwy. Skrzeczy, nie da się tego ukryć, jak sroka. Ciekawe, czy to od papierosów, czy zawsze tak miała? Zawsze chyba nie, bo czyżby Tymon był głuchy, jak się z nią żenił?!

Miała na sobie przepiękną kreację utrzymaną w kilku odcieniach czerwieni. Wciętą w pasie jak diabli. Nigdy w życiu nie miałam figury, żeby nosić ten fason. I nie jest mi dobrze w czerwonym, zresztą dla mnie to za odważny kolor, nie czułabym się pewnie.

A ona wyraźnie się czuła i pragnęła mi to zademonstrować.

Niech sobie demonstruje.

Nie wstałam i nie podałam jej ręki. Gestem (mam nadzieję, że pańskim) wskazałam jej fotel naprzeciwko. Będzie ją słońce raziło w te ślepka wymalowane. Może się popłacze czarnymi łzami.

– Czyżbym się spóźniła? – zapytała fałszywie. Założę się, że specjalnie postarała się o akuratność. Siadła na wskazanym jej miejscu, a wielką torbę położyła na fotelu między nami. Wyjęła okulary słoneczne i zostawiła torbę otwartą.

– Nie, to ja przyszłam wcześniej – powiedziałam łagodnie. – Lubię tu siedzieć i oglądać miasto z góry.

– Och, czyżby moja obecność miała w tym przeszkodzić?

– Myślę, że spotkałyśmy się w jakiejś konkretnej sprawie, a nie dla oglądania landszaftów?

– Och, można połączyć piękne z pożytecznym.

Nadużywa ochów. Jednak w środku się denerwuje. Bardzo dobrze.

Założyła ciemne okulary

– Boże, jakie to słońce intensywne.

– Tak? A już myślałam, że to dla kamuflażu.

Zdjęła. Zmrużyła oczy i pokazały się zmarszczki.

– Ta kelnerka przychodzi, czy trzeba za nią wysyłać patrol policyjny?

Pomachałam ręką. Kelnerka przyszła. Irena zamówiła sobie kawę i drinka. Jeździ po alkoholu, czy weźmie taksówkę? Poprosiłam o lody. Irena spojrzeniem dała do zrozumienia, że na moim miejscu nie jadłaby tak tuczącego smakołyku.

– Wysokogatunkowy produkt mleczny – wyjaśniłam. – Duża zawartość wapnia. Jest mi teraz potrzebny w zwiększonej ilości. Pani Ireno, czemu zawdzięczam spotkanie z panią? W tak pięknym miejscu, nawiasem mówiąc?

– Pani Wiko… – Spojrzała mi w oczy. Za mocno się maluje, te zmarszczki jej się uwydatniają. – Porozmawiajmy jak kobieta z kobietą, dobrze?

– Trudno by nam było rozmawiać jak mężczyzna z mężczyzną.

– Ja rozumiem, że pani odnosi się do mnie nieufnie. Ale proszę postarać się przezwyciężyć uprzedzenia. Negatywne uczucia rzutują negatywnie na naszą własną osobowość. Czy może pani spróbować potraktować mnie dzisiaj jak przyjaciółkę?

Na to bym nie wpadła.

– A dlaczego miałabym panią traktować jak przyjaciółkę? O, idą moje lody. I pani napoje. Dziękuję, proszę tu postawić. No więc, pani Ireno, dlaczego? A czy pani jest moją przyjaciółką?

Zawahała się.

– Pani zdrowie. Szczerze to było, proszę mi wierzyć. I dziecka. No więc, w pewnym sensie jestem pani przyjaciółką.

– Jakże się cieszę. I co dalej?

– Bez ironii, pani Wiko. Niech pani weźmie pod uwagę, że obie jesteśmy kobietami, obie kochamy tego samego mężczyznę. Tak, tak. Próbowałam z sobą walczyć, ale nie ma się co oszukiwać. Kocham Tymona. I niestety wiem, że on kocha panią. Czy pani na moim miejscu oddałaby ukochanego mężczyznę innej kobiecie?

– Ja bym raczej nie traktowała ukochanego mężczyzny jak gadżet, który można komuś oddać albo nie.

– Och, niech mnie pani nie łapie za słówka! Przyznaje pani, że również kocha Tymona?

– Nie rozumiem, dlaczego miałabym o tym rozmawiać z panią.

– Zaraz pani zrozumie. Proszę nie myśleć, że ma pani do czynienia z idiotką. Zresztą nieważne, kocha, nie kocha, tak czy inaczej będziecie mieli dziecko!

Ach, dziecko. Tymon nie miał siły przyznać, że nie jego... po co zresztą wprowadzać jakieś dodatkowe wątki, dodatkowe osoby...

– Ja na pewno.

307

– Trudno byłoby zaprzeczyć! Każdy idiota umie dodać dwa do dwóch! Pani jest w ciąży, a Tymon nagle żąda rozwodu! Wiem o pani wszystko! Potrzebny pani mąż, a dziecku ojciec! I właśnie Tymon ma być mężem i ojcem. Kiedy się poznaliście?

Za bardzo uważałam, żeby chlapnąć prawdę.

– Jakiś czas temu. To ma coś do rzeczy?

– Nieważne. Teraz macie stworzyć podstawową komórkę społeczną. Tylko jest jedna przeszkoda. Ja.

– O?

Starałam się to powiedzieć z intonacją angielskiego kamerdynera z powieści P.G. Woodehouse'a. Miąchałam przy tym łyżeczką w ciapie pozostałej z bardzo dużej porcji lodów.

– Nie dam rozwodu Tymonowi. Mam bardzo dobrego adwokata.

Ale nie wiesz jeszcze, koleżanko, że my mamy bardzo dobrego sędziego.

– Gratuluję.

– Pani Wiko, dogadajmy się. Ta sprawa będzie się ciągnęła latami. A wam powinno zależeć na pośpiechu. Pani jest chyba bliska rozwiązania?

– W istocie.

– No więc. Jak znam Tymona, chciałby sprawę zakończyć i ożenić się z panią. Mogę obiecać, że dam zgodę na rozwód bez orzekania o winie.

– Tak za friko?

– Ależ pani ma słownik... Oczywiście, że nie za darmo. Ale nie jestem pazerna. Wystarczą mi trzy miliony.

– Złotych czy dolarów?

– Złotych. Mówiłam, że nie jestem pazerna. Nie zamierzam urządzać się za te pieniądze, to tylko odszkodowanie za straty moralne.

– A Tymon ma takie pieniądze?

– Nie zorientowała się pani jeszcze w jego majątku? Zapewniam panią, że ma. Może nie trzyma tego w kieszeni, może nawet nie w banku, ale ta cała jego flota... kutry, wyposażenie, dom... Te kontakty, kontrakty, stosunki; może się postarać. Niech pani z nim porozmawia poważnie na ten temat.

– A dlaczego pani sama z nim nie porozmawia?

– Tymon uprzedził się do mnie. Nie rozmawia ze mną inaczej niż przez adwokata.

– A pani nie chce płacić adwokatowi prowizji od tych trzech milionów... A mnie by pani zapłaciła?

Oczka jej błysnęły.

– Właśnie to miałam na myśli, kiedy chciałam, żeby mnie pani traktowała jak przyjaciółkę. Ile by pani żądała?

– Połowę.

– Dużo. Jedną trzecią.

– Połowę. Adwokat weźmie mniej, ale tyle nie załatwi.

– I za to przekona pani mojego męża, żeby zapłacił i nie wierzgał?

– Ależ pani ma słownictwo...

– Dobra, dobra. Zgadzam się. Po połowie. No i proszę, jaka pani w gruncie rzeczy rozsądna... Dobrze jest mieć trochę dla siebie, zawsze to daje pewną niezależność, prawda?

– Prawda. A teraz niech pani posłucha dobrej rady osoby z długoletnim doświadczeniem zawodowym. Jeżeli pani będzie jeszcze kiedyś chciała kogoś po cichu nagrywać – tu sięgnęłam szybko do jej otwartej torby leżącej między nami – to niech pani poprosi o pomoc fachowca, bo na takim sprzęcie wiele pani nie zdziała. Niezły jest to dyktafon, ale pod warunkiem, że się do niego gada bezpośrednio, a tak, z torby, nagranie będzie marne. Powinna pani przypiąć sobie mikrofon do biustu – na wszelki wypadek spojrzałam na jej kostiumik, a nuż ma jeszcze jakiś drugi zestaw, ale żakiet był zbyt opięty, żeby można było cokolwiek pod nim schować – też by nie było rewelacyjnie, ale tu, z tego wbudowanego mikrofoniku, na pewno ma pani same szumy.

Pokazałam jej mikrofon, ale nie wyłączyłam urządzenia. Kaseta ciągle się kręciła.

– Po co to pani było? Nic obciążającego mnie ani Tymona, nic, co by pani mogło pomóc w sądzie...

Patrzyła na mnie oczami pełnymi zajadłej nienawiści.

– Teraz ty mnie posłuchaj – powiedziała. – Po pierwsze, nie łudźcie się, że dam Tymonowi rozwód. Będziemy się sądzili do oporu. Nieprędko będziesz miała tatusia do swojego bękarta. Po drugie, i tak wyduszę z niego te pieniądze. Po trzecie, nie licz na to, że ci z nim będzie dobrze. To jest kawał gnoja, dziwkarz i cyniczny łobuz. Szybko mu się znudzisz i będzie spokojnie chodził na boki, tak jak to było ze mną. Czego ci serdecznie życzę!

Coś tam jeszcze z siebie wyrzucała, ale już w połowie tego przemówienia wstałam, wyjęłam kasetę, rzuciłam dyktafon babie z powrotem do torby i wyszłam, zostawiając po drodze kelnerce pieniądze za moje lody.

Byłam wstrząśnięta. Początkowo nawet trochę się bawiłam, bo od razu, kiedy rzuciła między nas tę otwartą torbę, zauważyłam, że w środku coś małego świeci i domyśliłam się, że to dioda sygnalizująca nagrywanie w magnetofonie. Ale ten gwałtowny atak na do widzenia wyprowadził mnie z równowagi.

Zjechałam z dwudziestego drugiego piętra i na miękkich nogach przeszłam tych parę kroków do Radissona.

Posiedziałam jeszcze prawie godzinę w kawiarni na dole, zanim doszłam do siebie na tyle, żeby siąść za kierownicę.

O kasecie, którą schowałam do kieszeni, zupełnie zapomniałam.

Wieczorem zadzwonił Tymon. Nie bardzo mi się chciało opowiadać do słuchawki o tym, co przeżyłam na dwudziestym drugim piętrze Pazimu. Zapowiedział się na jutro, koło południa, żebym się zdążyła wyspać.

Sobota, 24 marca

– No i jak było? Możesz mi opowiedzieć?

Siedzieliśmy przy kawie naprzeciwko okna z lipą.

Zastanawiałam się, jak by tu zacząć, i nagle doznałam olśnienia. Przypomniała mi się kaseta, którą schowałam do kieszeni. Elektroniczne dziecko Bartek ma chyba jakiś dyktafon, jemu się ostatnio nie chce notować na lekcjach; może by się dało odtworzyć.

Musiałam mieć dziwną minę, bo Tymon zapytał niespokojnie:

– Aż tak źle?

– Czekaj, muszę coś sprawdzić... Przepraszam cię na chwilę.

Wydzwoniłam siostrzeńca.

– Dyktafon? Jakiego typu?

– Nie wiem, chłopcze! Mam kasetę, taka mała.

– Kiedy ciocia potrzebuje?

– Już!

– Zaraz będę.

Tymon patrzył na mnie nieco zdumiony.

– Nagrywałaś? To dlaczego teraz nie masz na czym odtworzyć?

– Nie ja, ona nagrywała, ale niefachowo się do tego zabrała, nie wiem, czy da się tego słuchać. Chciała to zrobić po cichu, dyktafon schowała do torby, torbę otworzyła i postawiła koło mnie. Zauważyłam diodę, ona świeci na pomarańczowo, kiedy nagrywa, domyśliłam się... Co ja ci będę mówić, spróbujemy odsłuchać.

Rozległ się tętent na schodach i Bartek stanął w drzwiach. W jednej ręce trzymał zwój kabli z dyndającymi końcówkami, a w drugiej trzy różne dyktafony.

– Tymonie, to mój siostrzeniec, geniusz dźwiękowy.

Panowie skłonili się sobie uprzejmie i przedstawili według ścisłych reguł savoir-vivre'u. Po czym Bartuś zabrał się do rzeczy. Mimochodem napomknął, że te trzy dyktafony właśnie testuje, należą do jego kolegów, bo on swój będzie zmieniał na dniach na jakiś dużo lepszy.

– Kabelki przyniosłem, to podłączę cioci do jakiegoś wzmacniacza.

Mówiłam, że genialne dziecko!

Genialne oraz taktowne. Dopasował dyktafon, podłączył do mojej wieży, przewinął taśmę do początku, sprawdził jakość nagrania – kiepska była, ale z łatwością można było zrozumieć, o co chodzi – ukłonił się i poszedł sobie.

Włączyłam maszynerię.

Tymon słuchał z takim wyrazem twarzy, jaki widywałam u kolegów z ekipy, kiedy graliśmy w pokera na pieniądze i pula robiła się bardzo duża. Dopiero pod koniec zbladł i zacisnął szczęki. Ale nic nie powiedział.

Nagranie skończyło się, dalej była cisza. Irena, widać, kupiła świeżą taśmę na okoliczność audycji dokumentalnej, która miała dowieść, że nie jestem takim kotkiem, na jakiego staram się wyglądać.

Tymon nic nie mówił. Wyglądał, jakby ktoś mu tę pulę sprzątnął sprzed nosa.

– Przejąłeś się? – zapytałam.

– A jak myślisz? Nie wiem, co powiedzieć.

– Nic nie mów. Popatrz na to od innej strony: obydwie zastawiłyśmy na siebie sieci. Ona mnie podpuszczała, bo nagrywała i pewnie chciała ci podstawić pod nos, żebyś wiedział, że lecę na twoje pieniądze, a nie na ciebie. A ja ją podpuszczałam, bo wiedziałam, że nasza rozmowa jest nagrywana i wiedziałam, że ona nie wie, że ja wiem! Z Tymona zeszło powietrze jak z przekłutego balonika.

– Ależ zamieszałaś! Ale rozumiem, chociaż z trudem. Śmieszne by to było jak nie wiadomo co, gdyby jej się końcówka nie wymknęła spod kontroli.

– Przynajmniej była szczera.

– No to już ci więcej nie muszę tłumaczyć, dlaczego się rozstaliśmy.

– Nie musisz. Chyba jej nie lubię. Jeśli miałoby ci to pomóc, pójdę z tobą do tego sądu i przysięgnę, że dziecko jest twoje. Chcesz?

– Dziękuję ci, nie chcę. Byłbym ostatnią świnią, gdybym cię narażał na stresy związane ze spotykaniem mojej drogiej Irenki. Ale chętnie bym pożyczył od ciebie tę taśmę, co ty na to?

– Masz w prezencie. Tylko niech ci się nie zdaje, że w sądzie taka taśma może być dowodem na cokolwiek. Natychmiast pani Irenka powie, że spreparowana, w końcu ja pracuję w takiej firmie, gdzie różne rzeczy z dźwiękiem można zrobić.

– Nie, nie, miałem na myśli coś innego. Zostawmy na razie ten temat, jest obrzydliwy. Posprzątam te kabelki, dobrze?

Pojechaliśmy potem do leśniczówki na obiad, ale pogodę ducha pani Irena nam zmąciła na cały dzień.

Wyjazd Tymona przyjęłam z ulgą.

Boże święty, a jak mi to zostanie?

Bez żartów, ja go kocham, ja chcę z nim być! A przynajmniej bywać jak najczęściej! On też mnie kocha! Dobrze nam ze sobą!

Czy jest możliwe, żeby taka baba potrafiła to zepsuć?

Poniedziałek, 26 marca

Bierzemy na przetrzymanie. Nastroju, oczywiście.

Tymon zadzwonił, że wyjeżdża na kilka dni. Bardzo dobrze. Ja rzucam się w wir pracy, coraz częściej przerywanej koniecznymi odpoczynkami. Jeszcze miesiąc i zostanę mamą małego Maciusia. Albo Dominisi. Tak czy inaczej, dystans do roboty jakoś samoczynnie mi się zwiększa.

Zrobię tylko ten jubileusz i przerwa na dłużej.

Dzwoniłam do Nusia, bo przez przypadek zobaczyłam w kalendarzu, że dzisiaj Emanuela. Życzenia, jakie mu złożyłam, były naprawdę bardzo serdeczne. W końcu to na jego imprezie poznałam Tymona.

Czwartek, 29 marca

A dzisiaj są moje imieniny.

Bo ja tak naprawdę nie mam na imię Wiktoria.

Mam na imię Wiktoryna.

Upiorne.

To był straszny pomysł mojego tatusia, bo jutro jest Amelii i tato chciał, żeby dziewczynki obchodziły imieniny blisko siebie. Ale z drugiej strony Amelii jest Kordula, więc już nie wiem, co lepsze. Tę Wiktorynę można jednak bezboleśnie przerobić na Wiktorię i nie przyznawać się do kompromitującej prawdy.

Tymonowi jeszcze się nie przyznałam. A rodzinne święto mamy jutro, razem z Melą, tak właśnie, jak chciał tato.

Piątek, 30 marca

Miło było.

Prezenty dostałam, oczywiście, przeważnie praktyczne i związane z dzidzią.

A ja to co?

Na szczęście Krzyś z Bartkiem na spółkę wyłamali się z rodzinnego szeregu, szarpnęli się i kupili mi dzieło sztuki. W jednej takiej galerii pani marszandka przekonała ich, że obraz jest świetny i niedrogi, ponieważ artysta stosunkowo mało znany.

Jak komu.

Mnie tam artysta Bielski Emanuel, zwany Nusiem, jest znany stosunkowo doskonale! I zawsze chciałam mieć jakiś jego obraz, tylko że liczył sobie za dużo i nigdy, skubany, nie zaproponował, że mi któryś podaruje. Ja nie wiem, jak to robią niektórzy moi koledzy, że jak tylko wlezą do pracowni, to wychodzą z płótnem pod pachą. Albo rzeźbą. Kamerę włączają na pięć minut. Ale program się nazywa artystyczny. A ja trzaskam półgodzinny reportaż – i nic.

No więc powieszę sobie tego Nusia na honorowym miejscu, bo bardzo jest piękny, przedstawia wyłącznie wodę i chmury, czyli Bałtyk tuż po zachodzie słońca. Niezupełnie realistycznie, ale jak się widziało taki zachód, to się wie, co wisi na ścianie. Będę na niego patrzyła w celach relaksacyjnych. Oraz w celu zapadania w marzenia, albowiem morze kojarzy mi się ostatnio z Tymonem.

A Nusiowi powiem od niechcenia, że mam jego obraz... kupiony w galerii w Szczecinie... niech mu będzie łyso, że mi poskąpił prezentu, podczas kiedy jedna moja całkowicie głupia koleżanka, której olej kojarzy się wyłącznie z sałatką, a nie z malarstwem, wyłudziła od niego już dwie śliczne prace.

Sobota, 31 marca

Trochę spuchłam, ale niedużo. Krzyś mówi, że to małe piwo.

No więc leżę na kanapie, słucham IV Symfonii Brahmsa i patrzę na Nusia.

Tymon pewnie wiele razy widywał takie zachody.

KWIECIEŃ

Poniedziałek, 2 kwietnia

Chyba zaczynam mieć nastroje. Ciążowe. Rychło w czas, za miesiąc urodzę!

Nie poszłam do roboty, bo mi się nie chciało. Jeśli będzie coś pilnego, to zadzwonią. W końcu i tak jestem na zwolnieniu. Łażę po mieszkaniu i łapię się na tym, że brak mi tutaj Tymona. Zrobiłabym mu herbaty na przykład. Albo przykryłabym go kocykiem, gdyby przysnął na kanapie.

Ciekawe, jak to będzie, kiedy Maciuś się pokaże. Albo Dominisia, oczywiście. Czy zajmie mi cały czas bez reszty, czy może przeciwnie, będzie mi brakowało kogoś, z kim mogłabym podzielić się dumą, szczęściem, zmęczeniem albo czymkolwiek.

Będą, oczywiście, mama i Mela, i Krzyś z Bartkiem. I nadęty tato kiedyś pewnie pęknie. Tylko czy to wystarczy?

Wtorek, 3 kwietnia

Precz z głupimi myślami.
Wróciłam do zajęć. Jubileusz nas goni.
Poza tym dostałam pożyczkę. Dzisiaj już nie dam rady jej wydać, umówiłam się z Krysią, matką dzieciom – wprawdzie dorosłym, ale kiedyś przecież były niemowlakami – jutro jedziemy do miasta na zakupy. Wieczorem zrobię spis, zgodnie z instrukcją z książki o niemowlakach.

Środa, 4 kwietnia

Boże, jakie to męczące!
Padłam jak kawka po powrocie do domu. Bartuś, dobre dziecko, przytaszczył mi wszystkie zakupy, łącznie z nowym łóżeczkiem dla kotusia, do mieszkania i zwalił na hałdę w kącie pokoju.
Jutro to rozpracuję, jutro!

Czwartek, 5 kwietnia

Moje dni pracy robią się coraz dłuższe, jak zawsze, kiedy przygotowujemy dużą transmisję. Tym razem robimy nie tylko transmisję, ale jeszcze na dodatek imprezę dla połowy miasta – w każdym razie chcielibyśmy, żeby była dla połowy miasta.
Dzisiaj mieliśmy spotkanie z facetami od żarcia. Krysia swoimi sposobami namówiła całe mnóstwo rozmaitych gastronomików, żeby poustawiali w dniu naszego jubileuszu stoiska na ulicy koło studia. Jak przyjdzie ludność obejrzeć sobie telewizję od środka, to od razu coś zje i popatrzy na występki artystyczne na scenie zamykającej ulicę.
Nigdy nie przypuszczałam, że będę się emocjonowała stoiskami ze smażoną kiełbasą.
Oczywiście na samym wstępie uwiodłyśmy z Krysią Henia z Duetu, żeby nam upiekł specjalny tort. Takie rzeczy Henio robi zawsze bez oporów i jest genialny. Trochę się tylko zastanawiał,

jak uzyska niebieski kolor, niezbędny do wykonania naszego logo na wierzchu, ale w końcu oświadczył, że wie, jak sobie z tym poradzi i możemy na niego liczyć.

Henia uwielbiam. A jednocześnie szkoda mi go. Gdyby mieszkał za jakąś zachodnią granicą, miałby już pewnie fabrykę wielkości Wedla. A w naszym, jakże pięknym mieście, jakże pięknym kraju biedny Henio stale walczy o przeżycie, wkładając masę energii w utrzymywanie się na powierzchni, kiedy powinien używać geniuszu, który posiada w dużych ilościach, do wymyślania coraz to nowych rodzajów ciastek i rozwijania interesu w nieskończoność.

Zawsze, kiedy idziemy do Henia coś omawiać, wychodzimy obżarci tymi jego ciastkami do nieprzytomności. Wpycha je nam do gęby i fałszywie twierdzi, że wcale nie tuczą.

Oraz nie uznaje tłumaczeń.

– Jak to nie zjesz? Zjesz, kochana Wiktorio, nawet nie poczujesz! A jeszcze i rodzinę można przecież poczęstować – proszę zapakować dla pań te rogaliki – i patrzcie, drogie panie, taką tartę robimy od niedawna, bardzo dobra, z owocami i galaretką, a ta, dla odróżnienia, z serem i galaretką, obydwu musicie skosztować...

I tak dalej. Więc jemy te ciacha i gadamy z Heniem o wszystkim, co nam przyjdzie do głowy.

Dokumentacje u Henia to jedna z jaśniejszych stron mojej ciężkiej pracy.

Oczywiście wróciłam do domu obładowana paczuszkami Heniowych ciasteczek, torcików, rogalików, tartoletek i diabli wiedzą czego jeszcze.

I bardzo dobrze się stało, bo pod lipą stała zielona vectra.

A pod drugą lipą stał Tymon i gapił się smętnie w siną dal, czyli w wylot mojej uliczki, na końcu której jedna złośliwa staruszka miała nadzwyczajnej piękności ogródek z krzewami, posadzonymi jeszcze w czasach nieboszczyka Hitlera. Nie wiem, czemu się tak na te krzaki gapił, bo jeszcze nie miały okazji błysnąć urodą tej wiosny. W ogóle wyglądał jak czterdziestoletnia wersja jednego z tych bajronicznych bohaterów żegnających świat dziecinnych urojeń.

Postawiłam samochód naprzeciwko vectry i wysiadłam. Tymon stracił swą bajroniczną postawę i twarz mu się wypogodziła.

– Co widzę – zagadnął. – Zakupy na najbliższe dwa tygodnie?
– Nie, to tylko ciasteczka od Henia. Patrz, jak dobrze, że mi je
wmusił, będę cię karmiła słodyczą. Długo czekasz? Dlaczego nie
dzwoniłeś?
– A wiesz, jakoś ostatnio mam komórkowstręt – powiedział
beztroskim tonem, przeczącym poprzedniemu marsowi na obli-
czu. – Tu się sympatycznie czeka, w tej twojej uliczce.
– Bo to sympatyczna uliczka. I w ogóle dzielniczka. Zostaje-
my tu na piknik, czy idziemy do domu?
– Piknik?
– Możemy usiąść na murku i zjeść po ciastku, chcesz?
– Nie zmarzniesz?
– Coś ty, jest ciepło. Wolisz rogalik czy tartoletkę?
– Rogalik poproszę.
Siedzieliśmy więc na murku i obżeraliśmy się ciastkami, dopó-
ki nie poczuliśmy, że natychmiast musimy zjeść kawałek kiełbasy
albo marynowane grzybki.
Wpuściłam go do kuchni z poleceniem odnalezienia grzybków
w occie i zrobienia dzbanka mocnej herbaty, a sama podzieliłam
resztę ciastek na dwie nierówne połowy (niech mi nikt nie mówi,
że połowy zawsze są równe: moja była wyraźnie mniejsza) i po-
szłam obdarować rodzinę.
Mamunia z Melą rzuciły się na mnie jak sępy na padlinę.
– Jest ten twój!
– No jest, widziałyście go?
– Czekał na ciebie z półtorej godziny. Już mu chciałam zapro-
ponować, żeby posiedział w domu, ale wyglądał jakoś tak nie-
przystępnie.
– Dobrze, mama, że się powstrzymałaś, bo mógłby się wystra-
szyć. Albo odnieść wrażenie, że rodzina jest wścibska i specjalnie
za nim wygląda. W końcu wasze wejście jest od drugiej ulicy!
– Zaraz od drugiej ulicy! Dom stoi na rogu i tyle. Przystojny jest!
– Też tak uważam.
– Nie myślałaś, że mógłby być świetnym ojcem dla twojego
dzidziusia?
– Tato byłby zachwycony, prawda?
– Nie bądź głupia. To nie chodzi o twojego ojca, tylko o ojca
dla tego maleństwa! A może ty uważasz...

317

– Mama, nie próbuj zgadywać, co ja uważam! Macie tu ciacha i przestańcie zajmować się mną! Zresztą ja muszę wracać do Tymona.

Tymon siedział nad grzybkami i herbatą i już zupełnie nie wyglądał bajronicznie. Przeciwnie, zbliżał się do czterdziestoletniej wersji pana Pickwicka przy kominku, z mnogością poduszek na kanapie zamiast kominka. Usiadłam sobie koło niego, wypiłam duszkiem filiżankę świetnej herbaty, bardzo gorzkiej, i zjadłam cztery grzybki z octu.

– No, już mi lepiej. Słuchaj Tymon, dlaczego czekałeś na mnie półtorej godziny na dworze?

– Rodzinka ci doniosła? Widziałem miłą panią w wieku jesiennym w okienku za firanką...

– Mamcia podglądała cię z łazienki! Coś takiego! Ale nie zmieniaj tematu. Kiedy tu zajechałam, miałeś minę, jakbyś się rozliczał z całym życiem. A teraz uśmiechasz się milusio, obłożyłeś się tymi poduszkami jak jaki sybaryta i masz minę kota, który zeżarł mielone na kotlety dla całej rodziny.

– Dla całej rodziny, to by się zgadzało. Ciastek było nieco za dużo. Ale pyszne, niewątpliwie.

– Tymon!

– No dobrze. Ja naprawdę rozliczałem się z życiem. Bardzo dobrze to się robi pod twoją lipą. Stałem sobie albo się przechadzałem, albo siedziałem na murku i myślałem. I cały czas podsumowywałem plusy oraz minusy. A kiedy przyjechałaś, właśnie kończyłem bilans. A teraz mam taką minę, jaką mam, bo jest mi dobrze na tej kanapie.

– Boże jedyny, ty bredzisz! Co cię naszło, żeby rozliczać się z życiem na naszym murku? Zamierzasz popełnić samobójstwo, czy co?

– W żadnym wypadku. Przeciwnie. Zamierzam żyć długo i szczęśliwie. Wiesz, właśnie wróciłem z sądu.

– Ach?

– Ach.

– Co ach?!

– Dostałem rozwód.

– Przecież Irena zapowiadała trudności!

– A nawet starała się je czynić. Tylko, widzisz, dałaś mi pewną taśmę...

– Widziałeś się z Ireną!

– Nie, kochanie. Widziałem się z sędzią Ignatowiczem. Ignasiem, jak go nazywacie ty i twoja przyjaciółka. Już kiedyś jedliśmy razem obiad i stąd wiem, gdzie pan sędzia zwykł chadzać na posiłki. Poszedłem tam i przypadkiem spotkałem pana sędziego. Po obiadku poszliśmy sobie razem do baru i porozmawialiśmy jak mężczyzna z mężczyzną. Dałem mu tę taśmę. Posłuchał jej sobie w domu i na drugi dzień zadzwonił do mnie. Powiedział, że jako dowód taśma by raczej nie mogła wystąpić, ale prywatnie on mnie całkowicie rozumie. I dzisiaj w sądzie, kiedy Irena zaczynała sztuczki pod tytułem „kochająca żona niesłusznie porzucona", pan sędzia po prostu oznajmił, że musi wziąć pod uwagę dobro dziecka, które ma się urodzić. Nasz związek z Ireną nie rokuje dobrze – powiedział – zwłaszcza jeżeli się weźmie pod uwagę długie lata, kiedy nie mieszkaliśmy razem. A zwłaszcza to, że Irena wymeldowała się z domu w Świnoujściu, a ja nigdy nie wmeldowałem się do domu w Szczecinie. To pozwoliło panu sędziemu dać wiarę mnie, a nie jej; mam na myśli sprawę tych głębokich małżeńskich uczuć. W ogóle kręcił jeszcze trochę w sposób niesłychanie uczony i prawniczy, ale ostatecznie wydał jedynie słuszny wyrok i od czterech godzin jestem człowiekiem wolnym.

– I to cię tak przygnębiło? Stąd ta mina pod lipą?

– Mina pod lipą wynikała z tego, że rozmyślanie nad całym życiem jest sprawą poważną.

– A do jakich wniosków doszedłeś?

– Że znowu jestem na rozdrożu. W połowie drogi mojego żywota pośród ciemnego znalazłem się lasu. No nie, tak źle nie jest, ale stanąłem trochę w martwym punkcie. Interesy nieco się zachwiały, dom będę musiał Irenie częściowo spłacić, w ogóle teraz zacznie się zabawa z podziałem majątku, a ona nie popuści. Wszystkie te ostatnie lata były takie trochę dziwne. Nie zauważyłem tego, bo zajmowałem się głównie pracą.

– Z wyjątkiem wakacji.

– Nie miewałem wakacji. Ale ponieważ ja tę swoją pracę lubię, to różne wyjazdy do Danii, nie do Danii, na Bornholm i w inne ładne miejsca traktowałem jak wakacje. W rezultacie zarobiłem się jak osioł, a życie sobie płynęło. I teraz sam nie wiem, czy coś mam, czy tak naprawdę nie mam niczego. Może właśnie ze strachu przed tym stanem podświadomie nie chciałem się rozwodzić.

– Żałujesz?

– Skądże. I nie sądź, że próbuję cię rozczulić. Jestem ci bardzo wdzięczny za to, że nie sprzeciwiałaś się, kiedy Irena uznała twoje dzieciątko za moje. Gdyby nie to, nie byłoby tak łatwo w sądzie ani tak szybko. Ale teraz, pamiętaj, nie jesteś do niczego zobowiązana. Będzie tak, jak sobie tego życzysz. Możemy na razie wcale o tym nie mówić.

Powiedział „dzieciątko". Ładnie. Tak czule. Szkoda, że to naprawdę nie jego, miałabym zastanawianie się z głowy.

Ale powiedział też, żebym nie czuła się zobowiązana. Dawno mi nie proponował małżeństwa. Prawdopodobnie teraz będzie wolał zażyć wolności. Bez koszmarnej Irenki na garbie. I bez świeżej żony z niemowlakiem, pieluchami, chorobami dziecięcymi oraz ambicjami dziennikarskimi.

No i dobrze. Ja też nie chcę wolności tracić. Dosyć mi jej zabierze niejaki Maciuś Sokołowski.

Piątek, 6 kwietnia

Zauważyłam w kalendarzu, że wczoraj było Ireny. Dostała rozwód na imieniny. Chyba jednak tak naprawdę chciała się rozwieść. Ciekawe, z kim sobie zamierza ułożyć życie, bo przecież mówiła o jakichś planach. A zresztą, pies z nią tańcował.

Powiadomiłam Ewę, że Tymon się zrobił do wzięcia. Ucieszyła się, ale zaraz przyznała, że dla niej już za późno. Właśnie ustalają z Maksiem szczegóły swojego dalszego życia.

Niedziela, 8 kwietnia

Gruba się zrobiłam jak beczka. Ale nie mogę być nieruchawa, bo mam dużo roboty. Pani profesor mówi, że to bardzo dobrze, pod warunkiem, żebym nie przedawkowała. Ale tak w ogóle to ona preferuje ruchliwy tryb życia dla swoich pacjentek.

Jeszcze trzy tygodnie.

Z książką specjalistyczną w ręce sprawdziłam stan posiadania kotusia. Ma wszystko. Łóżeczko, ten maminy kosz na bieliznę do spania w ogródku, mnóstwo bielizny pościelowej, beciki, kocyki, ubranka w ilościach przemysłowych dla malucha tuż po urodzeniu i na zapas, sterty pampersów w szafie, zastawę stołową (ściągacz pokarmu trochę mnie brzydzi, mam nadzieję, że dzidzia będzie jednak żarła mamusię bez protestu), kosmetyki, waciki, fiki-miki. Wszystko i jeszcze trochę.

Pediatra też jest. Bardzo przyjemnego doktora spotkałam w sobotę w programie Lalki, która incydentalnie robiła studyjną dyskusję o służbie zdrowia. Zadzwoniła do mnie z wiadomością, że ma dla mnie lekarza, tylko muszę przyjść do studia i się z nim dogadać. Wykorzystałam moment, kiedy przed rozpoczęciem nagrania poddawał się fachowym zabiegom naszej pudernicy Tereni. Siedział w fotelu, a ona matowiła mu zakola, nie mógł więc uciekać. Okazał się miłym i przytomnym człowiekiem, prezentującym rozsądne podejście do życia. Lalka przedstawiła mu mnie jako przyszłą mamuśkę i facet zgodził się objąć opieką to, co mi się urodzi.

– Mówi pani, że syn? Robiła pani badania?

– Robiłam, ale nie w tym kierunku. To, że będzie syn, to jest wiedza tajemna. Wiem i już. Nie wiem skąd, ale wiem.

– Rozumiem. W takim razie na pewno będzie syn. Lubi go pani?

W tym momencie polubiłam jego. Facet wie, co jest ważne w życiu. Pani profesor też o to pytała, tylko wtedy nie miałam pewności, co do odpowiedzi. Teraz już mi się pogląd skrystalizował.

– Lubię, panie doktorze. Mam nadzieję, że z wzajemnością.

– O to może się pani nie martwić. No to dobrze, z przyjemnością będę się opiekował młodym człowiekiem. To pierwsze?

– Pierwsze...

– W takim razie przestrzegam panią przed słuchaniem tego, co mówią różne kumy w szpitalu i wszędzie dookoła. I proszę brać poprawkę na to, co jest napisane w tak zwanych mądrych książkach, poradnikach młodej matki i tak dalej. Proszę niczego się nie bać i wszystko brać na rozum. Jak pani już wyjdzie ze szpitala, proszę do mnie zadzwonić, przyjadę do pani na kontrolę techniczną dzidziusia. Tu ma pani moją wizytówkę, będę do pani dyspozycji w dzień i w nocy.

– I pan tak zawsze? A sypia pan czasami?

– Czasami. – Zaśmiał się. – Ja nie potrzebuję dużo snu.

I poszedł do studia, bo już go wołali.

Obejrzałam ten program, siedząc w holu na kanapie dla gości. Naprawdę sensowny gość. Podobało mi się wszystko, co powiedział.

Schowałam jego wizytówkę i na wszelki wypadek od razu zapisałam kontakt w notesie. Oraz wbiłam sobie w komórkę. Wizytówkę się zgubi i co?

Środa, 11 kwietnia

Ewa i Maksio wyznaczyli datę ślubu na dwudziestego dziewiątego maja. Wtorek, głupi dzień. Ale cudny Maksio obchodzi właśnie imieniny, a w jego rodzinie przyjęło się, że ślub zawiera się w dniu własnych imienin. Taka fanaberia.

No dobrze, do dwudziestego dziewiątego maja dojdę już do ludzkiego wyglądu, a mam nadzieję, że i do kondycji. Oczywiście różowa sukienka druhny to był żart, ale będę musiała sobie coś ładnego sprawić. Na razie nie dopina się na mnie bluza, którą sobie kupiłam dwa tygodnie temu za ciężkie pieniądze. Będę ją nosiła rozpiętą.

I co tu się dziwić, że Tymon przestał mi się oświadczać.

Głupia babo! Przestań myśleć o Tymonie, myśl raczej o małym Maciusiu! I o programie, który masz zrobić za jedenaście dni, a który jeszcze kupy się nie trzyma. A po drodze mamy Wielkanoc, czyli znów kilka dni, kiedy nic nie będzie można zdziałać.

Na razie najpilniejsze jest zawiadomienie własnych licznych kolegów, jaki patent na nich znalazłam w tym programie. Wszystkich bowiem przedstawiamy, o każdym mówimy coś ciepłego, tylko niektórzy mają siedzieć przy stolikach, a inni udawać, że pracują w różnych montażach i takich tam... No i teraz już mam na to rozkład jazdy.

Chciałam namówić Maćka, żeby dał głos, kiedy będziemy pokazywać reżyserkę, ale odmówił stanowczo.

– Nie widzę możliwości, Wikuś. Weź pod uwagę, że będą nam nad głowami przelatywały tabuny tych wszystkich zwiedzających, a ja będę musiał cały czas realizować program. Nie wyobrażam sobie, jak mógłbym jednocześnie odpowiadać inteligentnie na pytania, rozmawiać z operatorami i miksować. To za dużo jak na mnie. Sama coś powiesz.

– Ja w ciebie wierzę, Maciek!

– Dziękuję ci bardzo, ale to mnie jednak przerasta. Weź sobie do towarzystwa inżyniera studia i razem o nas opowiecie. Słuchaj, à propos zwiedzających: zamierzamy ich wpuszczać na żywioł?

– Coś ty! Roznieśliby nam telewizję. Będą regularne wycieczki, po dwadzieścia osób.

– Ktoś będzie je oprowadzał, te wycieczki?

– Cała załoga. Krysia ma regularny grafik. Ci wszyscy, którzy aktualnie nie będą zajęci przy samym programie, zgodzili się oprowadzać gości. Jednocześnie w firmie ma prawo znaleźć się jakaś tam określona liczba tych wycieczek. Wchodzą jedną stroną, wychodzą drugą, a przewodnik przechodzi do wejścia i zabiera następnych. Mistrzostwo świata, jeżeli chodzi o organizację.

– Bardzo dobrze. To znaczy, że my możemy się skupić na swojej robocie.

– Tak jest, szefie. Będziemy się skupiać.

– A jak dzidziuś? Wytrzymasz do programu?

– Oczywiście. Termin mam dziesięć dni później. Wszystko jest w tej chwili w porządku.

– Kopie cię?

– Troszeczkę. To spokojny facecik, ten mój dzidziuś.

Czwartek, 12 kwietnia

Zaczęło się.

Wiedziałam, że jak tylko zacznę zawiadamiać kolegów, jak ich rozplanowałam w programie, zrobi się bója. No i się zrobiła. Mniejsza już o pretensje, że dałam za mało czasu, aby można było opowiedzieć o swoich wybitnych osiągnięciach. Z tymi załatwiałam się krótko.

– To nie ma być akademia ku czci, tylko show – powiadamiałam sucho. – Jak zaczniemy opowiadać wszyscy życiorysy, to widzowie się przełączą na kreskówki. Zresztą głupio jest samemu się chwalić. W tym programie gadają głównie prezenterzy, ale o was.

Wy macie się tylko ładnie uśmiechać, ewentualnie coś miło, krótko i dowcipnie odpowiedzieć. Żadnych historii twórczości! Mnie tu na osobę wypada niecała minuta i powinniście to zrozumieć.

Przeważnie rozumieli. W końcu też w tym robią.

Jedno małżeństwo natomiast oświadczyło, że nie życzy sobie występować razem.

– Dlaczego, na litość boską?

– A dlaczego nas zaplanowałaś przy montażu „Perwersji i kontrowersji" razem? Borys tego nie robi! To mój program!

– Przecież ci robi felietony do tych „Perwersji".

– Ale program jest mój! On robi co innego! Ja nie chcę z nim razem!

– Klaudia, zlituj się! W każdym montażu planowałam dwójkę dziennikarzy, jedno małżeństwo już jest obok was na montażu cyfrowym zaplanowane i nie ma pretensji, a wy coś wymyślacie! Poza tym wszystkie nasze pary są razem! Zrozum, taka koncepcja daje mi oszczędność czasu, bardzo poważną! A mnie jest potrzebna każda sekunda.

– Posadź Borysa w studiu!

– W studiu już mam tłok. Przy każdym stoliku mogą siedzieć trzy osoby, bo prezenter musi mieć szansę, żeby się do nich dosiąść i coś tam o nich powiedzieć. Wszystko jest przemyślane.

– Borys nie robi „Perwersji"! Dlaczego ma być przy montażu?

– To nie ma znaczenia, Klaudia... Powiemy o tobie, że robisz „Perwersje", a o nim, że robi ten swój magazyn graniczny. Powiemy ludziom, że jesteście małżeństwem i współpracujecie. Przecież naprawdę sporo robicie razem. A ludzie nie zawsze wiedzą, że jesteście mężem i żoną, bo macie różne nazwiska. To będzie miła ciekawostka. Możecie wziąć córeczkę, pokażecie dziecko telewizyjne.

– Ja nie chcę z Borysem! Nie wystąpię z Borysem! I bez żadnych dzieci! Tylko z montażystą. Aha, dlaczego z Mateuszem? Przecież Mateusz nie robi „Perwersji", Konrad robi wszystko z nami!

– Ale Konrad robi też od dziesięciu lat cykle wiejskie z Ewą! I chcemy, żeby oni byli razem, ci wszyscy specjaliści od wsi. Konrada ci nie rozdwoję! A Mateusza też czasem używasz, nie gadaj!

Wiedziałam, że Mateusz z Klaudią czasem montuje, bo opowiadał mi różne pocieszne historyjki z tych montaży.

– Ale z Borysem nie wystąpię!

Zaparłam się, ale Borysek poleciał do Kazubka, po czym zostałam wezwana na dyrektorski dywanik i otrzymałam polecenie służbowe. Zastanawiałam się, czy warto się upierać i doszłam do wniosku, że nie.

Scenografka załamała ręce.

– Gdzie ja ci wstawię dodatkowe krzesło, Wikuś? Tam i tak nie ma się gdzie ruszyć, operatorzy się pozabijają, jak będą przechodzić od stolika do stolika...

– Nie wiem, gdzie. Wykombinuj coś, bo mnie Borysy zagryzą. Z Karolem na spółkę.

– Karolem Ka?

– Niestety. Klaudyna nie chce się pokazywać publicznie z własnym mężem i ja to muszę uwzględnić, bo on ma chody u dyrektora programowego. Koniec, kropka.

– No to zrobię to dla ciebie.

– Kochana jesteś.

Ostatecznie jutro wywiesimy na tablicach ogłoszeń plan sytuacyjny studia i piętra produkcyjnego, z dokładnie rozmieszczonymi stanowiskami dla wszystkich świętych. I dopiszę się, że po piętnastym kwietnia reklamacje nie będą uwzględniane.

Piątek, 13 kwietnia

Wielki Piątek. Chodzi za mną kaczka z jabłkami, ale w największy post nie wypada. Upiekę kaczusię w poniedziałek. Miałam zgryz, jak się umówić z Tymonem, ale sprawa sama się rozwiązała.

Przyszła Mela. Po wstępnych troskach o to, jak ja się czuję i czy dzidzia aby kopie (ostatnio kopie; zapewne czeka go świetlana przyszłość w osiedlowej drużynie piłkarskiej), moja ukochana siostrzyczka powiedziała po prostu:

– Wicia, ty posłuchaj, może byś zaprosiła na święta do nas tego twojego? Ty już raczej nie powinnaś się ruszać ze Szczecina, zawsze lepiej rodzić w klinice u znajomej doktórki.

– Profesórki.

– Profesórki. No więc wracając do tematu, święta poza rodziną nie są prawdziwe. Zaproś go. Gdyby rodzice byli, nigdy bym ci tego nie zaproponowała, ale ich nie ma. Zaproś go.

Faktem jest, że święta powinno się spędzać w rodzinie. Od małego tak się przyzwyczaiłam. I tak zawsze było, zbieraliśmy się wszyscy przy największym stole w jadalni, czasem jeszcze przyjeżdżały różne pociotki, im więcej, tym weselej. Kiedyś było nas na Wigilii dwadzieścia jeden osób. Samo rozdawanie prezentów trwało godzinę, a że czasy były niekapitalistyczne, wymyślność podarków przechodziła ludzkie pojęcie. Dostałam wtedy potwornej wielkości i dużej brzydoty zieloną pluszową żabę na szczęście od kuzyna z Wrocławia, a od jego małej córeczki korale z makaronu. Tenże kuzyn, człowiek mikrej postury, spał wtedy w wannie, bo już nic innego dla niego nie zostało. Bardzo to sobie zresztą chwalił, bo kiedy go zaczynało suszyć, po prostu podstawiał głowę pod kran i zaspokajał ataki pragnienia.

– Coś w tym jest – odpowiedziałam Amelii. – Można by zaryzykować.

Kiedy wyszła, zadzwoniłam do Tymona.

– Słuchaj, nie pomyśleliśmy o świętach!

– Wiem. Dotarło to do mnie dzisiaj rano, kiedy spotkałem sąsiadkę z koszem jajek. Zaraz coś wymyślimy.

– Masz zaproszenie do mojej rodziny.

– Od mamusi czy od tatusia?

– Mamusia i tatuś pojechali w Alpy szusować na lodowcu. Będzie tylko rodzina mojej siostry, to znaczy jej mąż, którego bardzo lubię, bo ma dobrze w głowie, jej syn, którego też bardzo lubię z tej samej przyczyny. Poznałeś go. Przynosił nam dyktafon. I kable. Moja rodzina jest zdania, że nie powinnam wyjeżdżać już ze Szczecina. Wiesz, niedługo rodzę, nie wszystko przecież było w porządku, a Krzysiek jest lekarzem, jakby co, pomoże, chociaż ortopeda. Poza tym klinika blisko, pogotowie, te rzeczy. Też bym chyba wolała nie ryzykować. Możemy, oczywiście, pobyć u mnie we dwoje, ale oni naprawdę są mili.

– A twoja rodzina każe chodzić na rezurekcje o szóstej rano?

– Chyba oszalałeś. U nas śniadanko wielkanocne jest nie wcześniej niż o pierwszej, przedtem wszyscy są kompletnie nie do życia.

– No wiesz, ja tam umiem wcześnie wstawać...

– Każdy głupi umie. Ja też. Pytanie, czy lubisz?

– Tylko kiedy wychodzę w morze!

– No to przyjedź. Tutaj nikt ci krzywdy nie zrobi. Zagrasz w pokera z moją rodziną?

– Na pieniądze?

– Niekoniecznie. Stosujemy też zapłatę w naturze. Jakieś świadczenia, takie tam... Widzę, że masz ochotę?

– Nabieram, nabieram. Kiedy mam przyjechać?

– Możesz nawet dzisiaj. Będziemy malować jajka! Tylko dzwoń od frontu, ja będę nie u siebie, a u Krzyśków, czyli u Melków.

– Dobrze. Przyjadę pod wieczór. Powiedz rodzinie, że jest mi bardzo przyjemnie.

Przyjechał parę minut po siódmej i zastał nas przy tym malowaniu jajek. Tradycyjnie cała rodzina przerywała swoje normalne zajęcia i dawała się ponieść zamiłowaniu do tradycji. Teraz też tak było. Bartek wprowadził Tymona do kuchni i zaanonsował:

– Panie i panowie, gość do państwa.

Przerwaliśmy na chwilę ulubione zajęcie, aby dokonać wzajemnej prezentacji oraz odebrać od gościa sporą torbę, z której wydobywał się upojny zapach.

– Węgorze! – Krzyś pociągnął nosem, a wyraz błogości rozlał się na jego twarzy. – Dużo! – Zważył w ręce torbę.

– Nie tylko. Takie różności z zaprzyjaźnionej przetwórni, robione dla rodziny i przyjaciół, nie na sprzedaż. A tu jeszcze trochę alkoholi, oczywiście wolnocłowych. – Tymon wyciągał z drugiej torby kilka butelek wina i koniaku.

Zastanawiałam się, co z nim teraz zrobić, kawy mu dawać po podróży czy proponować łazienkę, ale ubiegł mnie Bartek:

– To ja proponuję, żeby pan się przyłączył do nas. To jest nasza tradycja rodzinna, żeby każdy wykonał chociaż jedną pisankę. Techniką dowolną.

– Trochę mnie to onieśmiela. – Tymon spojrzał niepewnie na nasz warsztat pracy. – To są wydmuszki?

– Skądże, każde jajko uczciwe, może pan zjeść. Na twardo.

– Może byś coś zjadł? – oprzytomniałam.

– Może piwka? – zaproponował życzliwie mój szwagier.

– Piwka – powiedział Tymon. – Bardzo chętnie. Może po piwku coś wymaluję.

– To dla nas otwórzcie to francuskie wino – zażądałam.

– To będzie na niedzielę, do śniadania! – zaprotestowała Mela.

– A czy ja wiem, może do niedzieli już urodzę i mnie ominie? Poza tym w święta będzie dużo dobrych rzeczy, dzisiaj nam będzie lepiej smakować. Bartek, otwieraj!

Bartek pootwierał i ponalewał, wypiliśmy (ja ostrożnie) i przystąpiliśmy do kontynuowania zajęć praktycznych, przy czym każde z nas stosowało swoją ulubioną technikę. Najbardziej ambitna Mela nanosiła woskowe wzory na nieufarbowane jeszcze jajko. Zamierzała to potem zanurzyć w farbie, a jeszcze potem zdrapywać igłą te wszystkie kwiatki, które wyrysowała. Zawsze była z niej pracoholiczka. Ja stosowałam aplikacje z włóczki przyklejanej na kolorowych jajkach. O wiele łatwiejsze. Krzysio skrobał jajka skalpelem, uzyskując wzory o wysokim stopniu abstrakcji. Bartek poszedł na haniebną łatwiznę i kupił kalkomanie. Teraz jednak wydały mu się nudne, wobec czego dopisywał ponaklejanym już kaczorkom hasła w dymkach. Tymon zdecydował się na malowanie wzorów pisakami, przy czym okazało się, że posiada duży talent plastyczny. Na czterech jajkach zobaczyliśmy z zachwytem karykatury całej rodziny.

– Jak żywe – zachwyciła się Mela. – Panie Tymonie... ach, kurczę blade, Tymon, ty masz prawdziwe zdolności! Czy ja mogę ci mówić po imieniu? Z wzajemnością, oczywiście.

– Bardzo mi będzie miło – powiedział Tymon i wykonał ukłon numer jeden.

– To ja też – podłączył się Krzyś i machnął skalpelem w stronę artysty. – To znaczy, ja też gratuluję talentu i chcę być z tobą po imieniu. Skąd to umiesz?

– A bo ja wiem? Zabawiałem się tym na lekcjach, a potem na wykładach, jak wykładowca za bardzo przynudzał.

– On jest w ogóle zdolny – wtrąciłam. – Bardzo ładnie fotografuje. Prawdziwe dzieła sztuki.

– Pan gdzieś wystawia? – zapytał Bartek, akcentując słowo „pan". Roześmieliśmy się wszyscy.

– Mam na imię Tymon – powiedział do niego Tymon. – Nie wystawiam. Tak się bawię.

Atmosfera zrobiła się zupełnie taka, jakby Tymon znał nas wszystkich od stu lat. I dalej tak już było.

Niech żyją alpejskie lodowce i ci wszyscy faceci, którzy pobudowali tam trasy narciarskie z wyciągami!

Poniedziałek, 16 kwietnia

Przez całe święta tak było, jak w ten Wielki Piątek przy pisankach. Tymon się przyjął. Bałam się, że rodzinka zacznie coś napomykać o zakładaniu przez nas stadła, ale, chwalić Boga, powstrzymali się od różnych niestosownych pogaduszek.

W pokera Tymon ogrywał nas, jak chciał. Podobnie było z brydżem, bo w końcu poker nam się znudził, a samochód Tymona lśnił jak zorza (Krzyś i Bartek umyli go na spółkę, uważając, żeby sąsiadki nie dostrzegły, co też oni robią w takie święta). W końcu brydż też zaczął mnie lekko nudzić i jako partnerka mojego ukochanego mężczyzny, zaczęłam robić różne głupoty, żeby sprawdzić po pierwsze, jak przyjmuje przegraną (nie przez siebie spowodowaną, ale zawsze), po drugie zaś ciekawiło mnie, jak zareaguje na partnerkę kretynkę, która pasuje, kiedy on mówi dwa bez atu.

Przegraną przyjmował z wdziękiem, a partnerkę kretynkę, niestety, rozszyfrował.

Powiedział mi o tym po dzisiejszym obiedzie, kiedy poszliśmy na moją górkę wypić kawę we dwoje w oknie z widokiem na lipę. Zrobił tę kawę, co mi się słusznie należało, ponieważ ja upiekłam dwie kaczki na obiad i była to potworna mordęga, bo zapomniałam na śmierć, dlaczego u nas w domu od dawna nie robiło się kaczki. Kaczka mianowicie jest pypciata. A co dopiero dwie kaczki! Zanim potraktowałam je, jak należy, ziółkami, zanim napchałam w środek kwaśnych jabłek, wszystkie te cholerne pypcie wyciągałam własną świętą pincetką do brwi!

No więc teraz rozwalałam się na kanapie z nóżkami na poduszkach, a Tymon koło mnie latał z kawą i ciastem świątecznym. W końcu postawił przede mną wszystko, co miał postawić, i rozsiadł się wygodnie.

– A teraz powiedz, dlaczego grałaś jak noga? – zapytał, nalewając mi śmietankę do kawy.

– Ja tak gram – zełgałam bezczelnie. – Wiem, że kiepsko...

– Wikuś, kochana moja – tu objął mnie czule i popatrzył mi w oczy w ten swój sposób, który zawsze sprawiał, że miękły mi kolana – tak źle nie można grać. Trzeba by było mieć ujemny iloraz inteligencji. Chciałaś zobaczyć, jak przegrywam?

– Tak, kochanie – powiedziałam posłusznie. – I jeszcze chciałam zobaczyć, jak mnie będziesz traktował, kiedy okaże się, że jestem w istocie kretynką.

– Gdybyś naprawdę była kretynką – powiedział z zastanowieniem – to za taki numer, wiesz, z tym pasowaniem, powinienem był cię zabić. Ale ty, niestety, oszukujesz... I teraz za to zapłacisz.

Wtorek, 17 kwietnia

Pojechał wczoraj wieczorem, a dzisiaj rodzina ściągnęła mnie na śniadanie, bo jak zwykle mnóstwo żarcia zostało i teraz trzeba się było rodzinnie zmobilizować, żeby się to wszystko nie zmarnowało.

Tematem numer jeden miał być oczywiście Tymon, ale natychmiast zapowiedziałam rodzinie, że o nim – proszę bardzo, o nas – nie ma mowy. Ogólnie bardzo im się podobał.

Mnie się też podoba, więc się im wcale nie dziwię.

W firmie zaczyna się kocioł. Krysia lata jak szalona, telefonuje na dwie ręce i przewala po biurku kupy papierów, które z szybkością światła wyrzuca z siebie jej drukarka. Ewa, która cały czas boi się, że urodzę przedwcześnie i cały ten jubileuszowy nabój zostawię na jej głowie, niebogatej w doświadczenia transmisyjne, biega za mną i usiłuje śledzić, co ja robię i w jakiej sprawie. Maciek zachowuje kamienny spokój, tylko czasami przyprawia o atak serca kolegów z techniki, śledząc postępy w przygotowaniach do transmisji i wynajdując różne, jak sam to nazywa, miny.

A ja po raz setny przeglądam punkt po punkcie scenariusz, sprawdzam, czy wszyscy zainteresowani wiedzą dokładnie, kiedy w jakim miejscu firmy mają się znaleźć, żeby można było ich zaprezentować kochanym telewidzom. Na szczęście poza Borysami nikt nie zgłaszał reklamacji. Niemniej dzwonię do wszystkich, czasami po kilka razy, uzgadniam i stawiam ptaszki...

Niedługo zwariuję.

Zwariuję!

Dzidzia, będziesz mieć matkę wariatkę!!!

Środa, 18 kwietnia

Klaudia jednak przylazła z reklamacją.

– Słuchaj, Wika – powiedziała z miną wyniosłą. – Widziałam wczoraj zajawkę jubileuszową. To ty robiłaś, prawda?

– Ja – odparłam krótko, bo mnie ogarnęły złe przeczucia.

– Dlaczego umieściłaś tam tylko moje „Perwersje" i „Granicę" Borysa, przecież my robimy o wiele więcej programów!

– Klaudynko kochana, każdy tu robi wiele programów, a zajawka ma swoje półtorej minuty i ani sekundy więcej. To i tak jest najdłuższa zajawka nowoczesnej Europy. Nie mogłam uwzględnić wszystkich.

– Ale Ewie uwzględniłaś dwa programy!

– Wam też dwa...

– Ale nas jest dwoje! Ja rozumiem, że Ewa jest twoją koleżanką, ale mogłabyś się powstrzymać...

– Słuchaj, Klaudyna, ja robię trzy cykle i nie reklamuję ani jednego. Wzięłam te czołówki, które się ładnie montowały i stwarzały jakąś rozmaitość. Wasze czołówki nie różnią się od siebie prawie niczym oprócz tytułów.

– To dlaczego nie wzięłaś swoich? Twoje są różne! Żeby dać miejsce Ewie?

– Żeby uniknąć takich głupich dyskusji jak ta! Niestety, widzę, że mi się nie udało!

– W takim razie bądź uprzejma wymontować obydwie tamte czołówki i na ich miejsce włóż Borysa „Raport z miasta" i moje „Bliżej życia". Nam bardziej zależy na reklamie tych programów.

– Chyba żartujesz. Niczego nie będę przemontowywać, nie mam czasu. Ani ochoty zresztą. Przecież sama wiesz, ile to roboty. Musiałabym praktycznie od nowa zrobić całą reklamówkę, wgrać nowego lektora i od nowa zrobić dźwięk. Nie ma takiej możliwości.

– Chyba zdanie autora się liczy? W końcu to nas reklamujesz!

– Mylisz się. Reklamuję stację, a nie prywatnych ludzi. A co do zawartości reklamówki, to nie masz co latać do Karola, bo on wie, co jest w środku. Sam to akceptował. A jeżeli chodzi o was, to nawet proponował. Możemy najwyżej zmienić koncepcję twojego wejścia w programie. Jeśli chcesz, możesz się pokazać przy montażu „Bliżej życia", a „Perwersje" tylko wymienimy w rozmowie.

– To ty nie pokażesz w programie jubileuszowym fragmentów naszych audycji?

– Zlituj się, kiedy?

– Autor powinien być pokazany na tle własnych programów! Znudziło mi się to bicie piany.

– Klodzia – powiedziałam, bo wiedziałam, że nie znosi tego ohydnego zdrobnienia. – Weź scenariusz, macie go w poczcie wszyscy, wysłałam go wam w zeszłym tygodniu z prośbą o uwagi. I policz minuty, a zwłaszcza sekundy. Jak znajdziesz miejsce na pokazanie kawałków produkcji wszystkich nas, bo przecież ciebie jednej nie będziemy wyróżniać, to mi powiedz. Wtedy przerobię cały scenariusz, masz na to moje słowo. A teraz wybacz, mam co robić, a my tu gadamy o niczym.

Wytrzeszczyła na mnie oczy, co miało świadczyć o głębokim potępieniu.

– Coś podobnego! Niektórzy uważają, że mają patent na mądrość!

Zawinęła się i poszła. Obrażona.

Niech żyje prawdziwy profesjonalizm!

Piątek, 20 kwietnia

Kończymy przygotowania. Jutro ostatnie odprawy. Padam z nóg, a jak już padnę, śnią mi się kamery, scenografia, konsolety i mikrofony.

Sobota, 21 kwietnia

Jesteśmy gotowi i pozapinani na wszystkie guziki.

O trzeciej po południu zebraliśmy się na ostatnią, najważniejszą odprawę – realizacja, kierownictwo produkcji, prezenterzy (oczywiście z obstawą), no i redakcja, czyli Ewka i ja.

Gdyby nas obserwował ktoś, kto nas nie zna, uznałby pewnie, że zbrodnią jest dawać takie pieniądze (program kosztuje!) takiej gromadzie szajbusów.

Przepadam za tymi odprawami, zwłaszcza jeżeli bierze w nich udział Marta. Tym razem wystąpiła w doborowym towarzystwie – z Elką, Michałem i jeszcze jednym moim ulubionym prezenterem, Jędrzejem, człowiekiem, który został stworzony przez dobrego Boga wyłącznie na użytek telewizji. Jędruś jest dżentelmenem w każdym calu, wszystkie możliwe tajniki zawodu ma w małym palcu i w dodatku prezentuje duży wdzięk. Innego typu niż ta cała zwariowana reszta. Jędruś jest pozornie chłodny, a nawet zimny jak lód. To pozory. Tak naprawdę jest wrażliwy, subtelny i delikatny. Ale gdzie miejsce w telewizji na wrażliwość, subtelność i delikatność? Toteż Jędruś się maskuje. Ale nie ze mną te numery, znam go od lat i wiem, co ma w środku.

Oczywiście, zaplanowaliśmy Jędrusia do wywiadów w studiu. Nie śmiałabym zagonić go do latania po piętrach, a do wrzeszczenia na ulicy nie pasuje. Do wrzeszczenia na ulicy mam Michałka.

Teraz siedzieli z nami wszyscy czworo i przeglądali scenariusz. Dam sobie głowę uciąć, że widzieli go pierwszy raz w życiu, chociaż dostali do łapy tydzień temu.

– Czy ja mam wystąpić w towarzystwie moich loków, które wiszą w szafie? – zapytała Martusia. – Planujesz nas w wersji wytwornej czy na wesoło?

– Wytwornie wesoło. Macie emanować niewymuszoną pogodą ducha i ukrytą głęboko radością życia. Jednocześnie absolutny Wersal.

– Za dużo wymagasz – jęknął Michałek. – Albo ci będę emanował, albo Wersal. Zdecyduj się.

– Ja mogę emanować, to dla mnie drobiazg – powiedział niedbale Jędruś. – A jak mam się ubrać na tę okazję?

– Wytwornie, to na pewno. Nie w sznycie pogrzebowym, tylko przedpołudniowo. Mogą być drobne ekstrawagancje.

– A moje loki? – Marta chciała wiedzieć dokładnie.

– Loki, oczywiście, tak, jak najbardziej. Zdejmij z haka już dzisiaj i przewietrz.

– No, kochani – Maciek, jak zwykle, dążył do uporządkowania sytuacji – proszę wziąć w łapki scenariusze i lecimy od pierwszego wejścia. Obstawa wie, kogo obstawia?

– Wie. Marta z Tomkiem, Ela z Wiesiem, Jędrek z Bartkiem, Michała pilnuje Krysia.

Polecieliśmy ze scenariuszem od początku. Pierwsze wejścia, studio wita, ulica wita, scena rusza, Elka w newsroomie i Martusia z ekipą filmową.

– Ja nie wiem, jak to będzie w tym newsroomie – kręciła głową Ela. – Ileś ty na to zaplanowała? Dwie minuty? A jak się na mnie te wszystkie harpie rzucą...

– Nie dwie, tylko półtorej. I nie ma pogaduszek z redaktorkami. Jedna z tobą gada, a reszta mile się uśmiecha i kiwa główką. I tak na nich jest bardzo dużo, bo jeszcze Marta pokazuje ekipę filmową w akcji, a ty idziesz w tym czasie do pokoju wydawców, potem jeszcze Marta w ich montażu, wystarczy.

– Wicia, a jak ja mam tę ekipę pokazać? – zainteresowała się Marta. – Na ulicę za nimi polecę? Nie zdążę wtedy na następne wejście!

– Spokojnie. Oni nie będą stali na ulicy, tylko w korytarzu, a pan reporter, nie wiem, który...

– Filipek będzie – wtrąciła Krysia.

– Filipek. No więc on będzie robił stendapa i opowiadał, że jest jubileusz, że gości przyjmujemy, takie tam. A ty masz powiedzieć ludziom, co on robi i do czego mu służą ci trzej faceci za kamerą. Proste?

– Proste. Ale nudne.

– To wymyśl coś ciekawego! Ubarw to!

– Wika, uważaj na nią, bo jak ona ci ubarwi – ostrzegawczo powiedział Maciek. – Wiesz, że jest zdolna do wszystkiego!

– Rzuć mu się znienacka na szyję – zaproponował Jędruś. – W ramach ubarwiania.

– Na szyję? Nie, na szyję nie... Już wiem, złapię go za tyłek! Słuchajcie, co mi Filip zrobi, jak go złapię za tyłek?

– Złapie cię za loki! – ucieszyła się Ela. – I zostaniesz łysa!

– Ucieszy się – mruknął Maciek – i straci wątek. Jedziemy dalej!

W przyjemnej atmosferze narada, przerywana co chwila wybuchami śmiechu (inwencja Marty nie miała granic!) skończyła się około siódmej wieczór.

– Ale nas skatowałaś – krzywił się Jędruś. – Ja nie wiem, czy będę miał jutro siły do pracy!

– Idź od razu spać – poradziła mu Krysia.

– Tylko zrób sobie maseczkę piękności do kąpieli – dorzuciła

Marta. – Ty, Michał, też. Musimy być śliczni, bo nas Wika z pracy wyrzuci i więcej nie da zarobić!

– Teraz też nie dam wam zarobić – powiedziałam lekko. – Nie wiecie jeszcze, że praca ze mną jest nieopłacalna?

– Ale przynajmniej bywa śmiesznie – oznajmił Michał, który jest młodym entuzjastą zawodu. – Ja tam z tobą lubię, Wika. Zarobię sobie gdzie indziej.

– Dziękuję ci, kochany Michałku. Jesteś słodki. A Marta jest interesowna harpia.

– Ja też jestem interesowna harpia – mruknął Jędruś. – Wiecie, ile byśmy za takie prowadzenie zarobili w ogiepie?

– A z dziesięć razy tyle – rzuciła wesoło Martusia. – Wiem, bo prowadziłam. Zapomnij, Jędrek. Jutro jesteśmy harcerze.

I trąbiąc przez nos jakiś okropny harcerski sygnał, poszła sobie, machając nam jeszcze ręką na pożegnanie.

Ewa, również obecna na odprawie, bo w razie czego miała przejąć moją fuchę, podrapała się w głowę i poprosiła:

– Wika, zrób to dla koleżanki, nie rozkracz się jutro.

– Nic się nie martw – odpowiedziałam jej beztrosko. – Nawet jeżeli padnę na posterunku, to to wszystko już będzie się samo pasło!

Niedziela, 22 kwietnia

Program miał się zacząć równo w południe, ale już od dziewiątej rano przelatywałyśmy z Krysią ulicę i korytarze naszej firmy, sprawdzając wszystkie miejsca, które miały się stać naszymi planami zdjęciowymi. Co chwila wpadałyśmy przy tym na Szymona, ganiającego tą samą trasą w towarzystwie kilku swoich ludzi, sprawdzających, czy wszystko się świeci należycie i czy kamery nie będą miały za ciemno. Ganiał też Maciek z operatorami, pokazując im plany i udzielając wszelkich wyjaśnień. Ganiał Marcin w obstawie dwóch techników z kablami i mikrofonami. W studiu ganiała z maszynistami scenografka, pilnując ustawiania sceny i urządzania kawiarenki dla gości. W podziemiach ganiały rozmaite osoby przysłane przez zaprzyjaźnioną restauratorkę, szykując zaplecze gastronomiczne dla załogi, czyli możliwości wypicia kawy i zjedzenia kanapki w przerwie między częściami programu.

Ganiało jeszcze tysiąc osób i załatwiało tysiąc spraw jednocześnie.

O jedenastej czterdzieści ulica zapchana była stoiskami z żarciem, na scenie, ustawionej u wylotu ulicy, trwały ostatnie przygotowania do występów artystycznych, na schodach przed firmą kłębił się tłum szczecinian spragnionych zobaczenia telewizji od wewnątrz, ochrona za drzwiami miała oczy na słupkach, bo nikt się nie spodziewał takich dzikich tłumów, przewodnicy wycieczek szykowali sobie zgrabne teksty o tym, jaki to u nas Hollywood.

Maciek zapędził już wszystkich na stanowiska. Ja jeszcze biegałam po korytarzu na piętrze, sprawdzając, czy wszyscy koledzy przewidziani do pokazania „przy pracy" siedzą tam, gdzie powinna ich zastać kamera. Krysia oblatywała w kółko ulicę i scenę. Bartek odhaczał ludzi przy stolikach w studiu, porównując ze scenariuszem. Byli wszyscy. Na scenie rozgrzewał się do grania zespół jazzowy.

Za dziesięć dwunasta dopadł mnie zdyszany Filip.

– Wicia, chcesz dwieście motocykli, żeby ci przejechały ulicą?

– Jasne, a skąd masz dwieście motocykli?!

– Dzisiaj jest w Szczecinie zjazd junaków! Do tego dochodzą harleyowcy i różni sympatycy na japońcach! O której ich chcesz? Mam ich na telefonie, mów szybko!

Zajrzałam do scenariusza. O dwunastej dwadzieścia osiem mamy z ulicy tylko scenę. Minuta. Można wywalić scenę, a dać motory. I skrócę jazz o piętnaście sekund.

– Filipku, dwunasta dwadzieścia osiem mają przejechać. Od dwunastej dwadzieścia niech czekają za rogiem, wystartuje ich ktoś z naszych ludzi. Weź od nich namiar i daj Krysi, niech od razu skontaktują się z nią telefonicznie!

Za pięć dwunasta wpadłam do przedsionka reżyserki i oniemiałam. Przedsionek, zazwyczaj pusty, zapchany był ludźmi. W pierwszej chwili pomyślałam, że ktoś wpuścił tu przedwcześnie jakąś wycieczkę, ale okazało się, że to sami nasi. Pracownicy biurowi, nie produkcyjni. Oblegali szybę, za którą widać było całą reżyserkę.

W środku, na parapecie tego okna za naszymi plecami, też przycupnęło mnóstwo ludzi.

– Ale tu kocioł – rzuciłam do Maćka, siadając obok niego.

– Wielu z nich pierwszy raz zobaczy, jak się robi program – powiedział Maciek. – Dwójeczko, rozszerz i pokaż cały newsroom. Dobrze. Ale zaczniesz od Eli przy biurku redaktorki. Piątka, kran, nie chcę tego, zapomnij. Ajajaj, Pawełku, dobrze kombinujesz, dobrze... Ach, toczone ma te nóżki!

W reżyserce zabrzmiał chóralny pomruk aprobaty męskiej części personelu. Paweł ze smakiem jechał kamerą po nogach szczególnie urodziwej jazzmanki, podjechał wyżej i zajrzał jej w dekolt, który miała, owszem, pokazowy.

– Za minutę antena – przypomniałam, patrząc na zegar.

– Uwaga, koledzy – powiedział Maciek operatorom prosto w uszy. – Proszę już zostać na tych planach, od których zaczynacie. Za chwilę wchodzimy. Michał, słyszysz mnie dobrze?

Michał na ulicy, na tle setek ludzi szturmujących schody, kiwnął głową.

– Marta, Ela, Jędrek, wszyscy mnie słyszycie?

Potrójne kiwnięcie głowami na trzech monitorach. Tych monitorów jest przed nami zresztą dużo więcej i zawsze podziwiam Maćka za umiejętność widzenia jednocześnie, co się dzieje na sześciu albo ośmiu. Samych kamerowych, a jeszcze jest kilka, na które trzeba patrzeć, chociażby ten z anteną.

– Uwaga, Warszawa kończy, wchodzimy.

Program warszawski się skończył, weszliśmy z sygnałem naszej stacji. Po czym na ekranie oznaczonym literami pgm, program, pojawił się Michał.

– Michał, jesteś!

– Dzień dobry państwu! – ryknął Michałek, który już od jakiegoś czasu się napędzał, żeby wejść na antenę z pożądanym wigorem. – Witamy w dniu naszego święta, naszego jubileuszu...

– Uwaga, studio, dziewczyny, grać!

– Na ulicy przed studiem zebrał się wielki tłum szczecinian, którzy chcą dzisiaj zobaczyć swoją telewizję od wewnątrz, właśnie otwarły się drzwi, które pozostaną dla państwa otwarte do wieczora...

– Jedynka, jedź po tej ulicy, pokaż scenę!

– Na ulicy mnóstwo stoisk z pysznościami, jest też scena...

– Dojedź do tych panienek!

– Na scenie właśnie śpiewa pierwszy z tych wielu zespołów, które dziś wystąpią...

– Uwaga, studio!

– Michał, kończ!

– Przychodźcie do nas, zapraszamy!

– Trójka, jesteś. Jedź po tym puzonie, jedź! Rozszerzaj! Czwórka, jesteś! Trójka, trzymaj dziewczyny!

– Jędrek, start!

– A w naszym studiu, zamienionym dzisiaj na kawiarnię, w której gra świetny zespół jazzowy Palace Band, zebrali się dziennikarze telewizyjni, znacie ich państwo z ekranu, to oni robią programy na naszą lokalną antenę...

– Czwórka, prowadź go! Kran, szeroko! Jak najszerzej, całe studio!

– Będziemy dzisiaj z nimi rozmawiali, poznacie ich państwo bliżej, zaczniemy, oczywiście od redaktora naczelnego...

– Trójka, biorę! Czwórka, ostrość! Biorę! Jedynka, daj mi te drzwi!

– Panie redaktorze, czy dzień taki jak dziś to dla pana źródło satysfakcji?

– Oczywiście, pracuję w tym ośrodku już osiem lat, od czterech jako szef, i zdaję sobie doskonale sprawę, jak ważne jest to, że od tylu lat nadajemy...

– Jedynka, uwaga!

– A o tym, że mamy dla kogo nadawać, najlepiej świadczą te tłumy ludzi, którzy przyszli nas dzisiaj odwiedzić...

– Jedynka, biorę. Dwójeczko, przygotuj się, niedługo do was przejdziemy. Czwórka, biorę.

– Największą jednak satysfakcję daje świadomość, że pracuje tu, pod moim kierownictwem, taki wspaniały zespół ludzi...

– Kran, szeroko, jedynka, szeroko! Kran biorę! Jedź do panienek!

– Serdecznie zapraszamy do nas dzisiaj wszystkich szczecinian, przed ekrany, ale i bezpośrednio tu, do telewizji...

– Jedynka, biorę. Czwórka, trzymaj ich dwóch!

– Ela, uważaj, zaraz wchodzisz! Jędrek, kończ!

– Dziękujemy, panie redaktorze, nasze święto dopiero się zaczyna...

– Dwójka, jesteś!

– Ela, jesteś!

– Proszę państwa, sercem każdej telewizji jest zawsze redakcja informacji. Znajdujemy się w newsroomie, to tu jest owe gniazdo os...

– Jedź, dwójka!

– Marta, przygotujcie się!

– Tak, to oczywiste, powinniście być przecież wszędzie...

– Powinniśmy i najczęściej jesteśmy wszędzie tam, gdzie coś ciekawego się dzieje...

– Szóstka, za chwilę wasze wejście. Stój, dwójka!

– Ela, koniec!

– Tak więc sami państwo widzą, że tu nie ma wyznaczonych godzin pracy, dziennikarze tej redakcji zawsze muszą być na posterunku, aby informować mieszkańców miasta, regionu i kraju...

– Marta, uwaga!

– Szóstka, jesteś!

– A tak, proszę państwa, wygląda klasyczna ekipa reporterska z dziennikarzem! Państwo już się orientują, kto jest kto...

– Pokaż ekipę! Szerzej! Kran, trzymaj panienki, od nich pojedziesz po ludziach! Czwórka, ładnie! Trzymaj tak.

– Ten pan z kamerą to oczywiście operator filmowy, do niego przypięty kablem jest dźwiękowiec, za nimi stoi spec od oświetlenia planu i jednocześnie kierowca...

– Szóstka, jedź na Filipa!

– A to dziennikarz informacyjny, który właśnie relacjonuje to, co się u nas dzieje, czyli robi tak zwanego stendapa. I tu najważniejsza jest zimna krew, on nie ma prawa się dać zdekoncentrować, zaraz sprawdzimy, jak też nasz kolega się skoncentrował...

– Szerzej, uważaj, szóstka, co ona robi!

– Bo to jest tak, proszę państwa, że dookoła niego mogą się dziać różne rzeczy, a jemu nie wolno zareagować...

Ryk radości z wielu gardeł wstrząsnął reżyserką.

Marta złapała Filipa za tyłek.

Na antenie!

– Cisza! – wrzasnął Maciek. – Kran, uwaga!!!

– Kończ, Marta!

– O, drogi kolego, niedobrze, musisz ćwiczyć koncentrację! Tego stendapa musisz, niestety, powtórzyć!... Oddajemy głos do studia!
– Kran! Jedź!

I tak bitą godzinę.

Przez cały czas po budynku chodziły sobie dwudziestoosobowe grupy, prowadzone przez naszych kolegów. Co jakiś czas uzupełniały tłum w przedsionku reżyserki, czyli za szybą, za naszymi plecami. W samej reżyserce oprócz nas przy konsoletach siedzieli już tylko nasi koledzy, a zwłaszcza koleżanki. Co jakiś czas dobiegały nas szepty z tyłu:

– O Jezu, ale nerwówa!

Tak naprawdę nie nerwówa, tylko koncentracja. To, czego zabrakło Filipowi, kiedy piękna Martusia urzeczywistniła swój, jak nam się wydawało, żart z wczorajszej odprawy.

Motory były najpiękniejsze.

Myślałam, że Filip przesadza z ich liczbą, bo ma on taką tendencję, ale naprawdę było ich ze dwieście. Wystartowane przez Krysię, przejechały z rykiem podrasowanych silników, przeważnie bez tłumików, ulicą koło budynku. Michałek rzęził z zachwytu na ich widok. Nie dziwiłam mu się. Były przepiękne! Jednego dzikiego jeźdźca Michałek odpytał, zatrzymując go uprzednio niemal z narażeniem życia, bo metodą rzucenia się pod koła. Trafił mu się napakowany superman z tatuażami wszędzie tam, gdzie wystawał ze skórzanego odzienia (zapewne pod spodem miał ich dużo więcej). Jechał na starym junaku ze szczecińskiej fabryki.

– Kolego! – zachrypiał motocyklista z uczuciem. – Młody jesteś i nie możesz tego motoru pamiętać! To jest junak! Motor szczeciński! I telewizja jest szczecińska! To my życzymy naszej telewizji wszystkiego najlepszego!

Zagrzmiał silnikiem, wystartował i oddalił się dostojnie.

O przewidzianej porze zeszliśmy z anteny. Nie na długo, bo następne wejście miało być za czterdzieści minut. Przebijając się przez gromady zwiedzających, popędziliśmy – Ewa, Maciek i ja – napić się kawy.

Na dole okazało się, że już jest tłok. Próbowaliśmy dopchać się do kanapek, ale z marnym skutkiem. Zwróciliśmy się więc ku wyjściu. Ale stał się cud. Zatrzymały nas nasze koleżanki, pracujące na co dzień w biurze, te same, które tak się dziwiły nerwówie w reżyserce, a które zazwyczaj odnosiły się do nas raczej obojętnie.

– Bez kanapeczki was nie puścimy! Musicie się pokrzepić! Kawy? Herbaty?

Od ręki dostaliśmy wszystko. Zapchaliśmy więc gęby kanapeczkami od zaprzyjaźnionej restauratorki, popiliśmy gorącą kawą i polecieliśmy z powrotem.

W tym właśnie wejściu czekała nas mina w postaci sekwencji w reżyserce. Jędruś miał zwywiadować mnie w towarzystwie inżyniera studia, jak to rozsądnie zasugerował Maciek.

Pierwszych cztery czy pięć rozmów poszło gładko. Podczas tej piątej do reżyserki wleciała ekipa w składzie: operator Paweł, Jędruś i jakiś pomagier dźwiekowy. Paweł podpiął kamerę do stosownego wejścia i ustawił się w gotowości. Szósta rozmowa była nasza.

Jędrek – cały czas na dopalaczach, bo leciutko zaczynaliśmy gonić czas – przedstawił panią redaktorkę programu, pani redaktorka przedstawiła inżyniera studia; potem szybko opowiedziałam o dwóch najważniejszych facetach w czasie trwania tego programu – tu Paweł najpierw podstawił kamerę pod nos Maćkowi, który założył na uszy słuchawki i dokonywał cudów koncentracji, jednocześnie uśmiechając się mile, kiedy była mowa o nim i miksując obrazek od Pawła z czymś tam ze studia; potem Pawełek obrócił się błyskawicznie w stronę Marcina, a my usiłowaliśmy wyjść kamerze z pola widzenia. Cały czas reżyserka pełna była ludzi, których też należało pokazać. Kiedy już przedstawiliśmy Marcina i powiedziałam, do czego nam służy realizator dźwięku (ten nasz dźwięk też on cały czas robił), poprosiłam inżyniera studia, żeby powiedział o całej technicznej reszcie.

I wtedy poczułam, że coś się dzieje niepokojącego.

Mianowicie coś jakby mi ciekło po nogach!

A wciąż byliśmy na antenie!

Boże jedyny, żeby tylko operator nie odszedł od nas z kamerą za daleko! Bo jeszcze to pokaże!

Na szczęście Paweł nie miał miejsca na żadne zamiatanie kamerą po parterach. Szedł po reżyserce i starał się pokazywać to, o czym mówił kolega inżynier.

Spojrzałam na zegar. Przewalamy! A ja nie mogę Jędrusiowi nic powiedzieć!

Sprawdziłam szybko, gdzie patrzy kamera, pomachałam dramatycznie rękami. Ewa dostrzegła moją panikę. Postukałam wymownie palcem w tarczę zegarka i z ulgą zauważyłam, że Ewa, która siadła na moim miejscu, mówi do mikrofonu. Niemal w tym samym momencie Jędrek, który zawsze był sprawny i szybki, zgrabnie zakończył story o reżyserce i ponownie podszedł do mnie.

– A teraz, proszę, powiedz mi, co właściwie ty tu robisz? Kto to taki: autor programu?

I podstawił mi pod nos mikrofon.

– Autor programu – powiedziałam – to jest człowiek, który program wymyślił. A kiedy ten program leci na żywo, tak jak nasz, i kiedy autor widzi, że prowadzący za długo gada z jednym rozmówcą, mówi mu na ucho: Spadaj, czas ci się skończył!

Jędrek rozłożył ręce, a właściwie tę jedną, bez mikrofonu.

– No cóż, kiedy autorka mówi „spadaj", to dla prezentera jest to absolutny rozkaz! Spadam zatem!

Maciek przeszedł na obrazki z ulicy, Jędrek z ekipą polecieli dalej. Ewa zaczęła wydobywać się z mojego fotela, żebym mogła dalej wspierać Maćka jako ta autorka programu.

– Ewa, siedź tam – powiedziałam pospiesznie. – I lećcie dalej, dokładnie tak jak w scenariuszu, Maciek sobie poradzi, tylko pilnuj mu czasów! Ja chyba rodzę! Powodzenia.

Zaczęłam się wycofywać z reżyserki. W brzuchu czułam jakieś dziwne sensacje. To się nazywa, że wody odeszły, cholera, zaraz zaczną się bóle!

Obserwatorzy z parapetu, a zwłaszcza obserwatorki, zorientowały się w sytuacji. Rozległy się okrzyki:

– Wika rodzi! Pogotowie! Trzeba ją zabrać!

– Cisza! – ryknął strasznym głosem Maciek. – Zabierzcie ją i spokój ma być!

I powrócił do wydawania poleceń operatorom.

Udało mi się przedostać do przedsionka. Na szczęście zaraz za progiem wpadłam na Filipa, który skończył z lipnymi stendapami i oddawał się oprowadzaniu wycieczek. Filip jest człowiek przytomny. Filip pomoże.

– Filipku – powiedziałam półgłosem, łapiąc go za rękaw, podczas gdy wokół nas kłębił się tłum podekscytowanych biuralistek. – Ja rodzę, cholera jasna! Ściągnij mi jaką karetkę czy co!

– Masz bóle? – zapytał fachowo czołowy pistolet redakcji informacji.

– A bo ja wiem, co to jest? Może to i bóle! Zdążyłam zrobić własne wejście i mnie złapało. Kałuża po mnie została!

– Wody odeszły – skonstatował Filip, ojciec półrocznego niemowlaka. – Chodź, schowamy cię w emisji, tam się wycieczek nie prowadzi.

Mówiłam, że Filipek przytomny. Drzwi do pokoju emisji były o krok.

Aż mnie zgięło!

– Cholera! Boli! Pomóż mi przejść!

Filip zdecydowanym ruchem jednego przedramienia rozgonił gapiów, drugim podparł mnie i pomógł mi przejść te cztery kroki. Po czym rąbnął pięścią w drzwi do emisji.

– Co pan robi, panie? – obruszył się jakiś facet z wycieczki. – Domofonu tu nie ma czy co?

– Na razie jest tylko taki – powiedział zgodnie z prawdą Filip i walnął jeszcze raz.

W drzwiach stanął kolega Zbyszek

– Czego się awanturujesz? – spytał pogodnie. – O kurczę! Wika, chodź szybko, no chodź, pomogę ci, dawaj ją, Filip.

Drzwi za nami się zamknęły, odcinając nas od kłębiącego się tłumu, złożonego z naszych zdenerwowanych kolegów i koleżanek oraz nieświadomych powagi sytuacji miłośników telewizji.

– Chłopaki, czy ja wreszcie mogę sobie pokrzyczeć? – spytałam cichutko.

– Wrzeszcz, Wicia – powiedział życzliwie Zbyszek. – To dobrze robi, a nam nie przeszkadza.

Wrzasnęłam więc sobie, bo już mnie zdrowo zabolało. Ale po chwili przeszło.

Filip już dzwonił na pogotowie. Nie bawił się w żadne 997, tylko zadzwonił na numer wewnętrzny, znany sobie dobrze, bo stale tam przecież siedział i coś nagrywał.

– Hania? Jak to dobrze, że to ty dzisiaj masz dyżur! Słuchaj, koleżanka nam rodzi! Coś ty, oglądacie nas? Tak, ta sama, przed chwilą występowała! Wika, kiedy ci te wody odeszły?

343

– Właśnie wtedy!

– No, Hania, właśnie wtedy! Jak to, kiedy? Jak była na antenie! No, naprawdę! Wysyłasz? Cudnie, Hanuś, to zajedźcie od tylca, z przodu mamy jubel, zaraz zejdę i będę tam na was czekał, sami nie traficie. Hej!

Odwrócił się do nas.

– Oglądają nas! Widzieli twoje wejście, Wika, mówiła Hania, że się śmiali, że możesz zaraz urodzić! Wykrakali, to przez nich! Zbigu, zadzwoń do wartowników, niech otworzą tyły, karetka musi podjechać! Trzymaj się, Wicia!

I poleciał.

Podczas kiedy Zbyszek zawiadamiał wartowników o naglącej potrzebie, rzuciłam okiem na zestaw ekranów. Program spokojnie leciał, jak miał napisane. Oglądałam go sobie zatem, od czasu do czasu pokrzykując, bo mnie bolało.

Kiedy pogotowiarze wynosili mnie z pokoju emisyjnego, do studia wjeżdżał właśnie potwornej wielkości tort od Henia z Duetu.

A za drzwiami czyhał już Filip z ekipą filmową.

Dostałam dzikiego ataku śmiechu.

– Filip, ty harpagonie – wyjęczałam. – Ze wszystkiego forsę wydusisz, koleżanki nie oszczędzisz...

– No wiesz – obruszył się Filipek. – Najpierw udzieliłem ci przecież pierwszej pomocy! Gramy, chłopaki!

Pogotowiarze nieśli mnie przez zapchany ludźmi korytarz, a moi kochani koledzy lecieli z kamerą za nami; Beret, chichocząc, podtykał mi zwisający z długiego kija mikrofon, a Filip do własnego nadawał jak nakręcony:

– Autorka dzisiejszego programu, nasza koleżanka, Wika Sokołowska, zdążyła jeszcze powiedzieć na antenie to, co sama dla siebie zaplanowała, po czym zaczęła rodzić! Proszę państwa, jesteśmy z nią. Wika, jak się czujesz?

– Świetnie – powiedziałam, bo trzeba było koledze zrobić ładny materiał. – Najważniejsze, że program poszedł! A właściwie jeszcze wciąż idzie, bez przeszkód. Filipie, pozdrów kolegów, którzy jeszcze będą do wieczora pracować, pozdrów naszych telewidzów, o kurrrr....

Zabolało! Pogotowiarze ze śmiechu o mało mnie nie wypuścili razem z noszami.

Filipowi ani powieka nie drgnęła. Wytnie się! Prując tuż obok noszy, przodem do kamery, a tyłem do kierunku biegu, klepał dalej:

– Proszę państwa, będziemy teraz wszyscy trzymać kciuki, żeby dobrze poszło, żeby dziecko zdrowo i jak najszybciej przyszło na świat! Wika, to ma być syn czy córka?

– Wszystko jedno!

– No tak, wszystko jedno, ale niezależnie od tego, czy syn, czy córka, na pewno będzie kiedyś pracować w telewizji! Wika, trzymaj się, powodzenia życzymy ci wszyscy, telewidzowie też!

Dotarliśmy do karetki. Ekipa zatrzymała się jak wryta, operator Władek pokazywał jednocześnie kawałek Filipa i kawałek noszy ze mną. Starałam się mieć miły wyraz twarzy, a zwłaszcza nie zakląć w tym momencie, bo to już Filip musiał mieć na czysto – nie do powtórki, nie do wycięcia. Pogotowiarze wpychali nosze ze mną do samochodu, a Filip kończył z pełnym profesjonalizmem:

– Obiecujemy państwu, że będziemy pierwszymi gośćmi Wiki w szpitalu, kiedy już będzie po wszystkim i przedstawimy państwu tego małego obywatela, małego członka naszej wielkiej telewizyjnej rodziny.

Udało mi się utrzymać miły uśmiech, ale z trudem powstrzymałam się od wybuchu śmiechu. Tego małego członka, jeśli go nie wytnie (a nie bardzo będzie miał jak...) wyłapią mu i zapamiętają natychmiast. Już wyłapali! Już po herbacie! Już Beret chichocze i chichocze operator! Tak oto moje dziecko wchodzi do firmowej anegdoty na starcie życia!

Maciuś przyszedł na świat dokładnie na godzinę przed ostatnim wydaniem programu informacyjnego.

Nie wiem, jak Filip to sobie załatwił!

Dam sobie głowę uciąć, że to jego robota. Chciał mieć michałka do tego wydania, bo w poprzednim już podał do wiadomości publicznej radosną nowinę, którą nagrywał z takim poświęceniem, lecąc obok noszy ze mną tyłem do przodu po schodach.

Nie wiem też, jakim cudem namówił lekarzy, żeby go z ekipą wpuścili na salę, gdzie leżeliśmy – już we dwójkę.

A już zupełnie nie wiem, jak mu się udało przeszwarcować Terenię.

– Wikuniu, nie martw się – powiedziała ta znawczyni kobiecej psychologii spoza maseczki chirurgicznej, którą musiała założyć, podobnie jak cała reszta. Wyciągnęła z kuferka pudry. – Nie pozwolimy ci wyglądać niezawodowo!

I zrobiła mnie na lalę paroma pociągnięciami pędzla.

Pewnie Filip zdawał sobie sprawę, że prędzej pęknę, niż pozwolę się sfilmować w charakterze wymiąchanej położnicy. Maciuś wymagań w tym względzie nie miał, wystąpił więc sauté.

– Pawełku – poprosiłam słabo – tylko proszę, rób tak, żebym wyglądała jak człowiek... nie świeć mi prosto w gębę...

– Spokojnie, szefowa. To będzie najładniejszy portret w twoim życiu! I Maciusia też.

I był.

Kochani koledzy przytaszczyli monitor i po wykonaniu zdjęć cofnęli w kamerze taśmę, czego normalnie nigdy nie chcą robić, po czym obejrzeliśmy wspólnie z lekarzami (lekarza Filip też zwywiadował, a jakże) materiał.

No i znowu sprawdziła się moja teoria, że sympatia operatora wpływa na urodę filmowanego obiektu. Kiedy pokazuje mnie ktoś, kto mnie nie lubi, zazwyczaj wyglądam jak zmora. I odwrotnie. Jeśli lubi, to pięknie... Boże, ależ to był męczący dzień...

Poniedziałek, 23 kwietnia

Maciuś jest świetny po prostu.

Mały człowieczek o zdecydowanym charakterze. Jak śpi, to śpi. Jak je, to je. Jak siusia, to siusia. Żadnych czynności pośrednich.

Lubi mnie. To się czuje. Ten pediatra miał rację.

A ja mam wrażenie, że znam Maćka od stu lat. Jest dla mnie absolutnie przewidywalny. Wiem, kiedy będzie chciał pojeść, kiedy się posiusia i kiedy zechce spać przy mnie. Więcej działań na razie nie podejmuje.

Genialny wynalazek, te sale dla matek z niemowlakami. Nie potrafię sobie wyobrazić, że leżałabym tu jak kołek, a on leżałby jak kołek zupełnie gdzie indziej, a ja tylko kilka razy dziennie pełniłabym rolę restauracji. To musi być niesłychanie przykre i jakieś takie upokarzające obie strony.

No więc leżymy sobie, odpoczywamy po trudach wczorajszego dnia i odbieramy sms-y oraz telefony. Dzisiaj wolę sms-y. Tymon pewnie się domyślił, bo przysłał już jeden. „Gratuluje Maciusia, swietny chłopak, widzialem Was w telewizji, pieknie wygladalas, kocham Was oboje bardzo mocno".

Kocha. Nas. Nas oboje.

Myślę, że Maciek będzie za nim przepadał!

No i na pewno będzie przepadał za swoim ojcem chrzestnym, od którego ma się nauczyć mnóstwa ważnych rzeczy.

Ojciec chrzestny, podobnie jak matka chrzestna i cała reszta ukochanych kolegów, zapchali mi sms-ami całą pamięć komórki. Dobrze, że mam pojemną. Nadawali w nocy – pewnie przy dobrze zasłużonym bankiecie, wznosząc liczne toasty na naszą cześć. Naszą, to jest moją i Maciusia. Odczytywałam to Maćkowi rano, kiedy nażarty jak pyton układał się do snu.

Do rodziny zadzwoniłam jeszcze wczoraj. Byli lekko wstrząśnięci, kiedy oglądając program lokalny, dowiedzieli się, że właśnie odjechałam do szpitala. Bo jakoś żadne z kochanych kolegów i koleżanek nie miało prostego pomysłu ich powiadomienia, choć znają, skubani, numer do rodziców! Bartek też na to nie wpadł, tak się zintegrował z telewizyjnym towarzystwem.

Mama, ochłonąwszy, zadzwoniła natychmiast do pogotowia i usiłowała się dowiedzieć, do którego to ja szpitala pojechałam. Nic z tego jednak nie wyszło, bo w pogotowiu chronią nie tylko osobiste dane pacjentów, ale również osobiste wszystko. Któż bowiem może zaręczyć, że obca facetka, która dzwoni w tej sprawie, nie jest na przykład stuknięta? Widziała panią redaktor w telewizji i teraz chce jechać za nią, dać jej po łbie za to, że kiedyś nie stanęła po jej stronie w sporze ze spółdzielnią mieszkaniową... Albo że nie jest maniaczką, która pośle do szpitala zatrute czekoladki, żeby pani redaktor zjadła i padła, bo nie lubimy tu rudych!

Ostatecznie Krzysio musiał uruchamiać znajomości i dojścia. I wierna rodzinka kibicowała mi w przedsionku, dopóki nie urodziłam szczęśliwie synusia o słusznej wadze trzech i pół kilograma... Nieco wcześniej niż było liczone – zapewne na skutek ciężkiej pracy i dużych emocji; ale, jak powiedzieli lekarze – bez skutków ujemnych.

Teraz żadnych członków rodziny tu nie ma, bo mają obowiązki służbowe. W końcu jest dzień powszedni. I dobrze, bo muszę jakoś ochłonąć i przyzwyczaić się do nowej rzeczywistości. Szczęście nadzwyczajne, że dostałam pojedynczą salkę. Nie wiem, czy tu tak jest, czy to dlatego, że z mediami wszyscy chcą żyć w zgodzie. Nie obchodzi mnie to zupełnie.

Kiedy Maciuś śpi i posapuje z błogości (znowu się nażarł jak bardzo mały pytonek), rozmyślam sobie, jak to będzie dalej.

Tymon mnie kocha. Kocha Maćka. Nie mam powodu, żeby myśleć, iż jest inaczej.

Ja go też kocham i chcę z nim być.

Kocham też moją pracę. Ten cały szalony z pozoru kocioł, tych wszystkich wariatów, z którymi pracuję – w gruncie rzeczy wspaniałych, utalentowanych, uroczych... Bez nich też nie mogłabym żyć. I bez tej strasznej, wyczerpującej, nerwowej, niekonsekwentnej, nieocenialnej, źle opłacanej roboty!

To ona zrobiła ze mnie człowieka, ta praca. Te wszystkie reportaże, ci wszyscy ludzie, których spotkałam na planie, o których robiłam filmy i którzy ze mną przy tych filmach pracowali. Te niekończące się dyskusje, nocne montaże, emocje przy skomplikowanych transmisjach i ta szalona radość, kiedy wszystko się udawało i widzieliśmy, że program jest dobry.

Wczoraj świętowali beze mnie. Muszę to sobie odbić! Muszę robić programy, filmy, reportaże, muszę po prostu!

A co z Tymonem?

Czyżbym go mniej kochała, mniej potrzebowała?

Nie, tak nie wolno porównywać!

Na razie zastosujemy patent Scarlett O'Hary; pomyślę o tym jutro. Dzisiaj mam wolne.

Wtorek, 24 kwietnia

Scarlett – genialna dziewczyna!

Tymon przysłał sms-a. W kilku częściach, bo nie zmieścił się w normie.

„Wikuniu, kochana moja! Pisze, bo tak łatwiej i Tobie będzie łatwiej odpowiedziec. Kocham Cie bardzo, naprawde i Maciusia tez, chetnie zostalbym jego tatusiem, a nawet dorobilbym mu siostrzyczke. Wiem, ile dla Ciebie znaczy Twoja praca. Widzialem, jak pracujesz i rozumiem to. Mysle, ze nie chcialas rozmawiac o malzenstwie, bo musialabys wybierac – ja w Swinoujsciu albo telewizja w Szczecinie. Wikus – mam mozliwosc zamiany mojego domu w Swinoujsciu (przestalem go lubic ostatnio) na domek w Szczecinie. Na przedmiesciu, to chyba stare Gumience. Przemyslalem sprawe i doszedlem do wniosku, ze moge firma zarzadzac ze Szczecina. To nie jest jakas astronomiczna odleglosc. Swinoujscie mi zbrzydlo, tak czy inaczej – przenosze sie. Moze w tej sytuacji jednak bys za mnie wyszla?".

Odpowiedziałam lakonicznie:
„Wychodzimy za Ciebie natychmiast – Wika i Macius".

Swoją drogą, kiedy w tych komórkach wreszcie będą polskie znaki?!

KONIEC. WYCHODZĘ ZA MĄŻ!

Posłowie, a właściwie wyjaśnienie

Parę rzeczy w tej opowieści jest prawdziwych. Miasto Szczecin na przykład. Albo Świnoujście. Afera szprotkowa rzeczywiście się zdarzyła i wyglądała nawet dosyć podobnie, ale już Tymona W. musiałam, niestety, wymyślić. Telewizja w Szczecinie też w zasadzie istnieje, ale nie pracują w niej moi bohaterowie. Są oni zmyśleni, chociaż, prawdę mówiąc, na paru znajomych się wzorowałam. Ci akurat się za to nie obrażą. Mniej sympatyczne postacie pochodzą wyłącznie z mojej wyobraźni.

Podobnie jak cały romans głównych bohaterów. A szkoda, bo miło jest, jak się ludzie tak kochają.

M. S.